MON AMI LEONARD

Mille morceaux, Belfond, 2004, et 10/18, 2006

JAMES FREY

MON AMI LEONARD

Traduit de l'américain
par Laurence Viallet

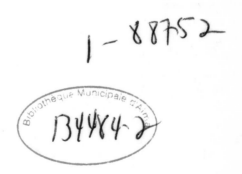

belfond
12, avenue d'Italie
75013 Paris

Titre original :
MY FRIEND LEONARD
publié par Riverhead Books, a member of
Penguin Group (USA) Inc., New York.

Certains noms et éléments caractéristiques ont été modifiés.
Certaines scènes et détails liés à ces scènes ont été modifiés.

Si vous souhaitez recevoir notre catalogue
et être tenu au courant de nos publications,
vous pouvez consulter notre site internet :
www.belfond.fr
ou envoyer vos nom et adresse,
en citant ce livre,
aux Éditions Belfond,
12, avenue d'Italie, 75013 Paris.
Et, pour le Canada,
à Interforum Canada Inc.,
1055, bd René-Lévesque-Est,
Bureau 1100,
Montréal, Québec, H2L 4S5.

ISBN 2-7144-4183-1

et ma coupe déborde.

Psaume 23.5

début

MA PREMIÈRE JOURNÉE EN PRISON, un type de cent cinquante kilos appelé Porterhouse m'a frappé derrière la tête avec un plateau en métal. Je faisais la queue pour le déjeuner et je n'ai pas vu le coup venir. Je suis tombé. Me relevant, j'ai fait volte-face et je me suis mis à balancer des coups de poing. J'en ai décoché deux ou trois avant d'être frappé une deuxième fois, au visage cette fois. Je suis tombé de nouveau. J'ai essuyé le sang sur mon nez et ma bouche, me suis relevé, et me suis remis à balancer des coups de poing. Porterhouse m'a fait une clef de tête et a commencé à m'étrangler. Il s'est penché vers mon oreille et m'a dit je vais te relâcher. Si tu continues de te défendre je vais méchamment t'éclater la tronche. Reste par terre et je te laisse tranquille. Il a relâché sa prise, je suis resté par terre.

Cela fait quatre-vingt-sept jours que je suis là. Je me trouve dans le Secteur B, réservé aux criminels et aux détenus dangereux. Il y a trente-deux cellules dans mon secteur, trente-deux détenus. À n'importe quelle heure du jour ou de la nuit, entre cinq et sept gardiens nous surveillent. On porte tous une combinaison à rayures bleues et jaunes, et des pantoufles à semelles en caoutchouc dépourvues de lacets. Quand on va d'un endroit à un autre, on passe par des portes barreautées et des détecteurs de métaux. Ma cellule fait deux mètres de large sur trois mètres de long. Les murs sont en ciment et le sol est en ciment et le lit est en ciment, les barreaux en fer, la cuvette en acier. Le matelas sur le lit est mince, les draps couverts de poussière granuleuse. Ma chambre est dotée d'une fenêtre, une petite fenêtre qui donne sur un mur de brique. La fenêtre est constituée d'une vitre blindée et il y a des barreaux des deux côtés. Elle me procure la quantité de lumière requise par l'État. La lumière n'aide pas à passer le temps, et l'État n'est pas censé me fournir quoi que ce soit qui m'aide à passer le temps.

Ma vie n'est que routine. Je me lève tôt le matin. Je me lave les dents. Je m'assieds sur le ciment de la cellule et ne vais pas déjeuner. Je garde les yeux braqués sur un mur gris en ciment. Je reste assis en tailleur, le dos droit, les yeux fixes. Je prends de grandes bouffées d'air, inspire, expire, inspire, expire, et j'essaie de ne pas bouger. Je reste assis le plus longtemps possible je reste assis jusqu'à ce que tout fasse mal je reste assis jusqu'à ce que tout cesse de faire mal je reste assis jusqu'à ce que je me perde dans le mur gris je reste assis jusqu'à ce que mon esprit devienne aussi vide que le mur gris. Je reste assis et je regarde et je respire. Je reste assis et je respire. Je reste assis, les yeux braqués. Je respire. Je me relève en milieu d'après-midi. Je vais aux toilettes et je bois un verre d'eau et je fume une cigarette. Je quitte ma cellule, je sors dans la cour de promenade. Quand le temps le permet, des détenus jouent au basket, font des altères, fument des cigarettes, discutent. Je ne me mêle pas à eux. Je marche le long du mur jusqu'à ce que je sente à nouveau mes jambes. Je marche jusqu'à ce que mes yeux et mon esprit y voient un peu plus clair. Avant qu'ils ne me ramènent où je suis et à ce que je suis, c'est-à-dire un alcoolique et un toxicomane et un délinquant. Quand le temps est mauvais, la cour est vide. Je sors, malgré la météo. Je marche le long du mur jusqu'à ce que je recouvre mes sensations et mes souvenirs. Je suis ce que je suis. J'ai besoin de sentir et de me souvenir.

Je passe les après-midi en compagnie de Porterhouse. Son vrai nom est Antwan, mais il a pris Porterhouse[1] pour surnom parce qu'il dit qu'il est gros et juteux comme un chouette steak. Porterhouse a jeté sa femme par la fenêtre de leur appartement situé au septième étage lorsqu'il l'a trouvée au lit avec un autre homme. Il a emmené le type dans un champ et lui a tiré dessus à cinq reprises. Les quatre premières balles l'ont atteint au niveau des bras et des jambes. Il a attendu une demi-heure pour laisser au type le temps de sentir la douleur infligée par ses blessures, souffrance qu'il estimait avoir été équivalente à celle qu'il avait ressentie quand il avait vu le type en train de baiser sa femme. La balle numéro cinq s'est logée dans le cœur de l'homme. De 15 heures à 18 heures, je fais la lecture à Porterhouse. Je m'assieds sur mon lit, il s'assied par terre. Il s'adosse contre le mur et il ferme les yeux afin, comme il dit, de faire marcher son imagination. Je lis lentement et distinctement, faisant parfois une pause pour boire un verre d'eau ou fumer une cigarette. Les douze dernières semaines on a réglé leur sort à *Don Quichotte*, *Feuilles d'herbe*, et *À l'est d'Éden*. En ce moment on est en train de lire *Guerre et Paix*, le livre que Porterhouse préfère. Il a souri quand Andrei et Natasha se sont fiancés. Il a pleuré lorsque Anatole l'a trahie. Il a applaudi à la bataille de Borodino et, tout en admirant la stratégie russe, a juré alors que Moscou brûlait. Quand on ne lit pas, il se promène avec *Guerre et Paix* sur lui. La nuit, il dort avec, le tenant dans ses bras comme si c'était son enfant. Il dit que s'il pouvait, il ne cesserait de le relire.

J'ai commencé à faire la lecture à Porterhouse le lendemain de son attaque avec le plateau, alors que je passais ma deuxième journée ici. Je me dirigeais vers ma cellule, tenant un exemplaire de *Don Quichotte* dans la main. Lorsque je suis passé devant sa cellule, Porterhouse m'a dit entre donc, faut que je te parle. Je me suis arrêté et je lui ai demandé ce qu'il voulait, il a dit qu'il

---

1. Épaisse tranche de filet de bœuf grillé, semblable au chateaubriand. (*N.d.T.*)

voulait savoir pourquoi j'étais ici et pourquoi le shérif du comté lui avait donné trois cartouches de cigarettes pour qu'il me flanque une dérouillée. Je lui ai dit que j'avais renversé un shérif avec une voiture qui faisait du 7 km/h alors que j'étais saoul et défoncé au crack et que je m'étais battu avec plusieurs autres quand ils avaient essayé de m'arrêter. Il m'a demandé si j'avais renversé le type intentionnellement. Je lui ai répondu que je ne me rappelais pas l'avoir fait. Il a éclaté de rire. Je lui ai demandé pourquoi il était là et il me l'a dit. Je n'ai fait aucun commentaire. Il m'a demandé quel livre c'était, je le lui ai dit, il m'a demandé pourquoi je l'avais et je lui ai dit que j'aimais les livres. Je lui ai proposé de le lui passer quand je l'aurai fini et il a éclaté de rire et a dit je sais pas lire, enfoiré, c'est pas un livre à la con qui va arranger mes affaires. Je lui ai proposé de lui faire la lecture. Il a dit qu'il y réfléchirait. Deux heures plus tard il s'est pointé et il s'est assis par terre, dans ma cellule. Je me suis mis à lire. Depuis il vient tous les jours. À 18 heures, je vais dîner avec Porterhouse, c'est le seul repas que je prends de la journée. En général c'est immonde, répugnant, presque immangeable. La viande est bouillie, le pain rassis, les pommes de terre détrempées, les légumes durs comme la pierre. Je mange quand même. Porterhouse prend une deuxième, une troisième et une quatrième portions que, grâce à de vieux arrangements, il trouve sur le plateau d'autres détenus. Il me propose de me donner de la nourriture, mais je refuse. Quand j'ai fini de manger, je reste assis à écouter Porterhouse parler de son procès imminent. Comme tous ici, malgré ce qu'ils peuvent en dire, Porterhouse est coupable des crimes qu'on l'accuse d'avoir commis. Il veut que son procès ait lieu parce que jusqu'à sa condamnation, il restera ici, dans la maison d'arrêt du comté, au lieu de purger sa peine dans une prison d'État. La vie est moins dure en maison d'arrêt qu'en prison. Il y a moins de violence, plus de privilèges, la plupart des détenus savent qu'ils vont sortir d'ici un an, et pour certains plus tôt encore, et ils veulent qu'on leur fiche la paix. Une fois qu'ils sont sortis, ils ne veulent pas revenir. Dans les prisons d'État, il y a des gangs, des viols, de la drogue, des meurtres. La plupart des détenus sont là pour de longues peines et ne seront probablement jamais libérés. Si d'aventure ils sont libérés, ils ressortiront encore plus dangereux qu'ils ne l'étaient avant d'être incarcérés. Ils s'en branlent, de la réinsertion, il leur faut survivre. Pour survivre il leur faut troquer leur humanité contre la sauvagerie. Porterhouse le sait, mais il veut rester humain le plus longtemps possible. Une condamnation lui pend au nez, mais d'ici là il séjournera ici, et restera un être humain.

Après le dîner je vais à la cabine téléphonique. Je compose le numéro que m'a donné mon ami Leonard. Le numéro me permet de passer gratuitement des coups de fil partout dans le pays. Je ne sais pas comment Leonard a dégoté ce numéro, et je ne le lui ai jamais demandé. J'ai toujours eu cette politique envers Leonard. Prenant ce qu'il donne, le remerciant, ne posant pas de questions. Leonard est comme moi, alcoolique et toxicomane et délinquant, bien qu'il ne soit pas actuellement incarcéré. Il a cinquante-deux ans et il vit à Las Vegas, où il veille aux intérêts d'une société clandestine engagée dans le domaine financier, le divertissement, la sécurité. Quand on parle on ne discute pas de ses affaires.

Je commence toujours par appeler Lilly. Lilly et ses longs cheveux noirs, sa peau pâle et ses yeux bleus comme l'eau claire et profonde. Lilly que son père a abandonnée, que sa mère a vendue pour de la drogue alors qu'elle avait treize ans. Lilly qui est devenue accro au crack et aux cachetons, qui a traversé le pays en faisant du stop et en levant les jambes pour pouvoir échapper à sa mère. Lilly qu'on a violée et tabassée et utilisée et abandonnée. Lilly qui n'a personne au monde à part moi et une grand-mère atteinte d'un cancer, en phase terminale. Lilly qui vit dans un centre de réinsertion à Chicago tandis qu'elle s'efforce de décrocher et attend que je sois libéré. Lilly qui m'aime. Lilly qui m'aime. Je compose le numéro. Je sais qu'elle est assise dans une cabine téléphonique du centre de réinsertion, à attendre mon coup de fil. Mon cœur se met à battre de plus en plus vite comme chaque fois que je la vois ou que je lui parle. Elle décroche à la troisième sonnerie. Elle dit bonjour mon chou, je dis bonjour ma choute. Elle dit tu me manques et je dis on va se revoir bientôt. Elle me demande comment je vais, je lui dis que je vais bien. Elle est bouleversée parce que je suis ici et je ne veux pas qu'elle se fasse du souci, je lui dis toujours que tout va bien. Je lui demande comment elle va, ses réponses changent de jour en jour, d'heure en heure, de minute en minute. Parfois elle dit qu'elle se sent libre, un sentiment qu'elle n'a que rarement éprouvé mais toujours recherché. Elle dit qu'elle a l'impression de se sentir mieux, en meilleure forme, que son passé est derrière elle. Parfois elle dit qu'elle se sent bien, qu'elle s'en sort et que ça lui suffit, qu'elle a arrêté la came et qu'elle a un toit sur sa tête, elle dit qu'elle va bien. Parfois elle est déprimée. Elle sent que sa grand-mère va mourir et que je vais la quitter et qu'elle va se retrouver seule au monde, ce qu'elle dit ne pas pouvoir supporter. Elle dit qu'il y a toujours des solutions, qu'elle les soupèsera quand le temps sera venu de les envisager. Parfois elle ne sent rien. Absolument rien. Elle ne parle pas elle ne fait que respirer dans le combiné. Je lui dis de s'accrocher, qu'elle sentira à nouveau, qu'elle se sentira mieux à nouveau, qu'elle se sentira libre à nouveau, je lui dis de s'accrocher, ma choute, je t'en prie accroche-toi. Elle ne répond pas. Elle ne fait que respirer dans le combiné.

J'ai rencontré Lilly et Leonard il y a cinq mois. J'avais été admis dans un centre de désintoxication pour toxicomanes et alcooliques. Je m'y suis fait admettre après une période de dix ans d'alcoolisme et de trois ans de dépendance au crack, qui s'est achevée lorsque je me suis réveillé dans un avion suite à un trou noir de deux semaines et que je me suis aperçu que j'avais quatre dents de devant en moins, le nez cassé, l'orbite de l'œil bousillée, et un trou dans ma joue qui a requis quarante points de suture pour se faire refermer. À l'époque, j'étais recherché dans trois États pour usage et trafic de stupéfiants, conduite en état d'ivresse et coups et blessures volontaires. Je n'avais ni boulot ni argent et j'étais presque mort. Je ne voulais pas me faire admettre dans le centre mais je n'avais pas d'autre solution. En tout cas, pas de solution que j'étais prêt à accepter.

J'ai rencontré Lilly dès le deuxième jour. Je faisais la queue pour prendre mes médicaments pour la désintoxication et elle se tenait devant moi. Elle s'est tournée, elle m'a dit bonjour, je lui ai dit bonjour, elle m'a demandé ce qui était arrivé à mon visage et j'ai haussé les épaules et je lui ai dit que je ne le savais pas et elle a ri. Je l'ai revue et je lui ai parlé plus tard dans la journée et le lendemain et le surlendemain et le jour suivant. Le règlement de la clinique interdisait les relations hommes/femmes. On passait outre au règlement. On se parlait, on se passait des petits mots, on se donnait rendez-vous dans les bois autour de la clinique. On s'aidait et on se comprenait. On est tombés amoureux. On est jeunes, elle a vingt-quatre ans et j'en ai vingt-trois, et on est tombés amoureux. Ni l'un ni l'autre n'avions jamais ressenti ce qu'on a ressenti l'un pour l'autre, on a décidé de rester ensemble et de vivre ensemble une fois qu'on aurait quitté la clinique. On s'est fait surprendre ensemble et on a dû payer cette violation du règlement de la clinique. Lilly a quitté la clinique et je suis parti à sa recherche. Je l'ai retrouvée qui vendait son corps pour avoir du crack, je l'ai ramenée. Je suis sorti une semaine plus tard et je suis arrivé ici. Lilly est restée neuf semaines supplémentaires et ça fait un mois qu'elle se trouve dans un centre de réinsertion à Chicago. Quand je partirai d'ici, je la rejoindrai.

J'ai rencontré Leonard trois jours après avoir rencontré Lilly. J'étais assis tout seul dans la cafétéria et je mangeais un bol d'avoine. Il s'est installé à ma table et m'a reproché de l'avoir appelé Gene Hackman. Je ne me souvenais pas de l'avoir appelé Gene Hackman, ce qui l'a mis en rogne. Il m'a dit que si je l'appelais encore une fois Gene Hackman, ça allait faire des histoires. Je lui ai ri au nez. Il n'a pas apprécié que je lui rie au nez et il m'a menacé. J'ai ri de plus belle, l'ai traité de vieux schnock et je lui ai dit que s'il ne me lâchait pas les baskets j'allais lui foutre une bonne branlée. Il m'a regardé quelques instants. J'ai soutenu son regard. Je me suis levé et je lui ai dit de lâcher mes putains de baskets, sinon il se préparait à recevoir une bonne branlée. Il m'a demandé comment je m'appelais et je lui ai répondu. Il m'a dit son nom et il m'a demandé si j'étais cinglé. J'ai dit oui Leonard, je suis cinglé, complètement cinglé. Il m'a tendu la main et m'a dit bien, parce que moi aussi je suis cinglé, et j'aime les gens cinglés, allons nous asseoir pour casser la croûte et voir si on peut devenir amis. Je lui ai serré la main, on s'est assis, on a déjeuné ensemble et on est devenus amis.

Au cours des deux mois qui ont suivi, ce qui correspond à la durée de mon séjour dans la clinique, Leonard est devenu mon plus proche ami. Lorsque j'ai quitté le centre, peu de temps après avoir terminé le processus de désintoxication physique, Leonard m'a suivi. Je lui ai dit de me laisser tranquille mais il a refusé. Il m'a suivi. Je l'ai fait tomber. Et il s'est relevé. Je l'ai refait tomber et il s'est à nouveau relevé. Il a dit qu'il ne me laisserait pas partir, et que si j'essayais il me ferait retrouver et ramener. Il m'a dit que peu importait le nombre de fois où je partirais, il me ferait toujours ramener. Je l'ai regardé dans les yeux et j'ai écouté ses paroles. Il a trente ans de plus que moi mais il est ce que je suis, alcoolique, toxicomane, et délinquant. Ses yeux et ses paroles exprimaient la vérité, une vérité que je connaissais et en laquelle j'avais plus confiance qu'en la vérité de l'institution ou la vérité des médecins ou la vérité des gens qui n'ont pas vu le dixième des saloperies que j'ai vues. Je suis retourné à la clinique et j'y suis resté. J'avais failli partir parce que je voulais de l'alcool et je voulais du crack et je voulais mourir. J'y suis retourné grâce à Leonard.

Je ne sais pour quelles raisons – je ne les connais pas toutes – chaque fois que j'ai eu besoin de quelque chose ou de quelqu'un, Leonard était là. Il me surveillait, il me protégeait. Il m'a aidé à me réconcilier avec ma famille. Il m'a donné le meilleur conseil que l'on m'ait donné pendant mon séjour à la clinique, qui était de m'accrocher. Même si ta vie devient douloureuse et difficile, si tu t'accroches, si tu t'accroches à ce qu'il te faut pour t'accrocher, quoi que ce soit, la religion, les amis, un groupe de soutien, une série d'étapes ou ton propre cœur, si tu t'accroches et ne fais que t'accrocher, ta vie redeviendra plus douce. Il m'a poussé à sortir avec Lilly. Il m'a dit de ne pas tenir compte des putains de règles, que l'amour ne se rencontre pas si souvent, et que quand il se présente tu dois l'attraper et essayer de le garder.

Une fois Lilly partie, elle a eu besoin d'argent pour revenir à la clinique et y rester. Sa grand-mère n'avait plus d'argent. Elle avait dépensé toutes ses économies pour faire admettre Lilly la première fois, et Lilly ne pouvait obtenir aucune aide financière. Je n'ai pas parlé à Leonard des problèmes de Lilly et je ne lui ai pas demandé d'aide. Il en avait suffisamment fait pour moi.

Le matin de son départ il a demandé à me parler. Je suis allé dans sa chambre et il m'a donné une carte. Dessus, il y avait cinq noms et cinq numéros de téléphone. Tous étaient les siens, il m'a dit qu'il avait des noms différents selon les endroits. Il m'a dit appelle si tu as besoin de quelque chose, quoi que ce soit et où que tu sois, appelle. Je lui ai demandé pourquoi il y avait cinq numéros et cinq noms sur la carte, il m'a dit de ne pas m'en faire, mais juste d'appeler si j'avais besoin de quelque chose. Après m'avoir donné sa carte, il m'a dit qu'il y avait un truc dont il voulait me parler. J'ai dit d'accord, parle. Il avait l'air nerveux, je ne l'avais jamais vu comme ça. Il a pris une grande inspiration. Il a dit fiston, j'ai toujours rêvé de me marier et j'ai toujours rêvé d'avoir des enfants. Surtout, j'ai toujours rêvé d'avoir un fils. Ça fait un petit moment que j'y pense, et j'aimerais qu'à partir d'aujourd'hui tu sois mon fils. Je prendrai soin de toi comme si tu étais mon fils, je te donnerai mes conseils et t'apporterai mon soutien pour te guider dans la vie. Quand tu seras avec moi, et j'ai l'intention de te voir régulièrement une fois que nous serons sortis, je te présenterai comme mon fils et tu seras traité comme tel. En retour, je te demanderai de me tenir au courant de ta vie et de me permettre d'y participer. S'il y a le moindre problème avec ton vrai père, j'insisterai pour que tu t'inclines devant lui et que tu le respectes avant tout, avant moi. J'ai rigolé et je lui ai demandé si c'était une plaisanterie. Il a répondu que ce n'en était pas une, certainement pas. Je l'ai prévenu que j'avais tendance à être une source de problèmes pour les gens dans ma vie, et que s'il pouvait faire avec je serais heureux d'être son fils. Il a ri et il m'a serré dans ses bras. Lorsqu'il m'a relâché, il m'a dit qu'il voulait que j'aille en prison y purger ma peine et que je prenne soin de moi. Il m'a dit de ne pas m'en faire pour Lilly, qu'il s'occuperait d'elle, que ses problèmes financiers avaient été réglés, qu'il espérait qu'un jour elle irait mieux, qu'un jour on partagerait notre vie. J'ai essayé de protester, mais il m'a interrompu. Il a dit ce qui est fait est fait, maintenant remercie-moi. Je l'ai remercié et je me suis mis à pleurer. J'espérais qu'un jour elle irait mieux, qu'un jour on partagerait notre vie.

Je parle à Leonard tous les deux ou trois jours. Je l'appelle si je n'arrive pas à joindre Lilly, ou je l'appelle quand j'ai fini de parler à Lilly. Il pose toujours les deux mêmes questions : est-ce que ça va, est-ce que tu as besoin de quelque chose. Mes réponses ne varient jamais : oui je vais bien, non je n'ai besoin de rien. Il me propose de venir me voir je lui dis non. Il me demande quand je sors, je lui donne toujours la même date. Il veut organiser une fête le jour de ma sortie, je lui dis que je veux voir Lilly, que je veux être seul avec elle. Quand on raccroche, il dit toujours les mêmes choses : regarde-les droit dans les yeux et ne montre pas ta peur.

Quand j'ai fini de passer mes coups de fil je remonte dans ma cellule. Je fais cent pompes et deux cents abdos. Quand j'ai fini avec les pompes et les abdos je vais à la douche. La plupart des détenus prennent leur douche le matin, donc en général je suis seul. Je tourne tous les robinets pour faire couler l'eau chaude. Je m'assieds par terre. L'eau s'abat sur moi dans tous les sens, elle frappe ma poitrine, mon dos, le sommet de mon crâne. Elle frappe mes bras, mes jambes. Ça brûle et c'est doulou-reux et je reste assis et j'encaisse la brûlure et j'encaisse la souffrance. Je ne le fais pas parce que j'aime ça, bien au contraire. Je reste assis, j'encaisse la douleur, j'ignore la douleur, j'oublie la douleur parce que je veux apprendre à avoir une sorte de maîtrise. Je crois que la douleur et la souffrance sont des choses différentes. La douleur est la sensation. La souffrance est l'effet infligé par la douleur. Si on peut apprendre à supporter la douleur, on peut vivre sans souffrir. Si on peut apprendre à résister à la douleur, on peut résister à tout. Si on peut apprendre à maîtriser la douleur, on peut apprendre à se maîtriser. J'ai vécu ma vie sans en avoir la maîtrise. J'ai passé vingt-trois ans de ma vie à me détruire et à détruire tout et tout le monde autour de moi, je ne veux plus vivre comme ça. J'accepte la douleur pour ne plus jamais souf-frir. J'accepte la douleur pour faire apprendre la maîtrise. Je m'assieds et je brûle et je l'accepte. Je termine de me doucher, je retourne dans ma cellule. Je m'assieds par terre, je prends un livre. C'est un petit livre, un livre chi-nois. C'est un livre court, un livre simple appelé le *Tao tö king*, écrit par un homme appelé Lao-Tseu. On ne sait pas quand il a été écrit ni dans quelles conditions, on ne sait rien de l'auteur à part son nom. Grossièrement tra-duit, le titre signifie La Voie du milieu. J'ouvre le livre au hasard. Je lis ce qui s'offre à mes yeux. Je lis lentement et posément. Il y a quatre-vingt-un petits poèmes dans le livre. Ils parlent de la vie et de la manière de vivre. Ils disent des choses telles que : lorsque tu penses reste simple, dans le conflit reste juste, ne te compare pas, ne rivalise pas, sois toi-même, tout simplement. Ils disent agis sans agir, travaille sans effort, pense au grand comme au petit, et au beaucoup comme au peu. Ils disent affronte la difficulté tant qu'elle se montre aisée, accomplis les grands projets par petites étapes. Ils disent laisse les choses venir et laisse les choses partir, vis sans posséder et vis sans rien attendre. Ces poèmes ne s'alimentent, ne se complètent, ne s'engendrent ou ne se définissent pas les uns les autres. Ils ne voient ni beauté ni laideur, ni bien ni mal. Ils ne prêchent ni n'implorent, ils ne me disent pas que j'ai tort ou raison. Ils disent ne juge pas, prends la vie comme elle vient et accommode-t'en, tout ira bien.

Les lumières s'éteignent à 22 heures. Je me lève et je me lave les dents et je bois un verre d'eau. Je me couche sur le lit en béton, je regarde le plafond. Il y a du bruit pendant environ une demi-heure. Les détenus se parlent, s'interpellent, prient, s'injurient, injurient leur famille, injurient Dieu. Les détenus pleurent. Je regarde le plafond. J'attends le silence et le cœur de la nuit. J'attends les longues heures d'obscurité et de solitude et le simple bruit de ma respiration. J'attends que tout soit assez silencieux pour que j'entende ma respiration. C'est un beau son.

Je n'ai pas le sommeil facile. Des années de consommation de drogue et d'alcool ont saboté la capacité de mon corps à se mettre en veille. Et lorsque je dors, je fais des rêves. Je rêve que je bois et que je fume. Je rêve à un vin fort et bon marché, à du crack. Les rêves sont réels, aussi réels que peuvent l'être des rêves. Ce sont des visions déformées de ma vie antérieure. Des ruelles remplies de clochards qui boivent, se battent, vomissent et je suis parmi eux. Des crackés dans des baraques déglinguées à genoux en train de tirer sur leur pipe les joues creusées, hurlant pour en avoir encore plus et je suis parmi eux. Des tubes de colle, des pots pleins d'essence, des sacs remplis de peinture je suis entouré et je râle et j'inhale autant que possible le plus possible. Dans certains rêves j'ai des flingues, je joue avec les flingues, je me demande si je vais me tuer. Je choisis toujours de le faire. Dans certains rêves je suis poursuivi par des gens qui veulent me tuer. Je ne sais jamais qui ils sont, tout ce que je sais c'est qu'ils veulent me tuer et ils y parviennent toujours. Dans certains rêves je bois et je fume jusqu'à ce que je sois tellement bourré et tellement défoncé tellement putain de déchiré que mon corps s'arrête, tout simplement. Je sais qu'il s'arrête et je sais que je me meurs et je m'en fiche. J'attrape la pipe, j'attrape la bouteille. Mon corps préfère s'arrêter plutôt que de subir les interminables conséquences de mes actes et je m'en fiche. Je ne fais jamais de rêves agréables ou de rêves heureux ou de rêves dans lesquels la vie est belle. Je n'ai pas de souvenirs de rêves agréables ou de rêves heureux ou de rêves dans lesquels la vie est belle.

Lorsque je ne dors pas, je reste sur mon lit, je ferme les yeux. Je pense à Lilly. Je me demande où elle est et ce qu'elle fait. L'une des conditions pour qu'elle réside dans le centre de réinsertion est qu'elle ait un boulot. Elle travaille de nuit dans la blanchisserie de l'hôpital où sa grand-mère est en train de mourir. Elle lave les draps sales et les serviettes sales, les chemises de nuit usagées et les blouses souillées. Pendant les pauses, elle va dans la chambre de sa grand-mère. Sa grand-mère souffre d'un cancer des os, qui s'est propagé à tout son corps. Le moindre mouvement lui fait mal, elle n'a pas quitté le lit depuis deux mois. Son médecin a dit qu'elle pourrait s'estimer chanceuse si elle parvenait à vivre pendant encore deux mois. Lilly me dit qu'on lui a mis un goutte-à-goutte de morphine, qu'elle divague, qu'elle ne se souvient plus du nom de Lilly, qu'elle ne se rappelle plus rien de sa vie. Son esprit a été consumé par le cancer tout comme son corps a été consumé par le cancer.

Il l'a envahie et il ne reste plus rien. Elle n'est plus qu'une coquille de douleur et de morphine. Elle n'est plus que la coquille de ce qui naguère était vivant.

Lilly reste assise à ses côtés et lui tient la main et lui parle. Peu importe qu'elle ne comprenne rien, Lilly s'assied et lui tient la main et lui parle. Elle lui parle du centre de réinsertion elle espère que ça marchera elle meurt d'impatience de sortir. Elle lui parle de son boulot ce n'est pas si terrible en tout cas elle a fait pire. Elle lui parle de moi je lui manque elle aimerait que je sois ici, elle espère que je l'aime toujours. Elle lui parle de son espoir d'un avenir avec moi et sans drogue, avec un sentiment de liberté et un sentiment de sécurité. Elle parle à sa grand-mère de ses peurs. De la solitude elle a toujours été seule elle ne veut plus être seule. D'un retour à sa vie passée elle préférerait mourir que de coucher avec des hommes pour de l'argent. De moi elle a peur que nous n'arrivions pas à survivre dans le monde loin des institutions elle a peur que je la quitte comme tout le monde dans sa vie l'a quittée. De ce que sera la vie lorsque sa grand-mère sera morte. Elle a peur parce que sa grand-mère est la seule personne en laquelle Lilly ait confiance c'est la seule personne avec laquelle elle se sente en sécurité et elle ne peut s'imaginer vivre sans elle. Parfois Lilly n'arrive plus à parler et elle reste assise aux côtés de sa grand-mère et elle lui tient la main et elle pleure. Elle a peur, elle ne peut s'imaginer vivre sans elle. Elle pleure. Je sors d'ici dans trois jours. J'aurai fait mon temps, payé ma dette envers la société. Tandis que je suis allongé sur mon lit à écouter le bruit de ma respiration, tandis que je reste ici à combattre mes rêves et à divaguer au cœur de la nuit, je pense à ce que je ferai lorsque les portes d'acier se refermeront derrière moi. Je vais aller à Chicago. Je vais rejoindre Lilly. Je l'aime et je veux être avec elle. Je veux être avec elle maintenant et demain et tous les jours, le restant de ma vie. Je veux m'asseoir auprès d'elle, lui parler, la regarder, écouter sa voix, rire avec elle, pleurer avec elle. Je veux marcher avec elle et lui tenir la main et l'entourer de mes bras et qu'elle m'entoure de ses bras. Je veux la soutenir, je veux qu'elle me soutienne. Je veux garder mes distances avec la drogue je ne peux pas revenir en arrière, je veux qu'elle garde ses distances avec la drogue elle ne peut pas retourner en arrière. Je veux oublier l'alcool et la délinquance. Je veux être un homme bon, fort, sobre pour pouvoir construire une vie. Je veux construire une vie pour moi et construire une vie pour elle, une vie pour nous deux, ensemble. Je veux lui offrir un foyer, un endroit où elle se sentira libre et en sécurité. C'est ce qu'elle recherche. Elle recherche la liberté. Vis-à-vis de son passé, de ses dépendances, d'elle-même. Je ferai n'importe quoi pour la lui offrir.

J'aime Lilly. J'aime ses yeux bleus et ses cheveux noirs et sa peau pâle. J'aime son cœur endolori. J'aime ce qui vit à l'intérieur d'elle un esprit une âme une conscience quoi que ce soit j'aime ça et je veux passer le reste de ma vie avec, et je ferai n'importe quoi pour qu'il en soit ainsi.

Je sors d'ici dans trois jours.

Encore trois putains de jours.

Je m'allonge sur le lit et j'attends.

Au cœur de la nuit.

Trois.

chicago

LA GRAND-MÈRE DE LILLY EST MORTE IL Y A DEUX NUITS. Lilly l'a découverte alors qu'elle lui rendait visite pendant une de ses pauses. Elle a regardé la poitrine de sa grand-mère elle était immobile. Elle a regardé ses lèvres elles étaient bleues. Elle a attrapé sa main et elle était froide. Lilly s'est mise à crier. Quand les docteurs sont arrivés et que les infirmières sont arrivées elle a refusé de lâcher la main de sa grand-mère. Ils ont tenté de lui faire prendre des calmants. Elle a refusé de prendre les médicaments, elle s'est contentée de tenir la main de sa grand-mère et de pleurer. Quand le corps a été enlevé, Lilly l'a suivi. Main dans la main pendant tout le chemin jusqu'à la morgue. Elle est restée assise devant la morgue pendant les douze heures qui ont suivi, en pleurs.

Je lui ai parlé la nuit suivante. Elle était hystérique. Elle sanglotait et suffoquait, me suppliant de la rejoindre. Je lui ai dit que je serais avec elle dès que je le pourrais, que je serais dehors d'ici douze heures. Elle a dit je t'en prie James j'ai besoin de te voir, j'ai besoin de toi tout de suite, je t'en prie, je t'en prie, je t'en prie, j'ai besoin de toi maintenant. J'ai dit je suis en prison Lilly, je ne peux rien faire d'ici à part te parler. Je sors demain matin et je serai avec toi demain soir. Elle a dit j'ai besoin de toi James, j'ai tellement peur et je suis si seule, je t'en prie. Elle s'est mise à pleurer de plus en plus fort fort fort. J'ai essayé de lui parler, mais elle refusait de me parler. Je lui ai dit que je l'aimais et que j'arrivais dès que je pouvais, qu'elle irait bien qu'on irait bien que tout irait bien dès qu'on serait ensemble. Elle a pleuré, je lui ai dit qu'elle m'aimait. Elle a pleuré, je lui ai dit que je l'aimais.

Ses pleurs se sont calmés et sa respiration est redevenue normale. Je lui ai demandé si ça allait et elle a dit non. Je lui ai demandé si elle tiendrait le coup jusqu'à ce que je la rejoigne et elle a dit dépêche-toi, je t'en prie dépêche-toi. On a dit je t'aime, on l'a dit tous les deux. On a raccroché je voulais dire je t'aime encore une fois. J'espère qu'elle va tenir le coup.

Je me suis assis par terre à attendre le matin. Je reste par terre en attendant d'être libéré. Je fixe le mur et je l'observe passer du noir au gris puis au blanc. Quand j'entends du bruit le bruit des autres détenus qui se réveillent et s'agitent, qui se lèvent et commencent leur journée, je me lève et je vais vers l'évier, je me brosse les dents, je me lave le visage. Lorsque j'ai terminé je prends une grande inspiration, la nuit a été longue et je m'inquiète pour Lilly. Je sais qu'il n'y a rien à faire avant de sortir d'ici. Rien. Je me rassieds par terre. J'attends. Une seconde une minute cinq minutes dix putain ça dure une éternité, putain ça prend des plombes. J'attends. Quand les portes s'ouvriront j'attendrai une heure que les surveillants viennent me chercher et une demi-heure pour récupérer les papiers de sortie. J'espère qu'elle va bien.

Une sonnerie. Le jour commence, la porte s'ouvre. Je me lève et je prends mes livres. Je quitte ma cellule, je me dirige vers celle de Porterhouse, la porte est ouverte il me voit arriver il se lève pour me saluer. Je lui demande s'il est prêt à terminer. Il répond oui. Il s'assied par terre et je m'assieds sur le rebord de son lit. Je lis les quinze dernières pages de *Guerre et Paix*. Quand j'ai terminé je referme le livre.

Porterhouse ouvre les yeux, remue la tête, dit ça c'est un sacré putain de bon livre. Je souris et dis ouais. Je me lève et je pose le livre sur ses autres livres, qui s'empilent près de la porte de Porterhouse. Je m'apprête à sortir. Il parle.

James.

Je m'arrête, me retourne.

Ouais ?

Merci.

De rien.

Je sors de sa cellule et je regarde mon ami. Il me regarde. Il va passer le reste de sa vie en prison. Il le sait et je le sais. On ne se reverra jamais et on ne se parlera plus jamais. Il le sait et je le sais. Il parle.

Sois sage, enfoiré.

Toi aussi.

Il sourit, il hoche la tête, je souris, je hoche la tête en retour.

Je me tourne et je m'en vais. Je me dirige vers ma cellule, je m'assieds par terre. J'attends. J'ai horreur d'attendre, j'espère qu'ils vont se dépêcher, je reste là à attendre. Je n'attends pas longtemps. Peut-être quinze minutes, mais on dirait quinze heures. Deux surveillants se pointent et ils inspectent ma cellule pour vérifier sa propreté et son état général. Ils jettent un coup d'œil pour s'assurer que je n'ai rien cassé ni rien endommagé ni rien donné ni rien volé. Ils ont un bloc-notes avec une liste. Évier, bon. Toilettes, bon. Oreillers, bon. Quand ils ont fini de vérifier ils me passent les chaînes et ils me font marcher jusqu'au greffe. Ils restent à mes côtés tandis qu'un fonctionnaire regarde son ordinateur et vérifie que c'est bien ma date de libération, qu'il n'y a pas d'erreur. L'ordinateur lui confirme que c'est le bon jour, les surveillants enlèvent mes chaînes, je passe par une porte barreautée. Un autre fonctionnaire vient vers moi et me tend une boîte contenant mes affaires. J'ouvre la boîte. Il y a un jean une paire de chaussettes en laine une paire de chaussures noires usées un T-shirt blanc un sweat à capuche noire un portefeuille 34 dollars un paquet de cigarettes desséchées un briquet un trousseau de clefs je signe un bout de papier stipulant que tous mes biens m'ont été rendus. J'entre dans une petite pièce et j'enlève ma combinaison, cette saloperie de combinaison. Je mets mes vêtements, je sors de la pièce, je signe un autre papier, c'est terminé. Une grande porte barreautée s'ouvre et j'avance d'un pas. J'avance d'un autre pas, encore un autre. J'avance d'un autre pas et je suis dehors et je suis libre. Je respire à pleins poumons. C'est la mi-février l'air est froid et vif. Je respire à pleins poumons, je respire à fond, putain je suis libre. Je traverse une petite surface en béton. Je m'arrête devant un portail, intégré à la clôture en fil de fer barbelé acéré, de cinq mètres de haut, qui entoure la prison. J'attends que le portail s'ouvre. Il s'ébranle trop lentement, putain, je suis pressé. Dès qu'il y a assez d'espace, je m'insinue dans l'ouverture et je commence à marcher sur la route. La route est déserte. Pas de maisons, pas d'arbres, pas d'autres bâtiments que la prison. Il y a des champs des deux côtés de la route, avec des broussailles desséchées et jaunes et des fossés. Il y a beaucoup de boue.

Je descends la rue le plus vite possible, je marche je trottine je cours je marche aussi vite que me le permettent mes poumons. Avant de venir ici et de me rendre aux autorités, je suis allé en Caroline du Nord, où j'ai vécu avant d'aller à la clinique. J'ai pris mon pick-up, mon vieux pick-up bleu cabossé et je suis allé chez un ami, un ami qui était mon professeur quand j'allais à l'école. Mon ami fabrique de l'alcool de contrebande dans sa cave et avant on se retrouvait pour en boire et fumer du crack et se défoncer la tête. Il m'a vu me faire arrêter plusieurs fois. Il était heureux quand il a entendu dire que je revenais pour purger ma peine, heureux que j'essaye de reprendre ma vie en main. Ma condamnation repose en partie sur la suppression définitive de mon permis de conduire, par définitive j'entends tant que je serai vivant. Si je me fais prendre au volant d'une voiture, ça consistera en une violation de ma remise en liberté conditionnelle et il me faudra tirer trois à cinq ans dans une prison d'État. Il a dit que je pouvais laisser mon pick-up chez lui et qu'il me ferait sortir de l'État lors de ma libération. Je vais avoir besoin que quelqu'un me fasse sortir d'ici. J'espère qu'il est chez lui. Vaudrait mieux qu'il soit chez lui, putain.

Des arbres commencent à apparaître, une maison de temps en temps, une école, une station-service. Mes poumons me font mal. Je pense à Lilly, j'espère qu'elle va bien. Je cherche une cabine téléphonique celle qu'il y avait à la station-service n'avait pas de combiné. Je me dépêche pour aller chez mon ami, j'espère qu'il est chez lui que je pourrai utiliser son téléphone. Je ne veux pas appeler ma famille ni mes amis. Je m'occuperai d'eux plus tard. Je veux appeler Lilly, j'espère que quelqu'un va répondre au téléphone, j'espère qu'elle est là. Arbre pelouse maison clôture chien qui aboie balançoire rouillée voiture sur cale paradis des fast-foods petite épicerie église. Ce n'est qu'un brouillard je me déplace à toute vitesse. Je cherche le bon nom de rue, j'espère que je vais dans la bonne direction. Continental Avenue. Brookside Lane. Cloverdale Street. Cherry Valley Road. Je la reconnaîtrai quand je la verrai. Vaudrait mieux qu'il soit chez lui, putain.

Je tourne à un coin de rue et je vois mon pick-up dans une allée. Je me mets à courir. Je prends le sentier qui mène au perron je frappe à la porte je regarde par la fenêtre il n'y a personne. Je réfléchis à ce que je vais faire. Je ne veux pas attendre. Je ne veux pas attendre. Je ne veux pas attendre, putain non non non non non hors de question que j'attende, putain. Si je fais attention tout ira bien. Je conduirai prudemment, je respecterai les limitations de vitesse, tout ira bien. Et merde, tout ira bien.

Je pose la main sur la poignée. La porte est ouverte. C'est une petite ville les gens s'y sentent encore en sécurité. Je pénètre dans la maison, prends le couloir, vais dans la cuisine. Il y a un téléphone accroché au mur. Je m'en empare et je compose le numéro. Ça commence à sonner. J'attends que quelqu'un réponde il doit bien y avoir quelqu'un dans ce putain de centre de réinsertion qui va répondre au téléphone. Rien. Sonnerie, sonnerie. Rien. Je veux parler à Lilly avant de partir, je veux lui dire que je suis sur le chemin. Je veux entendre sa voix, m'assurer qu'elle va bien. Je veux lui dire que je l'aime.

Je raccroche je réessaie. Rien. Réessaie. Rien. Je cherche un bout de papier et un stylo je les trouve sur le plan de travail. J'écris un petit mot qui dit merci de t'être occupé de mon pick-up, je te contacte bientôt. Je laisse le mot au milieu de la table de la cuisine et je sors de la maison.

Je me dirige vers mon pick-up. Je sors la clef de ma poche, j'ouvre la portière, je m'assieds sur le siège conducteur. Il y a un autre paquet de clopes sur le siège passager, je ne sais pas si je l'ai laissé ou si mon ami l'a laissé, quoi qu'il en soit, c'est merveilleux, je peux garder le peu d'argent que j'ai pour le dépenser pour autre chose que des clopes. Je mets la clef dans le contact, la tourne, le moteur se met en route. Je jette un coup d'œil au tableau de bord il est 11 heures. Chicago est à cinq heures de route. Je lui ai dit que j'y serais pour la tombée de la nuit, je vais être en avance. Le plus tôt sera le mieux. J'espère qu'elle tient le coup. J'ai envie de lui tenir la main et de lui dire que tout ira bien.

Je sors en marche arrière, entreprends de traverser la ville. La route n'est pas loin, je connais le chemin. Je conduis à peine au-dessus de la limite de vitesse. Je sais que si je conduis trop vite j'attirerai l'attention, si je conduis trop lentement j'attirerai l'attention. La conduite ne me rend pas nerveux. Je connais les risques que je cours en restant derrière le volant. Je choisis de courir ce risque parce que pour moi ça en vaut la peine. Si je reste ici à attendre je vais devenir dingue d'inquiétude. Je veux aller à Chicago le plus vite possible. Si je me fais attraper, tant pis, je ferai avec. J'arrive sur la voie rapide. La circulation est fluide. Je m'insinue sur la file de droite derrière un énorme semi-remorque. J'allume la radio. Je trouve une station d'informations en continu. Je n'ai pas jeté un œil sur un journal ni regardé la télévision depuis trois mois. Je n'ai aucune idée de ce qui se passe dans le monde. J'écoute quelques minutes. Les mêmes mauvaises nouvelles. J'éteins. Je garde les yeux braqués sur la route. Le temps passe lentement quand on veut qu'il passe vite. Une minute en dure dix, dix minutes en durent mille. Je reste derrière le semi-remorque, roulant à cinq kilomètres au-dessus de la limite de vitesse. Je fume mes cigarettes desséchées, l'une après l'autre, après l'autre. Je pense à Lilly. Je me demande ce qui va se passer quand je la reverrai. Je me demande ce qui va se passer quand je serai devant sa porte. Malgré les circonstances, je sais que j'aurai un grand sourire sur le visage. Je frapperai et elle dira entre et j'ouvrirai la porte et je pénétrerai dans sa chambre. Avec un peu de chance quelqu'un serra assis auprès d'elle, lui tenant la main, Lilly se dégagera et s'avancera vers moi. Elle viendra se blottir dans mes bras. Je les refermerai et je la serrerai. Elle se mettra à pleurer, je dirai je t'aime. Je la serrerai tant qu'elle aura besoin d'être serrée. On se débrouillera avec sa grand-mère et la mort de sa grand-mère. On tirera Lilly de ce centre de réinsertion et de son boulot à l'hôpital. On trouvera un endroit où vivre, il ne nous faut pas un palace, juste un endroit à nous. On trouvera du boulot, on se fera un peu d'argent, on sera ensemble, on restera ensemble, on vivra ensemble, on s'en sortira ensemble, on sera ensemble, c'est tout. On vieillira ensemble.

Je traverse la frontière de l'Indiana et de l'Ohio. Je souris. Je suis en sécurité maintenant, je ne vais pas refoutre les pieds en Ohio d'ici un bail. J'appuie sur le champignon, mon vieux pick-up bleu fait un bond en avant, on passe de 100 km/h à 130. Je reste à 130 parce que je sais que si je me fais prendre à faire du 135 ou plus, à 40 km/h ou plus de la limite de vitesse je cours le risque de me faire arrêter pour conduite dangereuse au lieu d'un simple excès de vitesse. Lorsqu'on est arrêté pour conduite dangereuse, le policier est en droit de placer le contrevenant en garde à vue. Si je me retrouve en garde à vue, même pour deux trois heures, je suis foutu. Je m'en branle si j'ai une amende pour excès de vitesse. Je la déchirerai et je la balancerai par la putain de vitre dès que le flic sera hors de ma vue. Je roule à 130.

Les kilomètres commencent à s'accumuler je vois des pancartes qui indiquent la distance jusqu'à Chicago. 180 km 141 km 101 km 62 km. Je fume mes cigarettes et je souris j'y suis presque je souris. Je rallume la radio et je trouve une station qui passe des tubes légers des ballades romantiques et niaises, des chansons d'amour cucul. Je chante lorsque je connais les paroles. Lorsque je ne connais pas les paroles, je les invente. Je me rapproche ma choute bientôt je serai avec toi des baisers fous sur ton visage mon cœur fait boum, pour toujours et à jamais, *oh yeah, oh yeah.*

J'entre dans l'Illinois. La voie rapide devient plus large et la circulation plus dense. Des cheminées fumantes et des citernes à essence dominent la terre, l'air a une odeur de souffre, de gazoline. Le soleil commence à baisser, le ciel prend la couleur grise et menaçante du cœur de l'hiver. Je devrais y arriver avant qu'il fasse complètement nuit. Je devrais y être bientôt. J'ai l'adresse du centre de réinsertion et je sais grosso modo où il se trouve, quelque part dans les quartiers Nord de la ville. Pas loin du centre. C'est une artère principale je devrais pouvoir la trouver sans problème. Je commence à être de plus en plus excité. Je souris. Si j'avais un accident tout de suite, je l'aurais avec le sourire. Si quelqu'un me tirait dessus, je prendrais la balle avec un sourire. Si je me retrouvais dans une bagarre, je sourirais en balançant des coups de poing. J'y suis presque, j'y suis presque. Je t'aime, Lilly. J'y suis presque.

Je traverse un grand pont je me rapproche. Je sors de la voie rapide je me retrouve sur une route plus petite qui contourne le lac Michigan. Le lac est gelé. La glace est sèche et noire. J'entends les hurlements du vent, je le sens qui pousse mon pick-up. Mon pick-up est un bon pick-up un pick-up costaud c'est mon pote mon pick-up. Mon pick-up se moque du vent, il dit va te faire foutre vent, on doit aller quelque part, on est attendus.

Je prends le ralentisseur pour rejoindre le centre-ville. Des tours d'acier de verre de part et d'autre, des rues bondées, des klaxons. Les piétons sont chaudement vêtus, ils marchent légèrement courbés en avant, et se dépêchent pour échapper au froid glacial, glacial. Je me rapproche du centre, vers le nord, traversant la rivière Chicago. Des glaçons pendent à la balustrade en fer du pont, de la fumée et de la vapeur dérivent derrière les poutres. Je cherche Dearborn c'est le nom de la rue. Dearborn. Elle vit dans la rue Dearborn.

Je la vois et je m'y engouffre et je commence à chercher un numéro sur les bâtiments. Je commence à me sentir nerveux, excité, angoissé. Mes mains se mettent à trembler à frémir à s'agiter. Je sens les battements de mon cœur qui s'accélèrent, il se met à battre la chamade, la chamade. La dernière fois que j'ai vu Lilly on était dans un couloir de la clinique. C'était le jour de mon départ. On était dans le couloir et on se serrait dans les bras et on s'embrassait et elle pleurait et elle me disait que j'allais lui manquer. Je lui ai dit d'être patiente, que je la rejoindrais dès que possible. On s'est dit je t'aime, on s'est serrés fort, on ne voulait pas relâcher notre étreinte. Je suis parti et Lilly est restée plantée là à pleurer. Je lui ai dit d'être forte, que je la rejoindrais.

Je trouve le quartier, qui était auparavant le plus chic de la ville, avant de tomber dans le délabrement, puis de renaître. J'aperçois le foyer. C'est une grande bâtisse majestueuse. Quatre étages, des colonnes blanches, d'immenses fenêtres, une entrée grandiose. Elle est délabrée, mais toujours sublime, comme si dans une vie antérieure, ça avait été une ambassade ou le siège d'une entreprise titanesque. Il y a une petite pancarte discrète dans le jardin, à l'entrée, qui porte le nom de la clinique et indique en petites lettres Résidence de longue durée.

J'aperçois une place de parking libre un peu plus loin. Je descends la rue, je me gare sur la place. J'aperçois un fleuriste au coin de la rue. J'attrape maladroitement les clefs, mes mains tremblent, je sors de voiture. Je me dirige vers le fleuriste, j'ouvre la porte, j'entre dans le magasin. Il y a une femme derrière le comptoir. Elle a les cheveux gris et les yeux marron, elle porte un pull-over à col roulé rouge vif. Elle sourit, parle.

Fait froid, n'est-ce pas ?

Un froid de canard.

Vous devriez porter des vêtements plus chauds.

Je voudrais bien, mais je n'en ai pas.

Comme je regarde alentour, j'inspire profondément par le nez. J'expire. Je parle.

Ça sent bon là-dedans.

Tant mieux. Le contraire m'inquiéterait.

Je souris.

J'aurais besoin de fleurs. J'ai trente-quatre dollars en poche. Que pourriez-vous me proposer ?

Qu'aimeriez-vous ?

J'y connais que dalle en fleurs.

Elle rit.

C'est à quelle occasion ?

Des retrouvailles.

De quel type ?

Je souris à nouveau. Je ne peux pas m'en empêcher. Lilly est au bout de la rue.

Je sors tout juste de prison. Ma petite amie se trouve dans le centre de réinsertion au bas de la rue. Sa grand-mère vient de mourir et j'aimerais lui donner quelque chose pour la réconforter.

La femme opine du chef.

Vous voulez lui remonter le moral, et vous voulez sans doute lui montrer que vous l'aimez.

Je souris.

Ouais.

La femme sort de derrière le comptoir, me mène vers une pièce réfrigérée. La pièce réfrigérée est remplie de fleurs dans des seaux en plastique blanc et de compositions sur des présentoirs. Elle ouvre la porte, attrape un seau, et en retire une vingtaine de roses rouges, elle sort chaque rose une à une du seau. Elle referme la pièce réfrigérée. Je parle.

Je n'ai pas assez d'argent pour tout ça.

Elle sourit.

C'est une promotion. Que diriez-vous de trente dollars ?

Je souris.

Merci. Merci beaucoup.

Je vous les enveloppe ?

C'est ce qui se fait ?

Oui, c'est ça.

Je souris à nouveau. Je ne peux m'arrêter de sourire.

J'adorerais qu'elles soient enveloppées.

La femme retourne derrière le comptoir. Elle attrape un papier blanc, le tire à partir d'un long rouleau, le déchire contre un rebord coupant. Elle le pose sur le comptoir en face d'elle et elle dispose les roses les belles roses rouges dessus. Je me tourne et je me dirige vers la vitrine. Je regarde dans la rue en direction du centre de réinsertion. Il fait presque nuit, il y a des lumières aux fenêtres, sur le porche, le long de l'allée qui mène au porche. Lilly se trouve là-dedans, dans ce foyer, bientôt tu seras dans mes bras. Ma belle Lilly, ma belle Lilly. Tu m'as tellement manqué. Bientôt tu seras dans mes bras. Tu m'as tellement manqué.

C'est terminé.

Je me retourne. La femme tient les fleurs enveloppées de papier, entourées de gypsophile. Je me dirige vers elle, plongeant la main dans ma poche.

Merci.

Je pose les trente dollars sur la caisse, m'empare des fleurs. La femme sourit.

Passez une bonne soirée.

Merci. Merci beaucoup.

Je tourne les talons et je sors du magasin. Je souris je souris toujours. Je commence à marcher dans la rue. Il fait froid mais je ne le sens pas. Je me mets à courir de plus en plus vite, je cours et je souris. Je prends l'allée, je suis sur le perron, j'ouvre la porte, j'entre.

Un hall simple. Une moquette foncée, des murs beiges, un comptoir défraîchi en bois, un paysage riant sur le mur, derrière. Une femme est assise derrière le comptoir et fume une cigarette. Elle lève les yeux vers moi. Ses yeux sont rouges et gonflés.

Elle parle.

Que puis-je faire pour vous ?

Je m'avance d'un pas.

Est-ce que Lilly est ici ?

Elle me regarde fixement pendant quelques instants. Sa lèvre supérieure se met à trembler, on dirait qu'elle va éclater en sanglots.

Qui êtes-vous ?

Je m'appelle James.

Elle me regarde, se mord la lèvre. Elle prend sa respiration et se lève.

Un instant, s'il vous plaît.

Elle quitte le comptoir, se dirige vers une porte, l'ouvre, s'en va. Je reste avec mes fleurs et mon sourire et mon cœur qui bat la chamade, mon cœur qui bat la chamade.

La porte s'ouvre, un homme pénètre dans la pièce. Il a une bonne trentaine d'années. Il a les cheveux courts, en bataille, porte un pantalon large et un pull en laine. Il a des valises sous les yeux, qui sont également rouges et gonflés. Il parle.

James ?

Il me tend la main. Je la serre.

Je suis Tom. Le directeur du centre.

Que se passe-t-il, Tom ?

Voudriez-vous me suivre dans mon bureau ?

Pourquoi ?

Il faut que je vous parle. Je préfère le faire en privé.

Où est Lilly ?

Et si vous veniez dans mon bureau.

Je veux voir Lilly, Tom.

Je vous en prie, James.

Je refuse d'aller dans votre bureau, Tom. Dites-moi simplement où est Lilly, bordel.

Il regarde par terre, prend sa respiration. Il relève les yeux vers moi.

Avant de vous le dire, je voudrais que vous sachiez que Lilly vous aimait beaucoup. Elle parlait tout le temps de vous et…

Qu'est-ce que c'est que ce bordel ?

Il me regarde. Il ne parle pas. Ses yeux sont humides.

Dites-moi ce que c'est que ce bordel.

Il me regarde, se mord la lèvre, prend sa respiration. Mon cœur bat la chamade.

Lilly.

Sa voix se brise.

Lilly.

Sa voix se brise à nouveau.

Lilly est décédée ce matin.

Je le regarde fixement. Je tiens les roses de Lilly.

Quoi ?

Mon cœur bat la chamade.

Lilly est morte ce matin.

Mon cœur bat la chamade.

Qu'est-ce qui s'est passé ?

La chamade.

Elle s'est ôté la vie.

Je le regarde. Mon cœur, mon cœur, mon cœur. Il me regarde, parle.

Je suis tellement désolé. Je suis tellement, tellement désolé.

Les fleurs de Lilly tombent de mes mains.

Qu'est-ce qui s'est passé ?

Mon cœur.

On ne sait pas. Sa grand-mère venait de mourir. Elle était très secouée. On l'a retrouvée pendue dans la douche. Elle n'a pas laissé de mot.

Je tourne les talons.

Je sors du foyer.

Mon cœur.

Mon cœur.

Mon cœur.

NON NON NON.

Suicide.

Il fait noir et il fait froid.

Non non non.

Suicide.

Je me dirige vers mon pick-up.

Non non non.

Suicide.

Mes jambes se mettent à trembler. Oui, suicide. Ma poitrine se met à trembler. Oui, suicide. Mes bras se mettent à trembler et mes mains tremblent. Oui, suicide. Mon visage tremble. Oui, suicide. Je fais un pas et mes genoux ploient. Je tente d'en faire un autre mes jambes ne me portent plus je tombe je tombe sur le trottoir. J'essaie de me relever mais c'est impossible, oui, suicide. Je regarde autour de moi. Je me trouve dans une rue que je ne connais pas dans une ville où je suis allé deux fois. Oui, suicide. Je suis venu ici pour Lilly et elle est morte pendue dans une douche, elle est morte. Oui, suicide. Elle était censée m'attendre. Je lui ai dit que je viendrais elle était censée m'attendre. Oui, suicide. Elle s'est pendue dans la douche, je n'arrive pas à y croire. Elle est morte. Elle s'est tuée. Je n'arrive pas à y croire. Elle est morte.

Je me mets à pleurer. Je m'assieds sur le trottoir et je pleure. J'ai l'impression qu'il y a un trou dans ma poitrine, j'ai l'impression que tout est devenu un trou noir un horrible putain de trou. Il y a des larmes, je tremble. Je n'arrive plus à respirer. Il y a un trou et je ne peux en sortir, je ne peux m'échapper. Je tombe tout au fond, au fond, au fond. Je pleure, je n'arrive plus à respirer. J'enfouis mon visage entre mes mains je sens les larmes dégouliner de mes yeux et de mon nez, ruisseler sur mes joues, courir le long de mon cou. Je suis venu ici le plus vite possible, putain. Elle ne m'a pas attendu. Elle est allée dans la salle de bains et elle a fait un nœud un nœud serré. Je veux sortir de ce trou je veux sortir je veux cesser de pleurer. Elle a passé son cou dans un nœud coulant elle savait que je venais la rejoindre elle savait ce qu'elle se faisait. Elle a passé son cou dans le nœud coulant. Par pitié par pitié par pitié laissez-moi sortir d'ici par pitié. Elle s'est pendue. Elle s'est laissée tomber. Elle n'a plus pu respirer. Non, je n'arrive pas à y croire, non. Elle a passé son cou dans le nœud coulant et elle s'est pendue et elle ne pouvait pas respirer et elle n'a pas arrêté, elle n'a pas arrêté, elle n'a pas arrêté. Pourquoi elle n'a pas arrêté. Pourquoi elle n'a pas arrêté, putain. Je suis venu ici pour l'aider je suis venu ici pour tout lui donner. Elle s'est pendue. Je n'arrive pas à cesser de pleurer je veux cesser de pleurer je n'y arrive pas. Pendue, ma belle Lilly, pendue. J'aurais tout fait pour **toi**. Pendue ma belle Lilly, pendue. Laissez-moi sortir de ce putain de cauchemar, par pitié laissez-moi me réveiller, laissez-moi me réveiller, putain. Elle a cessé de respirer. Je ne me réveille pas. Elle a cessé de voir de penser de ressentir elle a cessé de respirer. Je ne peux pas sortir. Elle s'est pendue et elle est morte. Elle s'est pendue et elle est morte.

IL Y A UNE ÉGLISE UN BLOC PLUS LOIN. J'aperçois la flèche et j'entends les cloches. Les cloches sonnent toutes les heures. Je les entends dans le vent.

Les rues sont désertes. Il est tard et il fait noir et il fait un froid de canard.

Je suis assis sur le trottoir. Je pleure. Ça fait des heures que je suis là. Assis à pleurer. Les pleurs viennent par vagues. Larmes, sanglots, hurlements. Les pleurs me font mal. Me font mal à la poitrine et au visage, font mal à des choses, à l'intérieur, qui n'ont pas de nom. Larmes sanglots hurlements. Tout me fait mal. Le même mot encore et encore.

Non.

Non.

Non.

Les pleurs.

Les sanglots.

Les hurlements.

Je ne peux m'arrêter.

Je ne peux m'arrêter.

Les cloches sonnent.

Le vent hurle.

À neuf reprises j'entends les cloches.

Et ça commence à ralentir.

À ralentir doucement.

Doucement, doucement, doucement.

Je cesse de pleurer. Je me lève. Mes jambes me font mal, ma poitrine me fait mal. Mon visage me fait mal, mes yeux et mes lèvres me font mal. J'ai froid. Je tremble. Il fait noir et j'ai froid et tout mon corps tremble. J'aperçois le foyer dans la rue. Le foyer où Lilly habitait. Le foyer dans lequel elle était censée se requinquer. Le foyer où elle m'attendait. Le foyer où on devait se retrouver. J'aperçois le foyer. Le foyer où elle s'est tuée. Le foyer où elle s'est tuée.

Mes lèvres tremblent. Un frisson parcourt ma colonne vertébrale. J'aperçois le foyer. Je me détourne et je marche dans la rue. Je m'arrête devant mon pick-up. Je sors mes clefs de ma poche. J'ouvre la portière, je monte à l'intérieur, je referme la portière. Il fait plus chaud dedans, mais pas beaucoup. Je mets la clef dans le contact et j'allume le moteur et je mets le radiateur et j'attends et je me remets à pleurer. Je me remets à pleurer. Je veux m'arrêter, mais je n'y arrive pas. Je veux avaler une grande goulée d'air et me dire que tout va bien, mais j'en suis incapable. Je n'ai aucune maîtrise de moi-même. Je n'ai aucune maîtrise de mes émotions. Je n'ai aucune maîtrise du besoin que mon corps a d'exprimer ces émotions. Tout le temps que j'ai passé assis tout seul dans ma cellule à tenter d'apprendre à gérer mon comportement n'a aucune valeur, aucune importance. Lilly s'est tuée. Elle s'est pendue dans une douche. Elle est morte. Elle est morte, putain. Ça n'a aucune importance que je ne veuille pas pleurer. Ça n'a aucune importance que je veuille arrêter. Je n'y peux rien. Je ne maîtrise plus rien. Je pleure et j'attends la chaleur. La chaleur arrive, je m'assieds en face de l'aération, je cesse de trembler. L'intérieur du pick-up devient de plus en plus chaud et je cesse de pleurer. Mon corps a besoin d'une pause a besoin de se reposer a besoin de tenter de laisser mon esprit et mon cœur accepter ce qui s'est passé. Ils refusent de l'accepter. Ils ne connaissent qu'un mot. Non. Ils ne cessent de me dire que je vais me réveiller et que je la trouverai qui m'attend. Non. Ils ne cessent de hurler elle n'est pas morte, elle n'est pas morte, elle n'est pas morte. Non. Elle est la seule personne que j'ai sincèrement aimée. Elle est la seule personne qui m'a donné envie de vivre. Elle est la seule personne sur Terre qui pouvait me faire du mal. Elle s'est tuée ce matin. Elle est entrée dans la salle de bains, elle a fait un nœud, elle s'est pendue dans la douche. Peu importe ce que je ressentais, combien elle comptait pour moi, combien je l'aimais. Ça n'a pas eu d'importance, putain. Elle s'est pendue jusqu'à ce qu'elle cesse de respirer. Elle est morte. Mon esprit et mon cœur refusent de l'accepter. Non. J'attrape mon paquet de cigarettes. J'en sors une et je l'allume. J'avale une grosse bouffée, je la garde, la recrache. Je regarde par la vitre. Je me sens vide. J'ai l'impression que mon cœur a été arraché à ma poitrine. Je me sens déconnecté, comme si mon corps et mon esprit ne formaient plus une même entité. Je suis épuisé. Comme je lève le bras pour porter la cigarette à ma bouche, mon bras paraît lourd, ma main paraît lourde, la cigarette paraît lourde. Tout me demande un effort prodigieux. J'inhale lentement. Je sens la fumée se répandre dans ma gorge et descendre dans mes poumons. J'exhale lentement, je sens la fumée qui revient. Je suis tellement fatigué. Qu'est-ce que je vais faire, bordel. Qu'on me vienne en aide, par pitié.

Je finis la cigarette, la jette. Je regarde dans le rétroviseur intérieur, j'aperçois le foyer dans la rue. Je veux m'en aller. Je passe la première. Je veux m'en aller, loin de ce foyer. Je sors de ma place. Je veux m'en aller, loin de cette putain de baraque. J'avance dans la rue. Je ne sais pas où je suis et je ne sais pas où je vais. Je veux juste m'en aller.

Je conduis. Je fume une autre cigarette. J'allume la radio, j'éteins la radio. Les quartiers se ressemblent tous. Des rangées et des rangées de bâtiments de grès brun. Des rues bordées d'arbres avec des trottoirs et des réverbères. Je vois des églises et des écoles, des casernes de pompiers et des terrains de jeux. Je vois toutes sortes de petites

boutiques ; magasins de chaussures, magasins de vêtements, magasins de bibelots, magasins d'artisanat,
magasins de sculptures, agences immobilières, librairies,
magasins de jardinage. Je vois des épiceries et des restaurants des dépanneurs et des stations-service. Je vois
des bars et des magasins de spiritueux. Dans quasiment
chaque bloc, je vois soit un bar soit un magasin de spiritueux. De beaux bars remplis de gens qui boivent. De
beaux magasins de spiritueux dédiés à l'alcool. De beaux
établissements dans lesquels je pourrais faire s'évanouir
ce cauchemar. De beaux bars et de beaux magasins de
spiritueux. Dans quasiment chaque bloc.

Je ressens le besoin. Boire. L'instinct commence à
s'affirmer. Détruire. Ma vieille amie la Fureur se met à
monter, elle dit tue ce que tu ressens, tue ce que tu
ressens. La Fureur monte elle dit tue.

Mes mains se mettent à trembler. Je sens les battements de mon cœur. Mes dents claquent. Je tire à fond
sur ma cigarette, ça ne change rien. Je suis alcoolique et
toxicomane. J'ai eu recours aux stupéfiants pour maîtriser et tuer mes émotions et mes doutes et ma rage, pendant toute ma vie. J'ai porté le fardeau de mon existence
en me servant de l'alcool et de la drogue pour détruire ce
que je ressentais afin de ne plus avoir à le ressentir. Je
n'ai jamais rien éprouvé de tel. Pas le moins du monde.
Je connais la mort, je l'ai vue et je l'ai approchée, mais
pas ce genre de mort. Je connais la peine et le chagrin et
la tristesse, mais je ne les ai jamais éprouvés aussi fortement. Je connais l'horreur, mais je n'ai jamais reculé
devant elle, je connais l'autodestruction, mais elle ne
m'a jamais fait trembler. Je ne sais pas ce que je vais
faire. Il y a de beaux bars et de beaux magasins de spiritueux dans chaque bloc. Je peux faire s'évanouir tout ça,
la Fureur dit tue tue tue, il est temps de détruire. Je suis
alcoolique et toxicomane. Je ne peux maîtriser mes
émotions.

Je me range sur le bas-côté, me gare. J'éteins le moteur
je retire la clef j'éteins les phares. Je parcours des yeux le

pâté de maisons. J'aperçois deux bars, un magasin de spiritueux. J'ai quatre dollars en poche et trois choix s'offrent à moi. Aller dans le bar le plus bondé et récupérer les verres à moitié pleins sur les tables quand les gens se lèvent pour partir. Aller dans un bar moins bondé et trouver un ivrogne. Les ivrognes font n'importe quoi avec leur bouche et avec leur portefeuille, et si j'en trouve un, je me débrouillerai certainement pour me faire payer un ou plusieurs coups. Ou alors laisser tomber les bars, aller dans un magasin de spiritueux. S'ils vendent ce que j'aime boire, c'est-à-dire du vin bon marché, fort, du gros rouge, je pourrai sans doute m'en payer une bouteille, il me faut quelque chose tout de suite. Il faut que ça s'en aille.

J'ouvre la portière. Je sors. Je referme la portière. Il fait froid, je jette un coup d'œil alentour, je me mets à trembler. Je me mets à marcher. Je me dirige vers un coin de rue où se trouve un bar, en face d'un magasin de spiritueux. Je vois des gens derrière les vitres du bar. Ils ont l'air jeunes et heureux. Ils sautent comme des cabris, dansent, bougent au rythme d'une musique entraînante. Tout ce que je veux c'est un verre, deux verres, autant de verres qu'il faudra pour que ça s'en aille, pour que ça me précipite vers l'oubli, pour détruire. J'emmerde ces gens heureux. J'emmerde cette musique entraînante.

Je me dirige vers le magasin de spiritueux. Il se trouve de l'autre côté de la rue. C'est une petite boutique. Une petite pancarte lumineuse en néon suspendue au-dessus de la porte indique Spiritueux, les vitrines sont pleines d'affichettes colorées montrant des femmes vêtues d'un bikini qui brandissent des canettes de bière. Derrière les affichettes j'aperçois des rangées et des rangées de bouteilles. De belles bouteilles pleines d'alcool.

J'ouvre la porte et j'entre. Il fait chaud, une lumière fluorescente illumine la salle. Il y a un comptoir le long d'un mur, un homme se tient derrière. Il y a des cigarettes au-dessus du comptoir et des sucreries en dessous. Il y a un moniteur télé derrière l'homme. Il diffuse des images du magasin prises par des caméras posées dans tous les coins. Je suis le seul client. Je me vois sur le moniteur, je vois l'homme derrière le comptoir sur le moniteur. Il m'observe. Je l'ignore. Je m'engouffre dans l'un des rayons.

L'homme m'observe tandis que je marche, je regarde un ensemble de frigos contre le mur du fond. La saloperie que je bois se trouve toujours dans un frigo contre le mur du fond, toujours cachée aux yeux des clients respectables, qui n'ont pas à la voir. C'est une piquette de la plus vile espèce. Produite par des industries viticoles pour les pauvres poivrots qui ont besoin d'une dose forte et efficace. Bien que ça porte le nom de vin, ça ne ressemble au vin en aucune manière. C'est bien moins cher, bien plus fort. Ça se présente dans d'épaisses bouteilles courtaudes qui deviennent des armes redoutables lorsqu'elles sont vides. Ça a un goût de jus de raisin mélangé à de l'alcool à quatre-vingt-dix degrés. Les consommateurs de longue date meurent souvent des effets que ça a sur les organes intérieurs. Ça fait des trous dans l'estomac. Ça grignote la paroi intestinale. Ça provoque des cirrhoses. C'est de la mort liquide. Disponible en cinquante ou en vingt-cinq centilitres. Parfois en un litre. Toujours dans un frigo contre le mur du fond.

J'en trouve de quatre sortes différentes, alignées sur l'étagère en bas du frigo, dans le coin. Je les connais toutes, j'ai découvert les horreurs de chaque. La pire d'entre elles, et celle que je préfère, s'appelle la rose. Son étiquette la présente comme un vin de dessert au goût fruité, coupé à l'éthanol. Je la présente quant à moi comme une rapide descente aux enfers. On la trouve en bouteille d'un litre. Au paroxysme de mon alcoolisme, j'arrivais à en descendre trois bouteilles avant de tomber dans les vapes. À ce stade, n'ayant pas bu un verre depuis quasiment six mois, une bouteille fera parfaitement l'affaire pour ce que je veux qu'elle fasse. Je veux qu'elle tue. Je veux qu'elle tue.

J'ouvre le frigo j'attrape une bouteille je regarde le prix. À peine moins de trois dollars. Avec le dollar qu'il me reste je peux me payer un sachet de chips. Ce n'était pas ce que je m'attendais à faire ici. Me saouler et manger des chips lors de ma première nuit de liberté, ma première nuit à Chicago. Si cela ne tenait qu'à moi, je serais avec Lilly. Si cela ne tenait qu'à moi, je dormirais dans ses bras. Elle est morte, dans une chambre froide, dans une putain de morgue, et plus jamais je ne dormirai dans ses bras. Cette pensée me rend malade, me donne envie de la rejoindre. La rose m'aidera. Il est temps de commencer la tuerie. Temps de commencer, putain.

Je me dirige vers la caisse. L'homme derrière le comptoir m'observe pendant toute l'opération. Comme je longe un présentoir de chips, je tends la main et j'attrape un sachet. Je ne regarde pas le goût parce que le goût n'a aucune importance. Tout ce que je vais sentir, c'est la rose. J'arrive devant la caisse, je pose mes articles devant l'homme et tandis qu'il les passe au biper, je sors quatre dollars de ma poche de derrière. Je lui présente l'argent, il le prend, il le met dans sa caisse, il me rend une pièce. J'ai dix *cents* pour toute fortune. Dix *cents* et une bouteille de vin et un sachet de chips et un demi-paquet de cigarettes et un pick-up déglingué. Les chips et le vin auront disparu d'ici vingt minutes. Les cigarettes auront disparu d'ici demain. Je commence à me dire que je les suivrai.

Je sors du magasin. Il est froid, le vent, cette saloperie de vent. Je me dirige vers mon pick-up, je l'ouvre, j'entre. Il fait toujours chaud. Je grimpe sur le siège passager. Je sais que si je me fais prendre en train de boire sur le siège conducteur je risque de me faire arrêter pour conduite en état d'ivresse. Qu'importe que la voiture soit à l'arrêt ou pas, selon la loi en vigueur dans tous les États-Unis d'Amérique, je risque de me faire arrêter. Sur le siège passager ils peuvent me donner une contravention pour possession d'alcool dans un véhicule motorisé, l'équivalent d'une amende pour un mauvais stationnement.

Je m'installe dans mon siège. J'allume une cigarette. J'ouvre le sachet de chips j'en mets quelques-unes dans ma bouche je mâche. Je pose la bouteille sur mes genoux. Je la sors du sachet en papier kraft qui la contient. Je l'observe. Mes mains se mettent à trembler et mon cœur à battre encore plus fort. Tel le chien de Pavlov je réagis quand j'ai de l'alcool sous les yeux. Je fume d'une main, tiens la bouteille de l'autre. Je dois prendre une décision. Oui ou non. La Fureur hurle bois enculé, bois bois bois. La douleur que je ressens me dit je te quitterai si tu me nourris. Mon cœur et mes mains tremblent comme des chiens ils réclament le goût. Je sais que si j'ouvre la capsule et que je place la bouteille contre mes lèvres, la renverse et avale, j'emprunterai un chemin dont je ne reviendrai pas. Je sais qu'une fois que je l'aurai à nouveau en moi j'en abuserai jusqu'à ce que mort s'ensuive. J'étais presque mort il y a six mois. Mort à cause des dégâts que la consommation de drogues dures et d'alcool inflige au corps, mort parce que je n'avais plus envie de vivre. J'ai choisi la vie à cause de Lilly et de Leonard et parce qu'une fois que j'avais goûté à nouveau à la vie, son goût m'avait paru agréable, assez agréable pour que j'essaie de vivre. Lilly est morte à présent. Elle a mis fin à ses jours. Le pourquoi et le comment importent peu. Tout ce qui importe, c'est le résultat final. La mort. Je n'arrive pas à croire que je suis ici. Je n'arrive pas à croire que je me retrouve dans cette situation. Qu'est-ce que je vais bien pouvoir foutre.

J'observe.

Je n'ai pas d'argent.

J'observe la bouteille.

Je n'ai pas de travail, je n'ai pas de toit.

J'observe la bouteille.

Je suis alcoolique et toxicomane. J'ai passé les six derniers mois de ma vie dans une clinique et en prison.

La bouteille.

Je tremble. La Fureur hurle. La douleur m'accable par pitié par pitié par pitié. Je peux la chasser. Je peux la tuer. La tuer sera la première étape avant de me tuer. Tout ce à quoi j'ai rêvé, que j'ai espéré, voulu, attendu a disparu. C'est mort et ça ne reviendra pas. Ce n'est pas un cauchemar dont je vais me réveiller, c'est ma putain de vie.

Qu'est-ce que je vais faire.

La bouteille.

Je me mets à pleurer.

Qu'est-ce.

Pleurs.

LE SOLEIL ENTRE À FLOTS PAR LE PARE-BRISE de mon pick-up. Il brille, mais il n'est pas chaud.

C'est le petit matin et j'attends. La bouteille de rose se trouve sur le siège à côté de moi. Elle est encore pleine.

J'ai passé toute la nuit à pleurer, à regarder la bouteille, à fumer, à jurer. J'ai injurié cet enfoiré de Dieu. Je me suis injurié j'aurais dû arriver plus tôt. J'ai injurié tous ceux que j'ai vus, je leur ai hurlé dessus et je les ai injuriés. J'ai injurié mon pick-up il ne m'avait rien fait mais je l'ai injurié quand même. J'ai injurié la Terre le ciel la nuit. J'ai injurié la bouteille dans ma main j'ai injurié la partie de moi qui la voulait. Je l'ai injuriée et je l'ai défiée et elle m'a injurié et elle a tenté de me défier. J'ai injurié ma main tremblante et mon cœur battant, je me suis injurié, j'aurais dû le savoir, j'aurais dû l'en empêcher. J'ai injurié la pièce dans ma poche. J'ai injurié le sachet de chips. J'ai injurié Lilly. J'ai injurié Lilly comment avait-elle pu se faire une chose pareille. J'ai juré et j'ai pleuré. Comment avait-elle pu se faire une chose pareille.

C'est le petit matin et j'attends. La bouteille de rose se trouve sur le siège à côté de moi et elle est encore pleine. Je vais la garder. Je vais la garder car si je décide de la boire, elle sera à portée de main. Je m'en

54

suis sorti hier soir, mais ça ne signifie pas que je vais m'en sortir aujourd'hui, ni demain.

J'attends. J'attends que le soleil vienne au-dessus de moi. J'attends que les cloches sonnent 10 heures. J'attends d'appeler mon ami Leonard. Il m'a dit que si un jour j'avais besoin d'aide il serait là pour me l'apporter j'ai besoin d'aide tout de suite. Je n'ai pas d'argent et pas de travail et nulle part où vivre. J'attends d'appeler Leonard. J'ai besoin d'aide tout de suite.

Je démarre le pick-up. Je sors de ma place et je retourne vers le foyer. Si j'arrive à trouver Leonard et s'il m'aide, il va falloir que je reste dans les environs du foyer. Les gens là-bas sauront qui est Lilly et qui l'a emportée. Je veux la revoir avant qu'elle disparaisse. Je veux la revoir.

Je retrouve mon chemin j'aperçois le foyer. Je me range sur le bas-côté et je me gare. Je sors du pick-up je regarde autour de moi. Je vois le fleuriste. Je vois la flèche qui abrite les cloches. Je vois un parc, le parc est vide. Je vois une banque et un magasin de chaussures et une cafétéria. Je me dirige vers la cafétéria.

J'ouvre la porte, j'entre. Il fait chaud, c'est bruyant. Il y a une odeur de bacon et d'œufs. Il y a des gens à chaque table, qui mangent, boivent du café, bavardent. Il y a un petit couloir au fond de la cafétéria j'aperçois des toilettes et un téléphone. Je me dirige vers le téléphone, je plonge la main dans ma poche arrière. J'en retire mon portefeuille et je prends une carte. Il y a cinq noms sur la carte, cinq numéros. Ils appartiennent tous à Leonard.

Je prends le combiné et je compose le zéro. Je parle à une opératrice je lui donne mon nom et le premier numéro. Je lui demande de passer un appel en PCV. Elle s'exécute, personne ne répond. On essaie le deuxième numéro. Pas de réponse. On essaie le troisième, l'appel est refusé. On essaie le quatrième, j'entends Leonard répondre.

Appel en PCV de la part de James ?

Un peu, mon neveu.

Merci.

L'opératrice raccroche.

Mon fils.

Quoi de neuf, Leonard ?

Tu es sorti de prison et tu es à Chicago. Voilà ce qui y a de neuf.

Ouais, j'y suis.

Comment ça se passe ?

Pas bien.

Qu'est-ce qui se passe ?

Je fonds en larmes.

J'ai pas envie d'en parler.

Qu'est-ce qui ne va pas ?

J'ai besoin de ton aide, Leonard.

Qu'est-ce qui se passe ?

J'ai besoin d'aide.

De quoi as-tu besoin ?

J'ai besoin de trente mille dollars.

Quoi ?

J'ai besoin de trente mille dollars, Leonard.

Qu'est-ce que c'est que ce bordel ?

Tu m'as dit de t'appeler le jour où j'aurais besoin d'aide. Merde, j'ai besoin d'aide. J'ai besoin de trente briques.

T'as bu ?

Non.

T'es défoncé ?

Non.

Qu'est-ce qui ne va pas, bordel ?

Je fonds en larmes.

J'ai besoin d'argent.

Il ne répond pas.

Je t'en prie, Leonard.

Il ne répond pas.

Je t'en prie.

Je l'entends reprendre sa respiration.

Où es-tu ?

Dans une cafétéria.

Comment veux-tu que je te les fasse parvenir ?

Merci, Leonard.

Tu es mon fils. Je vais prendre soin de toi.

Merci, Leonard.

Maintenant dis-moi comment tu veux que je te fasse parvenir l'argent.

Je lui donne l'adresse du foyer. Il me dit que j'aurai l'argent d'ici une heure. Je le remercie, merci, Leonard. Il me demande si je veux qu'il vienne à Chicago et je lui dis non. Il redemande si je suis saoul ou défoncé il veut savoir et je lui dis non. Il dit que même s'il n'a pas besoin d'être au courant tout de suite il faudra bien qu'à un moment il sache pourquoi j'ai besoin de tant d'argent. Je dis d'accord. Je le remercie encore et il dit ne t'en fais pas pour ça et je dis merci encore et on raccroche. Merci, Leonard. Merci.

Je sors de la cafétéria et je retourne à mon pick-up, vers le foyer. Comme je me rapproche, mon cœur se met à battre plus fort. Je pense à ce qui s'est passé dans le foyer, les images dans mon esprit sont nettes. Pendue pendue pendue. J'essaie de repousser les images, mais elles restent, pendue pendue pendue. Chaque pas est plus difficile, chaque pas est plus lourd. Je remonte l'allée qui mène à la porte. Chaque pas. Pendue.

J'ouvre la porte et j'entre dans le hall. J'ai envie de partir, les images sont nettes. La même femme est assise à l'accueil. Il y a des roses rouges dans un vase à côté d'elle. Elle lève les yeux vers moi, je dis bonjour, elle dit bonjour, elle désigne les roses et elle me dit qu'elle les a mises de côté pour moi. Je la remercie et je demande à voir Tom. Elle dit il est sorti puis-je vous aider. Il y a un fauteuil en face d'elle je m'assieds. J'ai envie de partir, les images sont nettes. La salle de bains dans laquelle Lilly s'est pendue se trouve dans ce foyer. Je regarde la femme et je parle.

J'ai besoin d'informations.

JE GARDE LES FLEURS. ELLES ÉTAIENT POUR LILLY, par pour le foyer. Je les mets dans l'eau, je m'en servirai. Elles étaient pour Lilly.

Je donne tous ses vêtements à un organisme caritatif. Elle n'en avait pas beaucoup, mais peut-être que ça aidera quelqu'un.

Je donne ses livres à une bibliothèque. Elle voulait aller à l'université et elle étudiait pour passer les examens d'entrée. Elle avait sept livres, que des manuels scolaires.

Le peu d'argent qu'elle avait se trouvait dans une boîte sous son lit. Je le donne à une sans-abri assise toute seule sur un banc. La femme me dit que ça sera suffisant pour lui assurer un lit en foyer pendant deux mois. J'espère que ça changera quelque chose à sa situation.

Elle portait une montre en plastique de Superwoman. Ça m'a toujours semblé amusant qu'elle la porte. Je la trouve sur une table à côté de son lit. En la trouvant, je pleure. Je la plaque contre mon cœur et je pleure. Je la garde dans ma poche.

Elle avait une brosse à cheveux, une brosse à dents. Un tube de dentifrice et un flacon de shampoing et une savonnette. Je laisse tout dans la salle de bains.

Elle avait un collier tout simple en argent. Une croix en platine y était accrochée. Sa grand-mère la lui avait donnée, c'était son bien le plus précieux. Je la trouve sur la table à côté de son lit. En la trouvant, je pleure. J'ai envie de la lui rendre. J'ai envie de la rendre.

Je n'ai pas de photographies de Lilly. Je n'ai aucune photographie de nous deux ensemble. Les seuls documents qui me restent de notre relation, c'est un gros tas de lettres, certaines écrites par moi, d'autres par elle. Ce manque de documents complique les choses pour que je la voie. Tom m'aide. Il parle à l'assistant du médecin légiste, il parle au médecin légiste. Il confirme que Lilly n'avait d'autre famille que sa grand-mère, qui se trouve à la morgue avec elle. Il confirme que j'étais son petit ami, et que je suis la seule personne susceptible de réclamer son corps. Il m'aide en persuadant le médecin légiste de me laisser la voir. Rien qu'une fois, tout seul. Je vais la voir. Je prends un couloir. Un couloir lumineux, propre, stérile. Au bout du couloir il y a une grande porte métallique. Un homme se trouve devant la porte. Il porte une blouse blanche de laboratoire et des gants en latex, un masque est accroché à son cou. Comme je m'approche de lui, il dit bonjour, je dis bonjour, il ouvre la porte et me fait signe d'entrer et je passe la porte et il me suit. La porte se referme derrière nous.

Je me trouve dans une vaste pièce sans cloison. Le long d'un mur il y a une rangée de placards en inox. Le long d'un autre il y a trois lavabos et un grand plan de travail en inox. Le long du mur du fond il y a quatre rangées de portes, chacune dotée de poignées semblables aux poignées d'un grand frigo. Il y a une table en inox au milieu de la pièce, surplombée par une lampe halogène, avec un tuyau d'écoulement dessous. Il y a un corps sur la table. Un corps recouvert d'un drap blanc.

Je me tourne vers l'homme.

Puis-je rester seul ?

Oui.

Merci.

Il désigne un plan de travail près des placards.

Il y a des gants et des masques là-bas, si vous en avez besoin.

Merci.

Il fait demi-tour et s'en va. Je me tourne vers le corps. Je l'observe. J'ai peur. Mon cœur se met à battre, à battre au point de me faire mal. J'ai peur. Je prends une longue inspiration. D'un côté, j'ai envie de m'enfuir. De me barrer d'ici. C'est son corps, son corps mort sous ce drap. D'un autre côté, je sais que je dois le faire. Je dois la voir. Je dois la voir. Je dois la voir.

J'avance d'un pas, une fois, deux fois, le cœur battant. J'avance jusqu'à ce que je me retrouve à côté de la table. Je reste planté à regarder le drap sous lequel elle se trouve. Je pose la paume de ma main au centre du drap. Mon cœur bat à se rompre, putain. J'appuie doucement de façon à pouvoir sentir ce qu'il y a sous le drap, ma main se trouve quelque part sur son ventre. Je la fais remonter vers le haut du drap, suivant les formes de son corps. Elle est sous le drap et je sens son corps. Ce corps que j'ai serré, ce corps que j'ai aimé, ce corps qui m'a aimé. Ma main remonte le long de la courbe de son cou, jusqu'à son menton. Je la déplace vers le rebord du drap, je pose mon autre main sur la première. Mon cœur bat à se rompre, putain. Mes mains tremblent.

Je commence à doucement retirer le drap. Je vois ses cheveux noirs comme le jais tellement noirs qu'ils sont presque bleus. Je tire doucement je vois sa peau, dans la vie elle était blanche comme de la porcelaine, elle est grisâtre désormais. Je tire doucement. Je vois ses sourcils noirs je vois ses cils noirs. Je vois ses yeux fermés, dans la vie ils étaient bleus, de beaux yeux bleus, clairs comme l'eau profonde, ils sont fermés et je les laisserai fermés. Je tire doucement le drap. Ses pommettes fortes et sculptées je passe sur son nez je passe sur ses lèvres. Pleines et rouges elles sont toujours pleines. Elles sont également tranquilles, paisibles, immobiles, au repos. Je tire le drap sur son menton et je l'ôte de son visage. Je tire le drap sur son cou. Elle a une ecchymose d'un bleu profond autour de la gorge. Elle a dû utiliser un truc épais, peut-être une serviette, je ne sais pas, je ne veux

61

pas y penser. Je tire le drap sur ses épaules elle ne porte pas de chemise. Je n'exposerai pas sa chair nue je la respecterai dans la mort tout comme je la respectais dans la vie. Je relâche le drap et je le replace juste en dessous de ses épaules. Je la regarde. Elle est tranquille, paisible, immobile, au repos. En ce moment je l'aime comme je l'aimais auparavant en ce moment je l'aime. Dans la mort et dans la vie. Mon cœur bat et ma main tremble. Je l'aime.

Je la regarde.

Je la regarde.

Mes mains caressent le sommet de son crâne, courent dans sa chevelure.

Je pleure.

Je touche le contour de son visage.

J'embrasse mes doigts et je les pose sur ses lèvres.

Je pleure.

Elle est tranquille.

Paisible.

Immobile.

Au repos.

Je prends sa main sous le drap. Elle est raide et froide. Je prends sa main.

Je suis avec elle.

Je la tiens.

Je l'aime.

Elle est repos.

Pleurs.

DONNE-LEUR LE REPOS ÉTERNEL.
Donne-leur le repos éternel.

PLEURS.

Je la pleure.

Pleurs.

J'appelle mon ami Kevin. Kevin est un vieil ami, très proche, l'un des plus proches amis que j'aie eus de ma vie. On s'est rencontrés à la fac et on a vécu ensemble à cette période, il m'a vu perdre les pédales, il m'a aidé quand je me suis mis à ramasser les morceaux de ma vie déglinguée. Il savait que j'étais sur le point de débarquer ici même s'il ne savait pas quand je débarquerais au juste. Il me dit bienvenue à Chicago et je dis merci et il me demande comment je vais et je dis bien, il me demande comment c'était, il sait ce que je faisais dans l'Ohio, je lui dis que ça a été. Il a entendu parler de Lilly et il me demande comment ça se passe avec elle et je lui dis mal et il me demande ce qui se passe et je lui dis que je n'ai pas envie d'en parler. Il me demande si je vais bien, je dis que je n'ai pas envie d'en parler. Je lui demande quand il aura terminé le boulot, il me dit à 19 heures et on s'entend pour se rejoindre chez lui.

Kevin vit dans les quartiers Nord de la ville. Son appartement se situe au premier étage d'un immeuble de grès brun de quatre étages, dans une rue bordée d'immeubles de grès brun de quatre étages. Le quartier est peuplé de jeunes d'une vingtaine d'années qui ont décroché leur premier ou leur deuxième boulot de cadre,

64

dans les rues défilent à la queue leu leu costumes et jupes et mocassins. Je trouve l'immeuble facilement, je me gare en face. Je regarde par les fenêtres, il y a des gens qui fument des cigarettes et boivent. Je sors de ma voiture et je prends une grande inspiration. Je ne veux pas de ça voir plusieurs personnes je suis nerveux et effrayé j'ai l'habitude d'être seul. Je sais qu'il me faut briser cette solitude qu'il me faut passer du temps parmi les vivants. J'appuie sur la sonnette prends la porte qui mène au couloir il m'attend. Il sourit. Il fait un pas en avant, il me serre dans ses bras, il parle.

Ça fait du bien de te voir, mon pote.

Toi aussi.

On relâche notre étreinte.

Qui c'est à l'intérieur ?

Des gens qui voulaient te voir.

Qui ?

Viens voir.

Tu veux pas me dire ?

Viens voir, c'est tout.

Je prends une longue inspiration. Je sais qu'il faut que je m'efforce de continuer à vivre.

J'entre. Je vois des gens que je connais, des gens qui sont mes amis, des gens que je suis surpris de voir. Adrienne et Ali. Deux amis deux grands amis, pendant plusieurs années on a picolé ensemble et on a fumé ensemble et on a rigolé ensemble et parfois on a pleuré ensemble. Erin et Courtney c'étaient ses amies, à celle avec qui j'étais dans une autre vie. C'étaient ses amies et elles sont devenues mes amies. Je ne sais pas si elles la voient encore ou si elles lui parlent encore et je m'en fiche, c'était dans une autre vie. David et Scott, plus vieux que moi, je buvais et je fumais et je sniffais avec eux ce sont des banquiers maintenant ils sont guindés et collet monté. Callie et Kim, elles vivent avec Kevin, je leur vendais de la drogue de temps en temps j'en prenais avec elles. Ils savent tous que je viens de sortir d'une cure de désintoxication, mais seul Kevin sait pour la prison. Ils semblent tous heureux de me voir, ils semblent aussi avoir peur de boire devant moi, de fumer devant moi, d'être eux-mêmes devant moi. Ils me posent des questions prudentes comment vas-tu comment te sens-tu est-ce que tout va bien est-ce que ça va si je bois un verre devant toi est-ce que tu te sens à l'aise. Je leur dis que ça va, que l'alcool ne me dérange pas, qu'ils soient tranquilles. Je garde un visage calme et des manières détendues. À l'intérieur je ne suis pas du tout calme, c'en est trop pour moi. Tout ce bruit tous ces visages tous ces mots. Ça fait si longtemps que je suis seul. Seul et sauvage. Cette pièce est pleine de gens que je connais, que j'aime bien, qui sont venus me voir et c'en est trop pour moi.

On va dans un bar. On va tous ensemble dans un bar. Je joue au billard et je fume des cigarettes et je bois du soda. Mes amis jouent au billard et ils fument des cigarettes et ils se saoulent. Comme on approche du cœur de la nuit je parle de moins en moins. Comme on approche du cœur de la nuit mes amis perdent la capacité de parler. Je ne les juge pas. J'ai fait ce qu'ils sont en train de faire toutes les nuits pendant des années. Je me suis saoulé, j'ai trébuché, j'ai bafouillé. Je ne les juge pas, je suis heureux de les voir.

On reste dans le bar jusqu'à la fermeture. On part je dis au revoir à tout le monde je les remercie d'être venus me voir, je rentre à pied chez Kevin avec Callie et Kim. Ils rejoignent leur chambre, ils rejoignent leur lit. Je trouve des couvertures dans un placard, je rejoins le salon et je me fais une place sur le canapé et je m'allonge.

Je regarde le plafond.

JE ME METS À CHERCHER UN APPARTEMENT. Je regarde les petites annonces des journaux, je me promène dans les rues à la recherche de pancartes À louer, je vais dans les agences immobilières du coin et je fouille dans leurs fichiers. Je ne veux pas grand-chose et je n'ai pas besoin de grand-chose. Presque tout l'argent s'est volatilisé. J'ai besoin de quelque chose de simple et petit et propre. Un endroit où je pourrais m'asseoir, dormir, lire. Un endroit où je pourrais être seul, simple et petit et propre.

Je trouve un appartement le deuxième jour. Il se trouve dans une petite rue qui ne couvre qu'un pâté de maisons. À un bout de la rue il y a deux girafes géantes en acier l'une face à l'autre. Elles sont ridicules et elles me font rire. À l'autre bout il y a un petit restaurant délicat, dont le menu est rédigé en italien. Des arbres bordent chaque côté de la rue, et bien que je ne connaisse rien du quartier, j'ai l'impression que je pourrais y passer un petit bout de temps.

L'appartement se situe dans un grand immeuble de cinq étages en forme de U. C'est un F1, au premier étage. Il y a un mur en briques, du plancher, un four et un frigo. Il y a trois fenêtres, toutes dotées de barreaux, il y a deux portes, les portes sont dans des coins opposés. L'une d'elles mène à un couloir, l'autre à une allée où se trouvent plusieurs bennes à ordures.

Je rencontre le gardien de l'immeuble. Il s'appelle Mickey, il a une trentaine d'années. Il est mince et efféminé, il a des cheveux blonds et des yeux bleus et il porte un pyjama. Il dit qu'il est peintre mais qu'il travaille comme gardien parce que ça lui permet de ne pas payer de loyer, d'avoir de l'argent et plein de temps pour peindre. Alors qu'il parcourt mon dossier, je le vois qui me jette des petits coups d'œil furtifs. Il termine et il me dit qu'en général il n'a pas le droit de louer des appartements à des gens qui n'ont pas d'emploi. Je lui explique que j'ai l'intention d'en trouver un. Il me demande si j'ai des lettres de recommandation et je réponds que non. Il dit qu'il faut qu'il voie avec son patron, je sors tout l'argent liquide qu'il me reste et je le lui mets sous les yeux.

Voici la caution, avec deux mois de loyer et un petit extra pour vous.

Il regarde l'argent, puis moi.

Un petit extra de combien ?

Un mois.

Il me toise.

Vous m'avez l'air bien.

Je glousse.

Et vous ne m'avez pas l'air d'être le genre à causer des ennuis.

Je ris à nouveau.

Il me tend la main.

Bienvenue dans l'immeuble.

Je lui serre la main, souriant.

Merci.

Nos mains se séparent.

Quand souhaitez-vous emménager ?

Tout de suite.

Vous êtes pressé ?

J'ai besoin d'un toit.

Il plonge la main dans un dossier et en ressort un bail. Il me pose quelques questions, note les réponses, je signe le bail. Il me tend les clefs.

68

Merci.

De rien.

Je me lève.

À plus tard.

Il opine du chef.

Pas de problème.

Je fais demi-tour et je m'en vais. Je me dirige vers mon pick-up, qui est garé sur le trottoir devant l'immeuble. Je prends mes vêtements, ma bouteille, et je me dirige vers l'appartement. J'ouvre la porte, j'entre. Je pose mes vêtements en tas par terre. Je tiens ma bouteille dans la main. Je l'ai trimbalée avec moi presque partout où je suis allé ces derniers jours. Je la garde près de moi pour mettre ma force à l'épreuve. Je la garde près de moi au cas où je changerais d'avis.

J'ai l'impression qu'à présent je la veux, la rose. J'ai l'impression que je la veux tout le temps mais plus à présent plus encore. Je la pose par terre au milieu de l'appartement. J'ouvre la porte je vais marcher, ça me calme de marcher.

Il fait froid dehors. Dans les rues, le vent claque tel un fouet. Il me cingle le visage, traverse mes vêtements, me mord me fait trembler me fait mal. Je me mets à marcher. Nul planning nulle part où aller nulle idée d'un itinéraire pour y aller. Je me contente de marcher.

Je longe les girafes je dis au revoir les amies. Je prends une rue baptisée Broadway bordée de boutiques de prêteurs sur gages, pas de rêves qui deviennent réalité par ici. Je longe Wrigley Field c'est un stade de base-ball complètement mort pendant l'hiver, vieux et silencieux et noble et sombre. Je marche sous les rails du métro aérien en bas le sol vibre toutes les cinq minutes le sol vibre. Je croise des gens il y en a certains que je ne peux voir ils se cachent de l'hiver. Je longe magasin sur magasin sur magasin tous vendent des choses dont je n'ai pas besoin. Je longe des immeubles illuminés et chauds, des bureaux illuminés et chauds, des écoles illuminées et chaudes. Je longe un hôpital. Un commissariat. Une caserne de pompiers. Je ne fais que marcher. Bizarrement, ça m'aide à oublier, bizarrement, ça me calme.

Comme le jour décline la température descend, la lumière disparaît. Ça fait des heures que je marche, je reprends le chemin qui mène chez Kevin. Je le vois derrière la fenêtre qui boit du vin ses colocataires fument. J'appuie sur la sonnette je m'assieds avec eux tandis qu'ils boivent et qu'ils fument. Je leur parle de mon appartement ils veulent fêter ça.

On retourne dans le même bar que la dernière fois. On y retrouve quasiment les mêmes gens. Je m'assieds avec eux tandis qu'ils boivent et qu'ils fument. J'ai un verre d'eau. J'ai envie de boire, d'un côté j'ai envie de boire, un verre deux verres cinq verres vingt. J'ai envie de boire parce que je sais qu'en buvant tout s'en ira. La douleur que je ressens la tristesse et le chagrin et la peine qui sont avec moi tous les jours chaque seconde dans chaque souffle et chaque battement de mon cœur dans chaque pensée chaque pas dans tout ce que je vois et j'entends il n'y a que douleur et tristesse et chagrin et peine et je sais qu'en buvant tout s'en ira. Je sais aussi que ça me tuera si je le fais. Peut-être pas aujourd'hui ni demain mais ça me tuera. Si je commence je ne pourrai plus m'arrêter. Il y a la douleur et la tristesse et le chagrin et la peine. J'ai un verre d'eau. Je m'assieds avec mes amis tandis qu'ils boivent et qu'ils fument.

Il est temps de partir je repasse à l'appartement de Kevin avec lui. Je lui emprunte trois couvertures et un oreiller. Je retourne vers mon nouvel appartement. Il fait un putain de froid glacial en marchant je m'emmitoufle dans les couvertures et je serre l'oreiller contre ma poitrine. Je suis fatigué. Je ne sais ni pourquoi je suis ici ni ce que je suis en train de foutre. J'ai besoin d'un boulot et j'ai besoin d'argent. Je me sens seul Lilly me manque tellement, tellement. C'est le cœur de la nuit, il fait un putain de froid glacial, je ne sais pas ce que je suis en train de foutre.

Je retrouve les girafes je leur dis bonjour. Je retrouve mon immeuble et j'ouvre la porte, je retrouve mon appartement et j'ouvre l'appartement. J'entre. Je n'allume pas la lumière et je n'enlève pas ma veste, ni mes chaussures. Je me couche par terre. Je m'emmitoufle dans les couvertures et je serre l'oreiller.

Je veux boire, mais je sais que ça me tuera.

Je veux Lilly, mais je sais qu'elle ne reviendra pas.

Je suis fatigué et je veux dormir.

Le sommeil ne vient pas.

Je suis couché par terre.

J'AI BESOIN D'UN BOULOT ET J'AI BESOIN D'ARGENT.

Je prends un journal, je regarde les petites annonces. Je note les adresses et je me balade en ville. Il fait froid, le vent est cinglant mais ça me calme de marcher. Je postule pour plusieurs boulots. Deux dans des bars pour être videur. Un dans une boutique de vêtements pour être magasinier. Un dans un café pour être serveur et tenir la caisse. Deux dans des stations-service pour être pompiste. Je serre des mains et je souris et on me dit de patienter. Je leur donne le numéro de téléphone de Kevin. Je patiente.

À la fin de la journée je retrouve Kevin. Il m'emmène manger une pizza. Je n'ai pas mangé aujourd'hui je suis fauché comme les blés. Après le dîner, on retrouve nos amis au bar. Ils boivent et ils fument et je bois de l'eau et je fume. On joue au billard, on parle, on rit, je commence à réapprendre à rire. Je reste tard, à regarder à rire et à fumer. Je ne ris pas beaucoup, mais même de temps en temps, c'est pas mal.

La nuit s'achève et je rentre chez Kevin avec lui, j'écoute les messages, personne ne m'a appelé. Je rentre à la maison. Ça va être ma maison encore pendant deux mois, je n'ai nulle part où aller. Je me couche par terre, je m'emmitoufle dans les couvertures, je serre l'oreiller.

Le sommeil ne vient pas facilement.

Les secondes deviennent des minutes qui deviennent des heures.

Des heures.

Je suis allongé par terre et je serre l'oreiller.

Elle me manque.

Je suis seul.

Elle me manque.

L'obscurité cède à la lumière.

Je suis allongé par terre.

Je finis par m'endormir.

Je dors.

Dors.

J'entends la porte qui s'ouvre. Je ne sais pas si je l'entends en rêve ou pas. J'entends des pas sur mon plancher. Je suis réveillé je sais que ce n'est pas un rêve. J'entends des voix. Des paroles murmurées il y a quelqu'un dans mon appartement. C'est quoi ce bordel. J'entends des paroles il y a quelqu'un dans mon appartement. Je suis réveillé. Ce n'est pas un rêve. Il y a quelqu'un.

J'entrouvre les yeux, regarde dans l'interstice. Mon cœur se met à battre la chamade. Je vois deux paires de chaussures en cuir, des chaussures coûteuses. Putain qui est là. J'essaie de reconnaître les chaussures, sans succès. J'essaie de reconnaître les voix, je ne les entends pas assez pour cela. J'entrouvre davantage les yeux, les relève sans bouger la tête. Pourquoi y aurait-il quelqu'un dans mon putain d'appartement. Les portes des placards se mettent à s'ouvrir et à se refermer. Je relève les yeux encore, encore, encore. Je vois deux têtes par-derrière. Je vois un crâne chauve familier. J'ouvre les yeux, je m'assieds et je parle.

Leonard.

Leonard se retourne. Il est vêtu d'un trench-coat noir, d'un costume noir, il porte un paquet de café.

Mon fils.

Qu'est-ce que tu fabriques ici ?

Tu te souviens de Barracuda ?

Comment m'as-tu retrouvé ?

Je t'ai fait rechercher. Ce n'était pas difficile.

Comment es-tu rentré ici ?

Il désigne l'homme à ses côtés.

Je lui ai demandé d'ouvrir la porte. Ça non plus c'était pas difficile.

Je regarde l'homme, qui lui aussi s'est retourné. Il est grand et costaud, il a des cheveux noirs, courts, et il porte lui aussi un trench-coat noir et un costume noir. Je l'ai rencontré lorsqu'il est venu chercher Leonard à la clinique. C'est un homme intimidant, un homme qui évoque davantage un ours qu'un être humain, un homme que je chercherais à éviter s'il ne se trouvait pas avec mon ami.

Comment ça va, Barracuda ?

Ça va, fiston.

Je repose les yeux sur Leonard.

Qu'est-ce que tu fabriques ici ?

Viens ici.

Comment est-ce que tu es rentré dans mon appartement ?

Allez, viens ici.

Je me lève.

Quoi ?

Il me fait signe d'avancer.

Viens ici.

Je fais un pas vers Leonard.

Il fait un pas vers moi. Il ouvre ses bras et il les enroule autour de moi.

Je suis désolé que tu l'aies perdue.

Je me mets à parler, mais j'en suis incapable.

Je suis tellement désolé.

Je me mets à pleurer.

Il me serre dans ses bras.

Je me mets à pleurer.

JE PLEURE.

Sous la douche.

En me brossant les dents.

En m'habillant.

Pleure.

Je n'ai jamais rien connu de tel, rien qui s'en rapproche. Peine, chagrin, tristesse, douleur douleur douleur. Un trou dans ma poitrine qui ne peut être comblé.
Une blessure qui coule. Une fracture qui ne peut se
réduire, je suis brisé, la fracture ne peut se réduire et il
n'y a rien que je puisse faire.

Je pleure en m'habillant.

Je pleure.

Je reprends mon souffle, rassemble mes esprits. Je
sors de la salle de bains. Leonard et Barracuda
m'attendent. On quitte l'appartement, je ferme la
porte, on se dirige vers leur voiture qui est garée
contre le trottoir. Elle est neuve et énorme. Une Mercedes blanche à quatre portes, avec des vitres teintées.
D'après ce que Leonard m'a dit, c'est le seul type de
voiture dont il accepte d'être le propriétaire, le conducteur ou le passager. Il ouvre la portière passager, devant,
et monte. Barracuda ouvre la portière du chauffeur et
s'assied derrière le volant. Je monte sur la banquette
arrière, Barracuda allume le moteur, on s'éloigne du
trottoir.

On se dirige vers le lac, on prend vers le sud le long de Lakeshore Drive en direction du centre-ville. Je regarde par la vitre, le lac est gelé, les arbres effeuillés, le vent assez violent pour que je le sentè contre la voiture.

Leonard se retourne, me parle.

T'as faim ?

Je le regarde.

Ouais.

T'es pas bien gros.

C'est la bouffe de prison, et je n'ai pas beaucoup mangé depuis que je suis arrivé ici.

Putain je déteste la bouffe de prison.

Barracuda parle.

Moi aussi. Fait gerber, cette saloperie.

Leonard parle.

J'essaie de payer quelqu'un qui m'amène de la vraie bouffe.

Barracuda parle.

Des fois ça marche, des fois non.

Leonard parle.

C'est ce que j'aurais dû faire avec toi. Payer un fils de pute pour qu'il t'apporte des Big Mac.

Je ris.

C'est pas drôle. T'es trop maigre. T'as l'air malade. Il faut que tu te remplumes pendant qu'on est là.

Je souris.

D'accord.

Une fois qu'on sera arrivés là où on va, je vais te commander du bacon. Une grosse assiette avec rien que du bacon dessus.

D'accord.

Et puis on se tapera un gros déjeuner.

D'accord.

Et puis on se tapera un énorme putain de dîner. Avec des steaks, des épinards, du gâteau, plein de trucs sacrément fameux.

Je ris.

Et tu pourras amener tes amis. Autant que tu veux. Tout le monde est bienvenu.

Je ris encore.

Ça fait du bien de te voir rire, mon Fils. Ça fait du bien de voir ça. J'aurais vraiment la trouille si je ne te faisais plus rire.

Tu n'as aucune raison d'avoir la trouille, Leonard.

Tu viens juste de te prendre une putain de bombe sur la gueule. Tu donnes le change, mais ça ne veut pas dire que je n'ai pas la trouille.

Je vais bien, Leonard.

Continue de te répéter ça et tu finiras par aller bien, mais n'essaie pas de me mentir là-dessus en ce moment. Je sais que tu ne vas pas bien, tu n'es pas censé aller bien, et c'est normal.

Je le regarde.

C'est normal que tu sois complètement laminé, James.

Et ça me retombe dessus. Je baisse les yeux, me mords la lèvre, j'essaie de m'empêcher de pleurer.

C'est normal.

J'opine, essayant de retenir mes larmes. Je détourne la tête, regarde par la vitre, il me laisse tranquille. J'essaie de retenir mes larmes, mais je n'y arrive pas. On va vers le sud en direction du centre. Le lac est gelé. Je regarde par la vitre, les larmes ruissellent sur mes joues.

On atteint un grand virage il y a la plage gelée à notre gauche, on tourne à droite vers un conglomérat d'acier et de pierre et de verre. On prend Michigan Avenue, les gratte-ciel bordent les deux côtés de la rue. Les trottoirs sont bondés, les gens serrés les uns contre les autres et au chaud, personne ici ne semble souffrir du froid. Le Hancock se dresse devant nous, de plus en plus massif comme nous approchons, tour majestueuse, large, forte, en acier noir, je tente de la suivre des yeux elle s'étend au-delà de mon champ de vision. Je relève les yeux. Elle va plus haut encore.

On prend une rue à droite, Barracuda se range devant une entrée élégante dotée d'un tapis rouge et d'un auvent noir. Il arrête la voiture, deux grooms en uniforme ouvrent les portières, un voiturier se précipite vers le chauffeur. Leonard et moi sortons de voiture. Barracuda fait signe au voiturier de s'écarter, et s'en va. Je demande à Leonard où il se dirige et Leonard me dit qu'il va se garer. Je demande pourquoi il ne laisse pas le voiturier s'en occuper, il dit que c'est plus sûr comme ça, que personne ne peut avoir accès à la voiture si c'est Barracuda qui la gare. J'oublie parfois qui est Leonard et la façon dont il gagne sa vie. Barracuda gare la voiture.

Nous marchons sous l'auvent, on nous tient la porte. On entre dans un petit vestibule en chêne. On se dirige vers l'ascenseur et on patiente, quand il arrive, on entre. Lui aussi est en chêne, doté d'une moquette fournie et profonde, rouge sang. C'est le plus bel ascenseur que j'aie jamais vu. Le panneau de commande ne comporte qu'un bouton. Leonard appuie dessus, on monte à toute vitesse, mes oreilles se bouchent.

On s'arrête. Les portes s'ouvrent en silence. On arrive dans un autre vestibule, immense cette fois, avec un plafond très haut, des meubles coûteux, un comptoir délicat à l'accueil, trois maîtres d'hôtel bien habillés. On traverse le vestibule pour rejoindre un restaurant de l'autre côté, qui se trouve devant une immense baie vitrée donnant sur la ville et le lac.

On s'arrête devant le pupitre de l'hôtesse. Leonard dit bonjour, l'hôtesse sourit et demande s'il veut sa table habituelle. Il répond bien sûr, madame, et vous n'avez pas à nous y accompagner. Elle rit, on se dirige vers une table pour quatre près de la baie vitrée. On s'assied. Une serveuse s'approche elle dit bonjour à Leonard elle semble elle aussi le connaître. Elle lui tend le menu et il dit non merci, je sais ce qu'on va prendre. Elle dit d'accord et il commande une assiette de bacon, une grosse assiette avec rien que du bacon. Il commande une assiette de saucisse, une grosse assiette avec rien que de la saucisse. Il commande des pancakes aux myrtilles, des gaufres, des œufs brouillés, des œufs au plat. Il commande du café, une carafe d'eau et trois verres de lait. Il commande trois omelettes, l'une au fromage, l'autre au steak, la troisième aux épinards et aux tomates, il commande un plat avec du corned-beef haché, des pommes de terre sautées, des pommes de terre rôties et quatre sortes de pain. La serveuse rit, moi aussi, Leonard lève les yeux et se met à se gratter le menton. Il se demande s'il a oublié quelque chose, il réfléchit un moment et il s'exclame ah oui, j'ai oublié deux choses. Il commande une corbeille de scones et une corbeille de muffins. La serveuse lui demande si ça sera tout et il dit oui, pour l'instant. Elle rit à nouveau et s'en va.

Barracuda nous rejoint. Il s'assied à côté de Leonard, en face de moi. Leonard lui jette un coup d'œil et Barracuda hoche la tête. Leonard se tourne vers moi, parle.

Faut qu'on discute.

Quelque chose ne va pas ?

J'en sais rien, c'est pour ça qu'il faut qu'on discute.

D'accord.

Leonard me regarde dans les yeux.

Tu picoles ?

Je secoue la tête.

Non.

Tu te cames ?

Non.

Après ce qui s'est passé, je comprendrais que ça soit le cas.

Ça ne l'est pas.

Et je préférerais que tu sois retombé, plutôt que tu me mentes.

Je ne te mens pas, Leonard.

T'es sûr ?

Ouais.

Leonard regarde Barracuda. Barracuda plonge la main dans l'une des poches de son trench-coat et en retire la bouteille de rose. Il la pose au centre de la table. Leonard repose les yeux sur moi.

Tu veux bien m'expliquer ?

79

Je ris.

C'est pas drôle.

D'abord tu rentres chez moi par effraction, et ensuite tu me choures des trucs.

Ouais.

Je secoue la tête.

Tu déconnes, Leonard.

Pourquoi est-ce que t'as ça ?

Parce que j'y pense. Je la garde sous le coude au cas où je déciderais que j'en ai envie.

T'en as pas envie.

On verra.

Crois-moi, t'en as pas envie.

On verra.

Non, on verra rien du tout. Le choix de boire ne se présente pas, pour toi.

C'est à moi d'en décider, Leonard.

Tu veux crever ?

Non.

C'est ce qui va se passer si tu recommences.

Je sais.

Est-ce que tu crois que c'est ce qu'elle te souhaite ?

Je n'y ai pas pensé.

Tu devrais peut-être.

Tu devrais peut-être laisser tomber.

Elle ne voudrait pas que tu boives.

Ferme ta gueule, Leonard.

Elle n'a pas réussi à s'en sortir, mais tu sais ce qu'elle voulait que tu fasses.

Ferme ta gueule, Leonard.

Elle disait bien qu'une seconde de liberté vaut plus que toute une vie d'asservissement ?

Ouais, c'est ce qu'elle disait. Maintenant on change de sujet, putain.

Elle n'était pas assez forte, James. Elle n'aurait pas pu tenir à long terme.

Ferme ta gueule, Leonard.

80

Mais toi tu en es capable, et elle aurait voulu qu'il en soit ainsi, et tu dois t'en souvenir.

Va te faire foutre, Leonard.

Je tends la main, attrape la bouteille, la pose par terre près de ma chaise.

J'apprécie ta prévenance, mais je ne veux plus parler de ça, putain.

Les plats arrivent. On mange en silence. Le bacon est chaud et craquant, la saucisse charnue et juteuse, les pancakes couverts de sirop doux. Je bois une deux trois tasses de café. Je regarde mon assiette ou par la fenêtre, je ne regarde pas Leonard ni Barracuda. La bouteille est à mes pieds. La décision m'appartient.

J'entends Leonard poser sa fourchette et son couteau, prendre sa respiration, pousser un grand soupir. Il parle.

James.

Je relève les yeux.

Ouais ?

Tu n'as qu'à me promettre deux choses et je ne remettrai plus ces conneries sur le tapis.

Quoi ?

Promets-moi que tu n'as pas dépensé l'argent que je t'ai donné en drogue et en alcool.

Bien sûr que non.

Et promets-moi que si tu décides de boire, tu m'appelleras pour m'en parler avant de le faire.

Ça, je peux te le promettre.

Leonard se tourne vers Barracuda.

T'es témoin, hein ?

Barracuda hoche la tête.

Ouais, je suis témoin.

Leonard se tourne vers moi.

Tu auras affaire à Barra si tu ne tiens pas tes promesses.

Je ris.

Très bien.

Tu as ri. C'est bien. Je suis venu ici pour me fendre la poire, et je veux que tu rigoles, je veux que tu t'amuses. Ça t'aidera.

J'opine du chef.

Je sais.

Je veux que tu restes à l'hôtel avec nous ce soir. Je t'ai pris une chambre juste à côté des nôtres.

Tu n'avais pas besoin de faire ça.

Je sais que je n'avais pas besoin de le faire, mais j'en avais envie, et c'est déjà fait. Et ne te gêne pas pour prendre ce que tu voudras dans le minibar, les chips sont fameuses et le cola est frais.

Je ris à nouveau. Leonard continue de parler, on mange. On finit le repas et on se lève, Leonard laisse un billet de cent dollars sur la table, on se dirige vers les ascenseurs dans le vestibule. On entre, Leonard me tend une clef. Les portes se referment, on descend rapidement et en silence. Les portes s'ouvrent et on sort le couloir est calme et la peinture sur les murs est parfaite les lumières tamisées la moquette épaisse. On se dirige vers le bout du couloir où se trouvent trois chambres à la suite. Leonard parle.

Vous voulez faire un tour à la piscine ?

Je parle.

Je vais faire une sieste.

Faire une sieste ? Il n'est même pas 10 heures.

Je suis fatigué.

Leonard regarde Barracuda.

Il est fatigué.

Barracuda parle.

Et alors, laisse-le dormir.

Leonard me regarde.

Tu veux dormir combien de temps ?

Environ une heure.

On reviendra dans une heure. On va aller à la piscine, faire quelques longueurs, peut-être un peu de jacuzzi.

D'accord.

Leonard désigne une porte.

C'est ta chambre. La mienne est au milieu. Celle de Barra, là-bas.

Je me dirige vers ma porte, l'ouvre.

À plus tard.

J'entre, je referme la porte, me dirige vers un petit vestibule. Je longe une immense salle de bains et je pénètre dans une immense pièce. Il y a trois immenses fenêtres sur un mur j'aperçois les gratte-ciel et j'aperçois le lac il est toujours gelé. Il y a un immense placard en chêne sur un autre mur. Je vais vers lui et je l'ouvre. Il y a un immense téléviseur sur une étagère dans la partie supérieure, un minibar encastré dans la partie inférieure. Contre le troisième mur se trouve un lit géant. Il y a des tables de nuit de chaque côté du lit, chacune dotée d'un téléphone. Je me dirige vers le lit, je tire les draps, ils sont blancs et propres et doux, j'enlève mes chaussures d'un coup de pied et je m'assieds sur le lit, j'enlève mes chaussettes. Je me glisse sous les couvertures, je pose ma tête sur un oreiller, je ferme les yeux, je me pelotonne je me pelotonne.

Le lit est doux et chaud.

Je pense à Lilly.

Elle me manque.

Ça me fait horreur d'être ici sans elle.

Elle aurait adoré cet hôtel.

Cette chambre.

Ce lit.

Ce confort.

Cette chaleur.

Elle n'a jamais rien connu de tel.

Jamais de la vie, n'en a jamais eu la chance, jamais eu de chance.

J'aimerais qu'elle soit ici.

Je donnerais tout, n'importe quoi.

Pour cinq minutes.

Un sourire.

Un rire.

Un baiser.

Rien qu'un.

Seul.

Je me pelotonne.

Sommeil.

Un coup. J'ouvre les yeux. Un autre coup. Je m'assieds, sors du lit, me dirige vers la porte un autre coup. J'ouvre. Leonard et Barracuda se trouvent dans le couloir. Ils portent tous deux d'épais peignoirs blancs.

Leonard tient une petite boîte. Il parle.

C'est l'heure d'aller à la piscine.

Il me tend la boîte, passe à côté de moi. Barracuda lui emboîte le pas.

Va enfiler ça. On t'attend.

Ils se dirigent vers la chambre, je me dirige vers la salle de bains. Je ferme la porte, j'ouvre la boîte. J'en sors un petit maillot de bain. C'est un bikini, petit et léger avec des rayures noires et blanches. J'ouvre la porte, m'avance dans la chambre.

Leonard et Barracuda regardent par la fenêtre, le dos tourné vers moi.

Leonard.

Ils se retournent. Je brandis le maillot de bain.

Qu'est-ce que c'est que ce bordel ?

Leonard sourit.

Ton maillot de bain.

Compte pas sur moi pour le mettre.

Pourquoi pas ?

Tu te fous de ma gueule ou quoi ?

Qu'est-ce qui ne va pas ?

C'est un putain de bikini, Leonard.

Il rit.

Mais non, c'est un Speedo, c'est un chouette maillot de bain.

Qu'est-ce que t'as, toi ?

Il sourit, ouvre son peignoir. Il porte le même maillot.

Qu'est-ce qu'il a, Barracuda ?

Barracuda ouvre son peignoir. Il porte le même maillot. Je ris, secoue la tête.

Hors de question, Leonard. Compte pas sur moi pour le mettre.

C'est ce que portent les nageurs professionnels.

Je suis pas un nageur professionnel.

C'est ce que portent les Européens.

Je suis pas européen.

C'est ce que portent les mecs qu'ont la classe.

Je suis pas un mec qu'a la classe.

Il regarde Barracuda.

Il ne veut pas le mettre, Barra.

J'entends bien.

Qu'est-ce que t'en penses ?

C'est pas un nageur, il est pas européen, il a pas la classe. Pourquoi qu'il devrait le mettre ?

Leonard se tourne vers moi.

Allons-y. Et prends ton peignoir.

Où est-ce qu'on va ?

Barra et moi on va à la piscine. Toi tu vas à la boutique de cadeaux pour te dégoter un autre maillot et on te retrouve à la piscine.

D'accord.

Leonard et Barracuda passent devant moi et sortent de la chambre. J'attrape mon peignoir et je les suis. On prend l'ascenseur pour descendre, Leonard et Barra sortent avant moi tandis que je continue de descendre, je vais à la boutique et je rends le Speedo à rayures et je me dégote un beau maillot américain normal, grand. Je l'essaie il fait deux ou trois tailles de trop. Je dois le resserrer pour l'empêcher de tomber. C'est pile ma taille, comme j'aime. Je me dirige vers la caisse et une femme derrière la caisse me demande la clef de ma chambre et elle met le maillot sur la note de ma chambre.

Je vais vers l'ascenseur, la piscine. Il y a du marbre gris et des murs blancs tout simples. Il y a des chaises longues en bois toutes simples le long du mur et au fond un jacuzzi creusé dans le sol. Il fait chaud, il y a une forte odeur de chlore, propre et piquante. Leonard fait des longueurs dans la piscine et Barracuda se trouve dans le jacuzzi. Je me dirige vers le jacuzzi. Barracuda lève les yeux, parle.

Joli maillot.

Merci.

Ça te va bien.

Je ris, regarde en direction de Leonard.

Qu'est-ce qu'il fait ?

Il fait des allers-retours.

Pourquoi est-ce qu'il fait ça ?

Il a pas arrêté de faire du sport comme un putain de dingue depuis qu'il est sorti de la clinique.

Fait chier.

C'est ce que je lui dis. Je l'accompagne, mais je ne le fais pas.

Leonard s'arrête de notre côté de la piscine.

Joli maillot.

Merci.

Tu viens ?

Non.

T'es maigrichon, mais t'es pas très en forme. Tu devrais faire du sport.

Non merci.

Je vais faire encore quelques longueurs.

Vas-y.

Leonard fait demi-tour et se met à nager, aller retour, aller retour. Je rentre dans le jacuzzi c'est chaud. Je ferme les yeux, m'allonge sur le dos et laisse la chaleur m'envahir ça fait du bien, ça me relaxe, me calme. Quand Leonard a terminé ses longueurs il vient dans le jacuzzi et moi et lui et Barracuda restons là à nous relaxer. C'est agréable.

Quand on en a assez on sort, on enfile nos peignoirs et on se rend au restaurant. Les gens nous fixent du regard. La plupart d'entre eux sont bien habillés, certains hommes portent un costume-cravate, on est les seuls en peignoir et en maillot de bain. On commande un énorme repas avec des cheeseburgers et des frites et de la glace et on mange, une fois qu'on a terminé on regagne nos chambres. Leonard et Barracuda m'annoncent qu'ils ont des affaires à régler ils me verront plus tard. Je fais une sieste. Je rêve d'alcool et de drogue. Dans mon rêve je me défonce, dans mon rêve je me mets putain de minable, je ne peux parler ni marcher, plus rien chez moi ne fonctionne. Lorsque je me réveille, je me sens horriblement mal, comme si le rêve était vrai. Je traîne au lit. Les dix derniers jours m'ont semblé une éternité. Je me sens horriblement mal.

Je me lève prends une douche regarde la télé attends. Je mange les chips et je bois un cola, les chips sont fameuses et le cola est frais. Leonard revient me demande d'appeler tous mes amis, on sort pour dîner il veut qu'ils viennent tous. Je lui demande où nous allons il me donne le nom d'un célèbre grill, dit qu'on s'y retrouvera à 20 heures. Il me dit colle-toi au putain de bigo, mon fils, appelle tous tes putains de poteaux, on va s'amuser. Je ris et il s'en va.

J'attrape le combiné, je commence à passer mes coups de fil. Je propose à mes amis de dîner ensemble ils peuvent tous venir. Kevin me dit notre ami Danny est en ville je lui dis amène-le. Je mets mes chaussures me dirige vers la chambre de Leonard frappe à la porte. Il ouvre il porte un costume noir qui a l'air coûteux. Je ris, regarde mes vêtements. Un treillis élimé, un pull noir en laine, mes rangers râpées. Je repose les yeux sur Leonard.

Ils vont me laisser rentrer sapé comme ça ?

Hah !

Je ris.

Qu'est-ce que ça veut dire ?

Ça veut dire Hah !

Ouais, qu'est-ce que ça veut dire Hah ?

Hah, ça veut dire un peu qu'ils vont te laisser rentrer. T'es avec moi.

T'es sûr ?

Et comment que j'en suis sûr.

Il sort de la chambre, referme la porte, se met à marcher vers l'ascenseur.

Où est Barra ?

Il s'arrête, se retourne.

Barra ne viendra pas.

Pourquoi ?

C'est comme ça.

Compris.

Je me dirige vers l'ascenseur, je sais qu'avec Leonard il y a des choses dont il ne faut pas parler. Il appuie sur le bouton, l'ascenseur arrive et on descend on traverse le vestibule on quitte l'hôtel on sort. Il fait nuit. Il fait froid. Le vent. On commence à marcher.

Cinq minutes plus tard on est au grill. On passe deux grandes portes en chêne, qui ne portent pas de nom. Il fait nuit, les parois sont en bois, la moquette est épaisse. Il y a une forte odeur de steak et de cigare, je respire à fond, on prend un petit couloir jusqu'à la réception. Derrière la réception se tient un homme vêtu d'un smoking il se tourne et accueille Leonard l'appelle Monsieur et lui serre la main. Leonard me présente l'homme, on se serre la main et l'homme dit c'est un plaisir de vous rencontrer, Monsieur, ce qui me fait rire.

Comme nous sommes en avance, l'homme nous fait traverser la salle de restaurant pour nous mener au bar. La salle de restaurant est vaste et dépourvue de cloisons séparatrices, des bougies sur chaque table, des nappes blanches et des couverts en argent, des clients en costume-cravate, jupe et bas. Le bar se trouve dans une pièce plus petite, à l'écart. Il est grand, le comptoir en chêne s'étend sur toute la longueur d'un mur. En face, il y a des tabourets, il y a des petites tables et des fauteuils bas et rembourrés qui s'éparpillent dans le reste de la pièce. Leonard serre la main de l'homme et lui dit merci, l'homme s'incline et répond tout le plaisir est pour moi, Monsieur. On s'assied à table, l'homme s'en va. Leonard fourre la main dans la poche intérieure de son veston et en retire deux cigares. Il m'en propose un.

Un cigare ?

Non merci.

Ce sont des cubains.

J'aime pas les cigares.

Je fourre la main dans la poche, en sort mes cigarettes. Leonard me dévisage.

Comment peux-tu ne pas aimer les cigares ?

J'aime pas ça, c'est tout.

Pourquoi ?

J'aime pas ça, c'est tout.

Est-ce que tu sais les fumer correctement ?

Non.

C'est pour ça que t'aimes pas ça. On t'a jamais appris à les apprécier.

Il me tend l'un des cigares.

Il est grand temps que tu ailles à l'école des cigares, mon fils. Grand temps que tu découvres l'un des formidables plaisirs de la vie.

Je le prends, je l'observe. Je n'en veux pas, mais je sais que Leonard veut m'apprendre à fumer le cigare. Il me montre comment le couper : trouver le bout effilé, qu'on appelle la tête, couper en gardant au moins trois millimètres de la tête. Il me montre comment l'allumer : utiliser une allumette, attendre que le soufre se consume, ne pas toucher le cigare avec la flamme, la rapprocher, se servir de la chaleur. Il me montre comment le fumer : ne pas inhaler, tirer dessus avec les joues, le garder en bouche, savourer le goût, recracher. Malencontreusement, j'inhale à plusieurs reprises, et la fumée est tellement forte et brûlante qu'elle me fait tousser. Je n'aime pas le goût, celui de la fumée et de la crasse et de la sueur. Leonard m'explique que c'est censé être un goût riche et crémeux, d'une densité moyenne. Je ne comprends pas un traître mot à ce qu'il raconte.

Mes amis arrivent, on les conduit à notre table dans le bar. Leonard les accueille tous de la même façon. Il se lève et il dit bonjour, bonjour, mon nom est Leonard c'est merveilleux de vous rencontrer. Il serre la main de Kevin et de Danny et leur offre des cigares. Il fait des courbettes devant les femmes, il tire leur fauteuil. Tout le monde est surpris par Leonard. Je ne leur en ai pas beaucoup dit sur lui, sauf que c'était mon ami de la clinique. Je ne pense pas qu'ils s'attendaient à ce bonhomme d'une bonne cinquantaine d'années, jovial, sympathique, ridicule, capable de dire des choses telles que bois-moi ça mon garçon, avale-moi ce putain de cocktail, ou hou là ! là ! ma très chère amie votre parfum est si délicieux que je crains de défaillir.

Une fois que tout le monde est arrivé Leonard se lève et dit il est temps de bouffer comme des porcs mes amis, il est temps de faire ripaille. On se lève comme un seul homme, on traverse la salle de restaurant, on s'assied à une table en son centre. Trois serveurs surgissent immédiatement pour disposer des bouteilles de vin et d'eau sur la table, l'un d'eux pose une grande carafe en cristal pleine de cola à côté de moi. Lorsqu'ils s'en vont, Leonard se relève et il brandit son verre.

C'est toujours un plaisir de rencontrer des jeunes gens bien bâtis et de belles jeunes femmes. Je suis honoré par votre présence à ma table, honoré que vous ayez choisi de passer la soirée avec moi. Portons donc tous un toast à la bonne nourriture, aux alcools forts, aux desserts délicieux et aux nouveaux amis.

Les verres se lèvent et le toast est porté, santé santé, santé santé. À peine les verres sont-ils reposés sur la table que les plats commencent à arriver. Il y a des cocktails de gambas, de petits saladiers remplis de boules de chair de crabe, des coquilles Saint-Jacques enroulées dans du bacon, des huîtres, des palourdes et des moules. Il y a des salades, Cobb et César et iceberg, inondées de sauce au roquefort. Il y a des saladiers de bisque de homard, de soupe à l'oignon à la française. La nourriture abonde, les mains se tendent pour la saisir, les sourires et les rires fusent autour de la table, les autres clients lancent des regards appuyés dans notre direction, on s'en fiche.

Les amuse-gueules sont emportés. On nous laisse un court moment de répit. J'entends deux des filles qui parlent à Leonard elles lui demandent où il vit il dit à Las Vegas la moitié de l'année, en Caroline du Sud l'autre. Elles lui demandent ce qu'il fait il dit que c'est un homme d'affaires. Elles lui demandent de quel genre il dit qu'il n'aime pas parler du travail en dehors des heures de boulot. Il leur demande ce qu'elles font, elles travaillent toutes deux dans une boutique de vêtements. Il dit qu'il adore les vêtements, que ses armoires débordent de vêtements, qu'il achète des vêtements où qu'il aille, qu'il en raffole, raffole, raffole. Elles rient. Il se lève et leur demande ce qu'elles pensent de son costume, il tourne sur lui-même pour qu'elles puissent l'admirer. Elles lui disent qu'elles le trouvent magnifique, il les remercie et les complimente sur leur bon goût.

Les plats continuent d'arriver. Des récipients de taille familiale regorgeant de steaks, d'agneau, de poulet, de homard. De pleins saladiers d'épinards à la crème, de champignons sautés, d'asperges. Des plats de pommes de terre en robe de chambre, de purée et de patates sautées. On mange, on rit, Leonard et moi buvons de l'eau et du cola, mes amis, qui sont désormais ceux de Leonard, boivent du vin et des cocktails. Si un saladier un plat ou une assiette se retrouve vide, il est immédiatement remplacé. Une fois que tout le monde a fini, les desserts arrivent : crème glacée et tarte, gâteau au chocolat et fruits. Leonard allume un cigare, le restaurant est désormais vide, à part nous. Il fait signe au maître d'hôtel pour qu'il apporte plus de cigares, celui-ci dépose une petite boîte sur la table, elle contient des cigares de tailles et de formes différentes, des cigares de pays différents. Leonard fait le tour de la table avec la boîte à cigares et choisit un cigare pour chacun. Lorsqu'il a fini, il leur apprend pas à pas la méthode qu'il m'a enseignée plus tôt. Ils écoutent Leonard, suivent ses instructions, commencent timidement. Ils ne restent pas longtemps intimidés.

Tandis que nous fumons, Leonard se lève, me fait signe de me lever avec lui. On se dirige vers la cuisine. Il tire une grosse liasse de billets de sa poche et se met à distribuer des pourboires à tout le monde, au chef, au sous-chef, au chef pâtissier, aux serveurs, aux plongeurs. On quitte la cuisine pour rejoindre le bar. Chaque serveur reçoit un billet par une poignée de main. On va à l'accueil Leonard remercie l'homme lui glisse un billet lui dit que je suis son fils et que si d'aventure je venais ici il compte bien que je serais traité comme tel. L'homme remercie Leonard et dit bien entendu, Monsieur, bien entendu.

On retourne à la table. Les cigares sont fumés, les verres vides, les couverts en train d'être débarrassés. Leonard aide les femmes à passer leur manteau. Il dit à chacune qu'il est honoré de cette rencontre, il baise à chacune la main. On sort du restaurant, des voitures nous attendent. Tous mes amis remercient Leonard, lui disent combien le repas était somptueux, qu'ils espèrent le revoir bientôt. Il est affable avec eux, leur dit tout le plaisir était pour moi, vous êtes des jeunes gens merveilleux tout le plaisir était pour moi. Il ouvre les portières, paie les chauffeurs, fait partir les voitures. Les vitres des voitures se baissent, tout le monde lui fait au revoir de la main. Lorsque les voitures ont disparu, je me retrouve seul avec mon ami Leonard. Il parle.

Je me suis dit qu'on rentrerait à pied. Ça nous aidera un peu à digérer.

C'est parfait.

On se met à marcher. Il fait plus froid, plus sombre, le vent est plus fort.

Tu as de chouettes amis, mon fils.

Ouais, j'ai de la chance.

Très polis, très intéressants. Les filles sont toutes magnifiques.

Je leur dirai que tu as dit ça.

Tu t'es amusé ?

C'est la meilleure soirée que j'aie passée depuis des années, merci d'avoir fait ça.

On le refera la prochaine fois que je passerai par ici.

On tourne à un coin de rue. L'hôtel apparaît. Je vois la Mercedes blanche de Leonard garée devant l'hôtel. Barra se trouve derrière le volant, le moteur ronfle. Je parle.

Que fait la voiture ici ?

Il faut que je fasse une petite virée.

C'est un peu tard, non ?

Parfois il faut que ça soit tard.

Je ne réponds pas. On marche jusqu'à la voiture. Je fais un signe de tête à Barracuda, il me fait un signe de tête. Je me tourne vers Leonard.

Merci encore, Leonard.

De rien.

On se verra demain.

Je viendrai te chercher dans ta chambre quand je serai réveillé.

Cool.

T'as ta clef ?

Ouais.

Bonne nuit, mon fils.

Merci, Leonard.

Leonard se tourne, ouvre la portière de la voiture, entre, referme la portière. La voiture s'en va je la regarde partir.

Merci, Leonard.

Merci, Leonard.

Merci.

LES DEUX JOURS SUIVANTS, ON MANGE, on traîne à côté de la piscine, on regarde la télé, on dort. Je suis rarement seul. Quand je suis seul, et que je ne dors pas, je pleure. Je me couche sur le ventre, sur mon lit, et je pleure. Je suis sous la douche et je pleure. Je regarde par la fenêtre et je pleure. Qu'importe ce que je suis en train de faire, ou de ne pas faire, les plus petites choses peuvent me faire démarrer, un rien me fait démarrer. Je pleure quand je suis seul. Dès que je suis seul.

Ma bouteille est toujours avec moi. Antidote à la douleur, si jamais je devais décider d'y avoir recours. Je la laisse bien en vue, sur l'une des tables de nuit près de mon lit. Je la tiens dans mes bras quand je dors. Je l'ai ouverte deux fois, l'ai reniflée, l'ai laissée me tenter, l'ai laissée me mettre en rage. J'agis ainsi parce que cette épreuve, cette épreuve qui consiste à résister, me donne l'impression d'être fort. La plupart du temps j'ai l'impression que je veux mourir. L'impression de force m'aide à continuer.

Le matin de notre quatrième jour à l'hôtel, Leonard arrive en retard au petit-déjeuner. Il apparaît vêtu d'un costume.

Mon fils.

Qu'est-ce qui se passe ?

Il s'assied.

Barracuda et moi on s'en va dans pas longtemps.

Vous rentrez dans le Nevada ?

D'abord à New York, puis dans le Nevada.

Pourquoi New York ?

Tu te rappelles l'histoire que je t'ai racontée au sujet de mon père ? Qu'il avait été le gardien du terrain de golf d'un *country club* chic, dans le Connecticut, juste à côté de New York, et qu'il m'avait dit sur son lit de mort qu'il voulait que je réussisse assez ma vie pour pouvoir faire un jour le parcours, le faire en tant que membre ?

Ouais, je me souviens.

Plus je vieillis, plus il me tarde de le faire. J'ai été rancardé sur quelqu'un qui pourrait m'aider. Je vais le rencontrer.

Bonne chance.

Tu vas t'en sortir, sans moi ?

Ouais.

T'es sûr ?

Je suis un grand garçon, Leonard.

Si tu as besoin de quoi que ce soit, appelle-moi.

D'accord. Merci.

Si tu te sens sur le point d'attraper cette bouteille, appelle-moi.

D'accord.

Tu sais qu'elle aurait voulu que tu décroches.

Je n'ai pas envie d'en parler, Leonard.

C'est ce qu'elle aurait voulu.

Je détourne le regard. Il se lève.

Faut que j'y aille.

O.K.

Je me lève.

Ne sois pas fâché contre moi, fiston. J'essaye juste de t'aider.

Tu m'aides. C'est juste difficile, en ce moment.

Il hoche la tête. On se prend dans les bras, on relâche notre étreinte.

À bientôt.

Merci, Leonard. Merci pour tout.

Il se tourne, s'en va. Je m'assieds, avale un énorme petit-déjeuner, rentre dans ma chambre, pleure, fais une sieste, pleure, m'en vais.

JE M'ARRÊTE CHEZ KEVIN. Il y a deux messages pour moi. L'un d'un bar, l'autre d'une station-service. Je préférerais travailler pour la station-service. J'appelle la station-service, le directeur me demande de passer pour que je puisse le rencontrer. Je pars de chez Kevin, fais le chemin à pied, rencontre le directeur. Il est jeune, à peine plus vieux que moi. Ses cheveux sont courts, ses chaussures cirées, son uniforme propre et repassé. Il me demande si je m'y connais en mécanique et je lui dis que non. Il me demande si ce qui m'intéresse c'est un poste à long terme, ou un poste à court terme, je lui dis que j'ai besoin d'un boulot, je ne sais pour quel terme. Il hoche la tête, me remercie d'être venu, me serre la main, je m'en vais.

J'appelle le bar. Ils me donnent une adresse, me disent de venir à 4 heures du matin, le lendemain, si le boulot m'intéresse.

Je rentre chez moi, m'assieds par terre, ferme les yeux, essaie d'être calme. C'est plus difficile qu'en prison. C'est plus difficile parce que les mêmes pensées me taraudent chaque fois que j'essaie de le faire. Je pense à Lilly, aux derniers instants de sa vie. Je pense à ce qu'elle avait en tête au moment où elle s'est décidée à mourir, lorsqu'elle a préparé le nœud coulant, lorsqu'elle a passé le nœud autour de son cou, lorsqu'elle s'y est accrochée et a commencé à défaillir. Je me demande si elle a

97

éprouvé des regrets, si elle a éprouvé de la sérénité. Je me demande si elle a pensé à moi lorsqu'elle s'est pendue.

Je tente d'éviter les images, de changer le cours de mes pensées, de vider mon esprit de toute pensée. Ça ne marche pas. Je n'ai pas la discipline nécessaire. Je m'assieds, je pense à Lilly et à sa mort, j'ai mal. Mon corps me fait mal, tout me fait mal.

Au bout d'une heure je me lève, m'ébroue, fume une cigarette, sors. Je vais chez Kevin. On retrouve nos amis dans un bar, on joue au billard, ils boivent, je les regarde. La tentation est là chaque seconde de chaque minute toutes les cinq dix trente minutes chaque seconde. La tentation de boire, de m'annihiler, de faire s'en aller la douleur, de me faire plus mal encore que ce n'est déjà le cas. Elle va et elle vient, cette tentation parfois facilement repoussée, parfois difficilement, parfois si accablante que je sais que si je bouge je suis foutu. La seule façon de la gérer c'est de ne pas bouger, de rester tranquillement assis, de m'accrocher jusqu'à ce que ça passe.

Mes amis se saoulent. Je reste avec eux. Ils ont tous un boulot alors on quitte le bar, il leur faut quelques heures de sommeil avant d'aller travailler. J'ai trois heures à tuer. J'arpente les rues froides, vides, noires, bloc après bloc, bloc après bloc. De temps en temps je vois une autre personne, généralement ivre, qui titube sur le trottoir. De temps en temps je longe un bar ouvert ou une épicerie. Les seuls véhicules en maraude sont soit des taxis soit des voitures de police, et je ne peux me permettre de me faire prendre ni par les uns ni par les autres.

En marchant, je me mets à trembler. Mes vêtements sont élimés et légers, je ne porte ni casquette ni gants. Le froid s'installe en moi par couches successives, sur mon manteau et mon pantalon, sur ma peau, sous ma peau, dans mes os, dans ma mâchoire et mes dents. Je continue de marcher, espérant que plus je marcherai, plus je me réchaufferai mais ma théorie est fausse. Le froid me fait mal et me fait trembler, m'engourdit. Plus je m'engourdis, mieux c'est, plus je m'engourdis, mieux je me sens. L'engourdissement me fait l'effet que me faisaient l'alcool et la drogue. Ça me submerge. Tout me fait mal. J'ai tellement mal que je cesse de ressentir. Tout est balayé, seul reste l'engourdissement. Ça ne me gêne pas d'être engourdi. Je le suis comme je l'étais avant, et c'est la meilleure façon dont je peux prendre soin de moi. Je marche et je marche et je marche.

Je me pointe au bar avec quinze minutes d'avance. Deux videurs se trouvent à l'entrée. Ils sont tous deux vêtus de noir, ils ont tous deux l'air frigorifiés, ils froncent tous deux les sourcils. Ils m'arrêtent alors que je m'apprête à entrer, l'un d'eux me dit c'est fermé. Je leur dis je viens pour le boulot. L'un rit, l'autre dit faites le tour parderrière, attendez devant l'entrée de service.

Pour aller derrière, il faut que je contourne le bloc. Deux autres types attendent, l'un Blanc, l'autre Noir, tous les deux jeunes, ni l'un ni l'autre ne semblent contents. Le Noir fait les cent pas, jure, sautille dans tous les sens pour tenter de se réchauffer. Le Blanc regarde ses pieds, ne bouge pas, ne parle pas.

À 4 h 15, la porte s'ouvre. Les videurs de l'entrée nous mènent dans une immense pièce. Contre l'un des murs sont disposés différents plateaux, avec des tables. Sur le palier le plus élevé, les tables sont entourées par une corde en velours rouge. Le long d'un autre mur se trouve une scène. Au-dessus et à côté de la scène, on voit des rangées de projecteurs et plein d'amplis, derrière la scène se trouve une cabine de DJ. Le long d'un troisième mur il y a un long bar noir. Il est dépourvu de tabourets. Un groupe de serveurs et de serveuses, debout à une extrémité du comptoir, bavardent, boivent, fument et rient. Un groupe d'hommes équipés de sacs-poubelles ramassent les détritus.

On se dirige derrière le bar, on ouvre une porte, on entre dans un couloir lumineux. Le couloir abrite cinq portes. Sur l'une apparaît l'inscription Messieurs, sur une autre Dames, une a Bureau, deux n'ont rien. L'un des videurs nous dit de patienter, frappe à la porte du bureau, les videurs s'en vont.

On attend quelques minutes. On reste plantés là, à regarder par terre. De temps en temps, on se jette des coups d'œil. La porte s'ouvre. Il en sort un homme d'âge moyen. Il est petit et gros, a des cheveux foncés, clairsemés, une vilaine peau. Il porte un jogging noir et jaune, des mocassins en cuir noir. Il nous toise.

Z'êtes ici pour le boulot ?

Le Blanc hoche la tête, le Noir et moi faisons ouais.

Avez-vous déjà été hommes de ménage ou fait du nettoyage ?

Le Blanc hoche la tête, le Noir et moi disons non.

J'ai besoin de personnel pour nettoyer mes bars. Il y a celui-ci et deux autres. Vous ramasserez les détritus, passerez la serpillière, essuierez les tables, des conneries de ce genre. Les horaires, c'est de 4 à 8 heures du matin. La paie, sept dollars de l'heure. Si vous vous en sortez bien, vous pourrez peut-être devenir videurs ou commis de bar. Si vous n'êtes pas doués, vous serez virés. Si vous êtes intéressés, sortez d'ici et allez vous mettre au boulot. On fera la paperasse quand vous aurez fini.

Je fais demi-tour, retourne dans la salle, demande à l'un des hommes munis de sacs-poubelles ce qu'il faut faire, il me dit de faire ce qu'il est en train de faire. J'attrape un sac, ramasse les détritus, les jette dans une poubelle. J'attrape un balai, balaie le sol, j'attrape une serpillière, passe la serpillière par terre, j'attrape une bouteille de détergent, j'essuie les tables, les chaises, les comptoirs. Le Blanc et le Noir ont également rejoint l'équipe, on est sept. Ça nous prend une heure pour nettoyer le club. Quand on a fini, on descend la rue pour en rejoindre un autre. Il est plus grand, plus tape-à-l'œil, il y a des cages accrochées au plafond, quatre bars, deux parties distinctes avec des tables, trois niveaux distincts. C'est le même processus : ramasser les détritus, balayer, passer la serpillière, essuyer. Ça prend deux heures

Quand on a fini, on rejoint à pied un bar du quartier. Le bar se situe dans la cave d'un gros immeuble de standing. Il y a un flipper, une table de billard, deux téléviseurs accrochés dans les coins, du pop-corn à volonté, de la nourriture à volonté tous les soirs de 19 à 22 heures. Ça prend une demi-heure pour le nettoyer. Quand on a fini, la plupart des hommes s'en vont. Le Blanc, le Noir et moi retournons au bureau, remplissons des papiers, nous faisons attribuer des jours. Je travaille le jeudi, le vendredi, le samedi, le dimanche, le lundi. De 4 heures jusqu'à la fin. Sept dollars de l'heure. Je m'en vais, je marche jusqu'à l'engourdissement. Je cesse de parler à Lilly, de lui dire qu'elle me manque, de lui dire que je l'aime. Je m'en vais, je marche jusqu'à l'engourdissement. Rentre à la maison. Dors.

MA VIE DEVIENT ROUTINE.

Je travaille.

Le sommeil est difficile je dors trois à quatre heures par jour. En général dans l'après-midi.

Je marche dans le froid, pour bien m'engourdir.

Je pleure moins, pleure moins.

Je sors avec mes amis tous les soirs. Vais dans les bars, joue au billard, fume des cigarettes, les regarde boire. Parfois je parle, d'autres je ris, les deux sont agréables. Quand j'ai soif, je commande un cola, avec de la glace et sans citron. Je commence à me sentir plus à l'aise avec les gens. La tentation est toujours là, toujours là, le besoin de boire de me droguer et de détruire ne me quitte jamais, mais je m'y habitue. C'est comme une crise d'urticaire, une vilaine crise d'urticaire, constante, emmerdante et douloureuse. J'aimerais me gratter jusqu'à la fin des siècles mais si je le fais je crèverai et je ne veux pas crever.

Lorsque mes amis rentrent chez eux je marche encore, marche dans le froid, pour continuer à m'engourdir, toujours m'engourdir.

Je travaille.

Parfois je lis le *Tao*.

Parfois je reste assis, à regarder le mur, le mur est blanc.

Parfois je sens trop de choses, je sens que je vais exploser. Totalement, avec tout ce qu'il y a en moi, colère tristesse confusion douleur mal-être peur solitude, cœur âme conscience, quels que soient les mots pour décrire certaines choses à l'intérieur de moi il n'y a pas de mots pour les décrire, ça tourbillonne, ça s'emballe, ça me nargue, ça remonte à la surface et ça pousse ça pousse, tout pousse. J'ai l'impression que je vais exploser. Je hurle. De toutes mes forces. Lentement et sauvagement, je hurle pour que mes poumons me fassent mal, que ma gorge me fasse mal, que mon visage me fasse mal. Je hurle dans des oreillers. Je marche jusqu'au lac je hurle devant l'eau. Je vais dans un parc je hurle devant un arbre. Peu importe où je suis j'ai juste besoin de hurler, putain. Ça m'aide à me sentir mieux.

Ma vie est une simple routine.

LE PATRON ME CONVOQUE DANS SON BUREAU. Je m'assieds en face de lui. Il parle.

J'ai besoin d'un videur. Personne ne veut prendre le boulot. Est-ce que ça t'intéresse ?

Pourquoi personne ne veut de ce boulot ?

C'est la dernière équipe, de 21 heures à 4 heures. Il faut poireauter dehors tout ce temps. Le bar se trouve sur Chicago Avenue, ça veut dire qu'on se les caille et qu'il fait un vent infernal, tu vas te geler les couilles. J'aurais besoin que tu bosses les dimanche, lundi et mardi soir. Ce sont des nuits calmes. Le barman et les serveuses sont censés te donner dix pour cent de leurs pourboires, mais ils gagnent que dalle ces nuits-là, donc tu risques d'avoir que dalle. Je te filerai vingt-cinq *cents* d'augmentation, mais ça ne suffira sans doute pas à compenser.

Ça m'a l'air super.

Putain, j'ai pas le temps de blaguer, là.

Je blague pas. J'accepte.

Il me regarde quelques instants.

Tu commences dimanche. Viens à 20 heures, demande Ted. C'est le barman, il te dira ce qu'il faut faire.

J'ai une question.

Quoi ?

Est-ce que c'est une promotion ?

Qu'est-ce que c'est que cette question ?

Je n'ai jamais eu de promotion. Je me demandais si je pouvais considérer ça comme tel.

Considère ça comme ça te botte. Mais ramène tes fesses à 20 heures.

Merci.

Je me lève, je m'en vais, je rentre à pied chez moi. Je souris pendant presque tout le trajet, de temps en temps j'esquisse quelques pas de danse, de temps en temps je claque des doigts. J'ai été renvoyé de presque tous les boulots que j'ai eus, dans ma vie. Ces renvois se sont généralement accompagnés de cris et de hurlements, et toujours de ressentiment de la part de mes employeurs, pas un seul ne m'a donné de lettre de recommandation. Le patron m'a dit de considérer ce changement de poste comme ça me bottait, et j'entends bien le considérer comme une promotion, la première de ma vie. Je n'en ai peut-être pas l'impression la plupart du temps, il se peut que je trimbale avec moi un besoin insupportable de boire et de me droguer, il se peut que je sois déprimé et parfois suicidaire, il se peut que j'éprouve un chagrin et un sentiment de perte plus forts et plus profonds que tout ce que j'ai pu ressentir dans une vie pleine de chagrin et de perte, mais je commence à aller mieux. J'ai eu une putain de promotion, nom de Dieu. Il faut fêter ça.

J'emprunte un itinéraire long et absurde pour rentrer chez moi. Je me faufile dans les quartiers friqués du nord de Chicago. Je passe devant des magasins chics, des boutiques de vêtements des magasins de meubles j'en ai rien à foutre des vêtements et des meubles, je passe devant des librairies et des galeries d'art, je me promène en regardant de belles choses que je ne peux pas me payer, je regarde les vitrines des agences immobilières, ils ont des annonces accrochées dans des cadres argentés mai-sons de grès brun grès gris début du siècle excellent rap-port qualité/prix. Ça va partir vite. Je parcours les rayons d'une épicerie fine. Je regarde les fruits et les légumes fermes et presque mûrs, l'odeur évoque un jardin en été sous des lumières fluorescentes. Je vais au rayon fromage cheddar emmental mozzarella provolone gruyère bleu brie feta de vache de chèvre à moitié mou extracrémeux coulant moyen puant. Je regarde le poisson, les pâtes, du thé qui coûte quarante dollars les trente grammes, les œufs de poisson qui en font deux cents, du bœuf élevé à la bière qui en fait six cents le kilo, ils ont dix sortes de crème fouettée quarante sortes de café cinquante sortes de chocolat, des fleurs qui coûtent plus cher que ce que je gagne en une semaine. Les odeurs les couleurs me portent au délire me donnent envie de manger jusqu'à ce que j'explose me font saliver baver la tête me tourne ma vision se brouille.

Je me dirige vers le rayon pâtisserie. Je regarde les pâtisseries et les gâteaux, les tartes et les tourtes. Mon corps réclame du sucre, réclame toujours du sucre. Des années d'alcoolisme et la teneur élevée en sucre de l'alcool ont créé ce besoin, auquel je réponds par des bonbons et du soda. Je sonde ma poche, j'ai vingt-deux dollars sur moi. Il me reste une vingtaine de dollars environ chez moi. C'est dans les gâteaux qu'il y a le plus de sucre, du sucre dans le biscuit lui-même et du sucre sur le glaçage. On les trouve en deux tailles, grande et petite, on les trouve en quatre sortes, au chocolat avec un glaçage au chocolat, au chocolat avec un glaçage blanc, un gâteau blanc avec un glaçage au chocolat, un gâteau blanc avec un glaçage blanc. J'aimerais en acheter un de chaque, dans la grande et la petite version. J'aimerais qu'on les mette dans de jolies boîtes à gâteau blanches et que les boîtes soient fermées avec une ficelle délicatement attachée et bouclée. Je bataillerais pour rapporter toutes ces boîtes à la maison mais je persévérerais. À la maison, j'ouvrirais toutes les boîtes en même temps et je me taperais les huit gâteaux avec méthode, commençant par les petits et finissant par les grands. Je renoncerais à la fourchette et au couteau, je mangerais avec les mains, me léchant les doigts et les lèvres tout du long. Une fois que j'aurais fini, je vomirais probablement à cause de ces excès, ce qui m'est arrivé de nombreuses fois au cours de ma vie, ou bien je passerais plusieurs heures dans une sorte de crise maniaque induite par le sucre, peut-être à tourner en rond, peut-être à déambuler sans but autour du pâté de maisons, peut-être à déblatérer des bêtises à des inconnus choisis au hasard dans la rue. Je finirais par baisser le rideau et m'endormir, heureux et rassasié, chaque cellule de mon corps saturée de sucre, de biscuit et de glaçage.

Une femme vêtue d'un tablier de pâtissier s'approche du comptoir en face de moi.

Puis-je vous aider ?

Combien coûtent les gâteaux ?

Lesquels ?

Je désigne les gâteaux.

Les gâteaux d'anniversaire.

Les petits font quatorze dollars, les gros vingt et un.

Un gros, s'il vous plaît. Un gâteau blanc avec un glaçage blanc.

Souhaitez-vous que je fasse inscrire quelque chose dessus ?

Est-ce que c'est payant ?

Non, non.

Eh bien, oui, je voudrais bien.

Qu'est-ce que vous aimeriez que ça dise ?

Je réfléchis un moment.

Que diriez-vous de : Grosse promotion, Jimbo !

Elle rit.

Qui c'est, Jimbo ?

C'est moi.

Quel genre de promotion ?

Je travaille dans un bar en centre-ville. Je suis passé de l'équipe de nettoyage au poste de videur.

Félicitations.

D'ici deux ans je serai président des États-Unis d'Amérique.

Elle rit, ouvre l'étal, attrape mon gâteau.

Je reviens tout de suite, monsieur le Président.

J'attends votre retour avec impatience.

Elle rit à nouveau, tourne les talons, place le gâteau dans une boîte et attache la boîte avec une ficelle délicatement nouée et bouclée, elle me la tend. Je la remercie, je vais faire la queue à la caisse, je paye mon gâteau mon beau gâteau.

Je rentre à la maison. Plus de pas de danse et plus de claquements de doigts, je ne veux pas abîmer mon gâteau. Par contre, je souris, et je salue les gens sur le trottoir avec des bonjours sincères qui me viennent du fond du cœur, comment ça va, quelle belle journée. Quand j'entre dans l'immeuble je vois Mickey qui en sort. Ses yeux sont gonflés, on dirait qu'il vient de pleurer.

Salut, Mickey. Tu veux une part de gâteau ?

Quoi ?

Je viens d'acheter un gâteau. T'en veux une part ?

C'est quoi comme gâteau ?

Blanc sur blanc.

J'ai besoin de cigarettes.

Si tu veux du gâteau, tu sais où me trouver.

Mickey s'éloigne furtivement. Je vais chez moi. J'ouvre la porte, me dirige vers ma petite cuisine, pose le gâteau sur le plan de travail. Je l'ouvre, oh ! là ! là ! c'est un superbe gâteau. Je prends deux assiettes en plastique et un couteau. Je coupe deux parts et les pose sur les assiettes. Je prends le reste du gâteau et je m'assieds par terre près du lit. Je le soulève avec précaution et je mords dedans à pleines dents. Je mange mon morceau lentement, savourant le biscuit léger, humide, moelleux, et le glaçage doux, épais, crémeux. Je prends un autre morceau, un autre un autre. C'est un gâteau merveilleux. Plus que parfait pour ma fête de promotion.

J'ai mangé à peu près la moitié du gâteau lorsque l'on frappe à la porte. Je me lève, marche, ouvre. Mickey se tient sur le palier, un paquet de cigarettes à la main. Il parle.

Tu as du gâteau et du sucre glace sur le visage.

Je souris.

Il en reste ?

Je t'en ai laissé de côté.

Il entre dans mon appartement. Je vais vers la cuisine, sors l'une des assiettes avec du gâteau dessus, prends une fourchette en plastique, lui tends le tout. On s'assied par terre, et pendant qu'on mange, il me raconte sa journée.

Il est malheureux comme tout. Son copain a rompu avec lui au petit-déjeuner, sous prétexte qu'il avait besoin de quelqu'un qui a plus d'ambition que Mickey, quelqu'un qui attend autre chose de la vie qu'un boulot de gardien d'immeuble. Mickey lui a dit que c'était provisoire, que ce qu'il voulait, c'était réussir en tant que peintre, qu'il avait l'impression que ses rêves allaient se réaliser. Son copain a répliqué tes rêves ne me suffisent pas, Mickey, et il s'en est allé.

Mickey se met à pleurer. Je mange mon gâteau. Je m'arrange pour me rajouter une couche de glaçage sur le visage. Lorsque Mickey relève les yeux, il me voit et il rit. Je parle.

Si tu ne manges pas le tien...

Il rit, se met à manger. En mangeant, on bavarde, il me demande d'où je viens je lui dis de Cleveland, il demande pourquoi je suis venu ici je lui dis je suis venu pour une fille, il demande si on est toujours ensemble, je dis oui on est toujours ensemble. Je lui pose les mêmes questions il vient d'une petite ville de l'Indiana et il a emménagé ici pour pouvoir être lui-même, pour pouvoir vivre en tant qu'homo sans se faire harceler, pour essayer de réussir en tant que peintre. Je lui demande ce qu'il peint et il me dit qu'il préférerait me montrer plutôt que m'expliquer. Il finit son gâteau, il se lève, il quitte mon appartement. Je continue de manger, j'ai presque fini. Cinq minutes plus tard Mickey revient avec une peinture qu'il pose prudemment par terre devant moi.

C'est un petit tableau, qui fait peut-être quinze centimètres par quinze. La toile est noire sur les côtés. Le reste est couvert de minuscules visages. Certains sourient, certains rient, certains hurlent, certains pleurent. Les visages sont peints avec une minutie digne des plus parfaites miniatures, on dirait des petites photographies, et c'est un beau tableau, beau et horrible, plein de joie et de malheur, de rires et de chagrin. Mickey parle.

Qu'est-ce que t'en penses ?

C'est génial.

Tu le veux ?

Oh oui.

Il est à toi.

Merci.

Si t'as besoin d'un clou pour l'accrocher, j'en ai.

Une fois que je saurai où je le mets.

Faut que j'y aille. Merci pour le gâteau.

Merci pour le tableau.

De rien.

Et laisse tomber ton copain, ce connard superficiel.

Il rit.

Ouais.

Il s'en va. Je finis mon gâteau. Quand j'ai terminé, je me lèche les lèvres et les doigts et je nettoie les traces sur mon menton et mes joues. J'ai envie de voir Lilly. En général je vais la voir à pied, mais comme je suis fatigué, je décide d'y aller en métro. Je n'ai jamais pris le métro aérien de Chicago. On m'a dit que c'était simple et facile. Je me méfie. La plupart du temps quand quelqu'un me dit que quelque chose est simple et facile ça se révèle compliqué et difficile.

Je passe mes vêtements chauds. Je prends mes vingt derniers dollars sous mon matelas, c'est là que je planque mon argent. J'enveloppe la dernière part de gâteau, je l'enveloppe soigneusement. Je m'en vais, me dirige vers la station de métro la plus proche. Je regarde la carte, les lignes bigarrées qui s'entremêlent. Je trouve la station sur la carte, je trouve la station de Lilly sur la carte, j'achète un ticket, je vais sur le quai, j'attends. Le train arrive, je prends la correspondance, j'arrive à la station de Lilly. Le voyage est simple et facile. Maintenant je sais prendre le métro aérien. Autant pour ma théorie à la noix.

Je marche, arrive devant un fleuriste, dépense pour dix-huit dollars de roses rouges.

Je lui donne les roses.

Je lui donne la dernière part de gâteau.

Je lui raconte ma journée. La meilleure journée que j'aie passée tout seul à Chicago.

J'ai eu une promotion.

J'ai fait une longue et chouette balade.

J'ai dépensé mon argent durement gagné pour quelque chose de merveilleux.

J'ai mangé cette chose merveilleuse et c'était délicieux.

Je me suis fait un ami.

On m'a offert un cadeau.

J'ai appris quelque chose.

C'était une journée formidable, formidable.

Je dis à Lilly que je l'aime, qu'elle me manque. Je dépense mon dernier dollar pour le ticket de retour. Je me dis presque que Lilly est en train de m'attendre. Je donnerais tout ce que j'ai pour qu'elle soit en train de m'attendre. Ce n'est pas le cas. Je suis seul. Je me couche, n'arrive pas à dormir.

J'attends les ténèbres.

JE COMMENCE MON NOUVEAU BOULOT. Le bar est petit, quelconque, situé au niveau le plus bas d'un grand immeuble, sous une boutique de vêtements. Huit marches mènent de la rue à la salle qui abrite dix tables, deux flippers, des téléviseurs dans deux angles diffusant du sport en continu. Il y a une machine à pop-corn près de la porte, le pop-corn est gratuit. Il y a en permanence trois employés en train de travailler, un barman, une serveuse, un videur. Le barman Ted et la serveuse Amy sont toujours dans la même équipe que moi. Ils sortent ensemble, et lorsqu'ils ne servent pas la dizaine de clients qu'il y a habituellement, ils se tiennent au bout du bar, fumant des cigarettes, gloussant, chuchotant et s'embrassant. Je suis dehors. Il fait un froid de canard et je suis constamment engourdi. Je garde en permanence dans ma poche une liasse de tickets pour des boissons gratuites. Je suis censé les offrir à tous ceux qui passent devant le bar, on peut les échanger contre un verre de liqueur de melon ou un kamikaze gratuit. Les trois premiers jours, personne n'accepte l'offre, donc la plupart du temps je ne me donne plus la peine de solliciter les gens. Quand je m'en donne la peine, je choisis ceux dont je suis sûr qu'ils vont dire non, tels que les enfants, les personnes âgées, ou les gens très très bien habillés, et je les supplie d'entrer, leur dis que mon boulot est en jeu, que j'ai désespérément besoin de leur aide. Ils me répondent non sans exception. À partir de minuit, il n'y a plus que quelques personnes. Je reste planté là à frissonner et fumer des cigarettes. Parfois je fais des tests pour voir combien de temps je peux rester sans bouger, je peux tenir environ deux heures. Parfois je me chante des chansons, des chansons d'amour stupides avec des titres comme *Just Once* [Juste une fois], *Secret Lovers* [Amants secrets], *Lost in Love* [Perdu en amour], *Down on Bended Knees* [À genoux]. Je ne sais pas comment ni pourquoi je connais les paroles, mais je les connais. Parfois je lance une piécette encore et encore, comptant les face, et les pile, pour une raison que j'ignore c'est plus souvent face. Parfois je parle à Lilly. Je mène de longues conversations avec elle. Parle de choses diverses, de l'actualité, de choses que j'ai vues en marchant, de choses que j'ai lues. Je lui parle de nos projets des projets qu'on avait quand j'étais en prison. Où on voulait vivre, les boulots qu'on voulait avoir, peut-être le mariage, peut-être des enfants, comment on appellerait les enfants, elle voulait une petite fille, je voulais un petit garçon. Parfois je pleure en lui parlant. Parfois je me mets en colère. Parfois je me sens idiot, mais je continue toutefois de parler. Parfois je m'arrête, j'ai son image dans ma tête, et il faut que je m'arrête.

Mon travail se termine à 4 heures. Je pointe, m'en vais. Il fait toujours noir, les rues sont désertes. Je marche vers le sud dans des canyons faits d'acier et de béton. Je vais et viens entre les blocs vides, les yeux braqués sur des monolithes de cinquante, quatre-vingts, cent dix étages, j'observe l'ombre des réverbères dériver sur les rez-de-chaussée, donne des coups de pied dans les journaux abandonnés, les tasses en carton et les sachets jonchant les trottoirs. Je marche au milieu de larges boulevards, me poste immobile au centre de ponts métalliques, m'assieds seul sur d'immenses places tentaculaires, dans des parcs, de longues étendues de pelouse morte. Je suis la seule personne éveillée, la ville et ses habitants sont endormis, mes pas ma respiration et le sifflement du vent qui hurle sont les seuls bruits que j'entends. La ville se transforme, cesse d'être une ville, devient un musée. Les bâtiments ne sont pas des banques, des cabinets d'avocats, des hôpitaux, des tribunaux, des centres commerciaux, des immeubles résidentiels, ce sont d'énormes sculptures tentaculaires de marbre de calcaire de métal d'acier et de verre, sans but ni fonction, seulement d'énormes et belles choses.

Quand je croise d'autres gens, alors que la ville commence à ouvrir les yeux, je m'en vais, pars vers le lac, me dirige vers le nord. Il fait toujours plus froid près du lac. Le vent est toujours plus fort. Le froid me fait trembler et le vent fouette mon visage. Je marche jusqu'à ce que je trouve un banc et je m'assieds sur le banc, qui est toujours froid. Je fixe l'étendue congelée de glace et les débris, bâtons, rondins, canettes qui en sont prisonniers, il y a un terrain de football en face d'une plage, une bouée en face d'une marina. J'observe les rais fins de lumière bleue qui commencent à s'embraser, la lumière qui vire au jaune, au rose, à l'orange, qui se diffuse à l'horizon. Le soleil apparaît, s'élevant lentement, un coin, un quart, un demi-cercle. Il se remplit, rougeoie, enveloppe le ciel, le domine. Il rend les monuments de la ville, de toutes les villes de chaque ville, petits et insignifiants. Il me donne l'impression que je suis petit et insignifiant. Me fait oublier le passé, écarter le futur. Fait disparaître mes problèmes, je ne sens plus rien plus rien plus rien.

Lorsque j'entends les voitures sur la voie rapide derrière moi je me lève rentre chez moi. Alors que pour les gens normaux la journée débute, la mienne s'achève.

Je m'allonge dans mon appartement.

Parfois je dors.
Parfois non.
Je m'allonge.
Seul.

IL EST 20 HEURES. Comme je me dirige vers mon immeuble, j'aperçois une Mercedes blanche arrêtée le long du trottoir. J'entre dans l'immeuble, la porte de mon appartement est ouverte. J'avance d'un pas, vois Leonard et Barracuda devant mon frigo. La porte du frigo est ouverte et il y a des sacs en kraft sur le sol.

Leonard.

Ils se retournent.

Mon fils, mon fils.

Leonard fait un pas vers moi.

Comment vas-tu ?

Il me prend dans ses bras.

Je vais bien. Qu'est-ce que vous faites ici ?

On remplit ton frigo.

Vous êtes venus ici pour remplir mon frigo ?

Non, mais quand on est arrivés, on a vu qu'il était vide.

Va falloir que t'arrêtes d'entrer par effraction, Leonard.

Mets une meilleure serrure et on arrêtera d'entrer par effraction. Celle que t'as, c'est de la rigolade, putain.

Barracuda parle.

C'est moi qui le fais, Fiston, et c'est très facile. T'es veinard de pas avoir été cambriolé.

Leonard rit.

Regarde autour de toi. Qui voudrait le cambrioler ? Y a rien à voler

Je m'approche du frigo.

Qu'est-ce que vous mettez là-dedans ?

Barracuda parle.

On a chopé des trucs dans cinq différentes variétés d'aliments.

Leonard parle.

Fruits, légumes, protéines, céréales et crémerie.

Barracuda parle.

On les a tous.

Je ris.

On dit produits laitiers, pas crémerie.

Je sais, mais c'est plus marrant de dire crémerie. Dis-le.

Crémerie.

Je ris.

Qu'est-ce que je disais. Crémerie, c'est plus marrant.

Je ris de plus belle.

Merci. Pour les cinq variétés d'aliments.

Et c'est pas tout.

Leonard ouvre les placards. Ils sont pleins de boîtes de soupe, de sachets de riz et de pâtes, de pots de sauce tomate.

Barracuda parle.

J'ai un truc spécial pour toi là-dedans.

Rice-A-Roni. La gâterie de San Francisco, bon sang.

Je ris.

Merci.

Leonard parle.

Tu es toujours trop maigre, mon fils. Si tu veux être videur dans un bar il va falloir que tu prennes du poids. On est passés devant en voiture, la nuit dernière, et on t'a vu planté dehors, t'avais pas l'air très dangereux.

Vous êtes passés en voiture pour me voir ?

Et ouais.

Pourquoi ?

C'est pour ça qu'on est là.

Pour me parler de mon travail ?

Ouaips.

117

Il a quoi, mon travail ?

Allons à l'hôtel, prenons un petit-déjeuner. On discutera là-bas.

Il faut que je dorme.

Alors dors un moment, viens pour le déjeuner.

À quelle heure ?

13 heures.

D'accord.

Leonard se tourne vers Barracuda.

T'as fini ?

Ouais.

Allons-y. Il faut qu'il dorme.

D'accord.

Leonard se tourne vers moi.

On se voit à 13 heures.

Barracuda parle.

À toute, Fiston.

Je parle.

Merci pour la bouffe.

Leonard parle.

Manges-en un peu. Maintenant. Remplume-toi.

Barracuda parle.

Ouais, remplume-toi.

Je ris.

Salut.

Ils sortent. Je m'allonge, dors, me réveille, prends une douche. Je suis sûr de moi maintenant, je prends le métro aérien en direction du centre, marche depuis le métro jusqu'à l'hôtel. Je monte dans l'ascenseur, prends le vestibule, Leonard m'attend dans le restaurant, je m'assieds à sa table.

Où est Barracuda ?

Il travaille. T'as bien dormi ?

Je ne dors jamais bien.

Tu y arriveras.

Sans doute.

T'as faim ?

Ouais.

Leonard fait signe à la serveuse, demande un steak et des frites pour nous deux, se tourne vers moi.

Maintenant dis-moi, comment est-ce que tu t'es démerdé pour bosser dans un bar ?

Je ris.

Dis-moi comment tu sais que je travaille dans un bar et je te dirai comment j'y ai atterri.

J'ai quelqu'un qui veille sur toi. Il me l'a dit.

Qui ?

Ça n'a pas d'importance.

T'as un larbin qui me suit partout ?

Je veille seulement sur toi.

Je suis assez grand pour le faire.

Pourquoi est-ce que tu bosses dans un bar ?

C'est le seul boulot que j'ai dégoté.

Allez, t'es un petit gars intelligent. Tu mérites mieux que ça.

J'ai postulé pour pas mal de jobs, personne ne voulait m'embaucher. On ne peut pas franchement dire que mon CV est brillant.

C'est inadmissible.

Ça va, Leonard.

Tu es alcoolique et toxicomane. Ça fait seulement quelques mois que tu as décroché. Tu ne peux pas travailler dans un bar. C'est dément, crétin, et dangereux.

En fait je travaille devant le bar. Je reste dehors à me peler le cul pendant des heures. C'est peut-être crétin et c'est peut-être chiant, mais ce n'est ni dément ni dangereux.

Jusqu'à ce que tu aies envie de boire et que tu ailles à l'intérieur.

J'ai tout le temps envie de boire, putain. Et si je décide de prendre un verre, ça me sera pas difficile, où que je sois.

C'est inadmissible, mon fils.

T'as une meilleure idée ?

Effectivement.

Quoi donc ?

Viens bosser pour moi.

Je ris.

Ouais, c'est vraiment une idée géniale.

Pourquoi pas ?

Parce que j'ai un casier, parce que j'essaie de ne pas avoir d'ennuis, parce que si je suis arrêté pour quoi que ce soit je vais en prendre pour trois à cinq ans.

J'ai de bons avocats, tu ne vas rien te prendre.

Je ris.

Merci, je me sens mieux.

Il y a de quoi. Tu auras une puissante organisation derrière toi.

Je ris de nouveau.

C'est de ça que j'ai peur, Leonard.

Je ne te laisserai pas travailler dans un bar.

La question n'est pas de savoir ce que tu vas me laisser faire ou pas.

Je vais formuler les choses autrement : je peux t'offrir de bien meilleures perspectives que celles que tu as dans ce bar.

Tu vas me faire une offre que je ne pourrai pas refuser ?

Leonard rit.

Je peux t'offrir de bien meilleures perspectives.

Que faudrait-il que je fasse ?

Chercher des trucs et les déposer.

Je ris de nouveau.

Prendre des trucs et les déposer ?

Oui, en effet.

Je ne veux même pas savoir ce que je devrais chercher.

Ça vaudrait mieux, à mon avis.

Nos steaks arrivent, on commence à manger. On ne parle pas de mes nouvelles perspectives. On parle de basket, on parle de la prochaine saison de base-ball, on parle du froid, il déteste ça. On parle de nos steaks, ils sont bons, on parle de nos frites, elles sont chaudes et croustillantes. Quand on a terminé, on commande du

120

café et des glaces à la chantilly, il prend comme parfum caramel chaud, moi caramel. Je finis ma chantilly, allume une cigarette, parle.

Est-ce que ça sera légal, ce que je ferai ?

Ça dépend de ta définition de la légalité.

Et quelle est ta définition, à toi ?

Il y a très peu de choses illégales, selon moi.

Si je me fais prendre, je vais être dans un beau merdier.

Tu ne te feras pas prendre. Et si c'est le cas, je m'occuperai de toi.

Je réfléchis, tire une taffe, en prends une autre.

Mon fils.

Je lève les yeux.

Si tu refuses, j'achète le bar et je te vire.

Je ris.

Ça m'angoisse, Leonard. J'essaie d'avoir une vie meilleure, j'essaie d'être quelqu'un de meilleur. Et je ne veux pas me retrouver au trou.

Je comprends, et je crois que le fait de travailler pour moi ne pourra que t'aider. Tu n'auras plus de problèmes financiers, tu n'auras plus de patron qui te hurle dessus, tu auras tout le temps dont tu as besoin pour te sortir de tes emmerdes.

Combien de temps vas-tu rester en ville ?

Le temps qu'il faudra pour que tu dises oui.

Qu'est-ce que tu vas faire ce soir ?

Je pensais qu'on allait t'emmener à un stand de tir, pour être sûrs que tu te débrouilles bien avec une arme.

J'espère que tu déconnes, là.

Il rit.

On sort. On va voir un match de basket, puis on va dîner. Je vais te présenter des gens qu'il faut que tu connaisses.

C'est cool.

Qu'est-ce que tu vas faire cet après-midi ?

Je sais pas. Me balader.

Tu devrais donner ta démission du bar.

Je vais y réfléchir.

N'y réfléchis pas, mon fils. Fais-le.

Qu'est-ce que tu vas faire cet après-midi ?

Barracuda vient me chercher. On a des courses à faire.

Des courses ?

Il glousse, hoche la tête.

Oui, des courses.

À quelle heure est-ce qu'on se voit ?

19 heures.

Super.

Je me lève.

Merci pour le déjeuner.

Remplume-toi.

Je ris.

On se voit à 19 heures.

Je m'en vais. Prends l'ascenseur et sors. Il fait froid et gris, encore froid et gris. Je me mets à marcher. Je réfléchis à l'endroit où je veux me rendre je n'ai pas d'idée. La température a chuté en dessous de zéro, je vais devoir m'arrêter toutes les dix minutes, il fait trop froid trop froid. Je m'arrête dans une boutique de vêtements, ils vendent des costumes à cent dollars, un homme dans son uniforme de vigile me suit le long des rayons. Je m'arrête dans un café, je ne commande rien reste seulement assis à une table dans un coin et respire. Je rentre dans le vestibule d'un immeuble construit par une célèbre entreprise de chewing-gums. Le sol est en marbre, les murs sont en marbre, le plafond est en marbre. Les murs et le plafond sont ornés de moulures, couverts de fleurs, de motifs sophistiqués, de saints, de dieux, de petites gargouilles grimaçantes, d'énormes gargouilles grimaçantes. J'entre dans un fast-food, un magasin de BD, une bijouterie je me fais suivre par un autre vigile. Je continue de marcher, j'entre dans un immeuble de bureaux, ressors fissa, j'entre dans un musée enlève mon manteau. Le musée donne des entrées gratuites, ce qu'il fait une fois par semaine, je me mets à flâner dans les couloirs. Je me poste devant des anges et des saints, devant le fils de Dieu, devant sa mère, devant des martyrs décapités, des vierges éplorées, des papes furieux, devant des armées qui marchent au pas, des généraux sur leur monture, des villes en feu, pillées et ravagées. J'observe du gibier mort, des fruits et des légumes dans un marché, des bateaux de pêche hollandais, des fêtards dans une taverne, Rinaldo en train de se faire envoûter par Armida. J'observe Cupidon décocher ses flèches, le palais de cristal, la Seine, Bennecourt. Je regarde une femme devant un piano elle ne bouge pas se contente de regarder les touches en jouant une musique que je ne peux entendre. Je rencontre Henri de Gas et sa nièce Lucie de Gas, je me promène dans Paris, journée pluvieuse, j'attends l'arrivée du train qui vient de Normandie à la gare Saint-Lazare. Je défie le *Portrait d'homme*. Il me regarde. Je soutiens son regard, attendant des réponses. Je n'en obtiens aucune.

Je passe des heures à errer de pièce en pièce, en prenant tout mon temps. J'essaie de me rapprocher le plus possible des tableaux. Je ferme un œil et j'observe les coups de pinceau distincts tracés par les peintres. Je ferme les deux yeux et je tente de sentir l'huile. Je me place le plus loin possible, marchant vers l'image qui devient de plus en plus proche. J'ai envie de passer les mains sur la surface, mais je ne veux pas déclencher d'alarme ni me faire arrêter. Parfois je parle aux tableaux, aux personnages dans les tableaux. Je demande à un fermier quel temps il fait, je demande à un chanteur quelle est cette chanson, je demande à un bébé comment tu t'appelles, je demande à une jeune femme pourquoi vous pleurez. Je me plante en face de l'autoportrait de Vincent. Vincent qui connaissait la douleur et l'échec, qui connaissait le doute et la folie, qui s'est coupé l'oreille, qui s'est tiré une balle. Je le connais bien, Vincent. Je n'ai rien à lui dire.

Je quitte le musée à l'heure de la fermeture. Je rentre à l'hôtel, m'arrêtant en chemin pour me réchauffer. Une fois arrivé, j'attends dans le hall d'entrée. Cinq minutes plus tard, Leonard et Barracuda sortent d'un ascenseur, se dirigent vers moi. Je me lève pour venir à leur rencontre. Leonard parle.

Mon fils.

Quoi de neuf ?

Barracuda parle.

Ça roule, fiston ?

Ouais.

Leonard parle.

T'es prêt pour le basket ?

Ouais.

Bien.

On s'en va, on descend, on prend la voiture, on va jusqu'au stade. Le stade est vieux et délabré. Il a été construit dans les années 1920 et on prévoit de le détruire cet été, de le remplacer par un nouveau modèle que l'on bâtira de l'autre côté de la rue. Une fois arrivés, on passe par un portail rouillé pour entrer dans un parking surveillé, le parking où se garent les joueurs et les entraîneurs. On sort de voiture, on se dirige dans le stade en passant par une porte tenue par des vigiles. On pénètre dans une succession de tunnels situés sous les plus importants gradins du stade. On passe devant les consignes, les terrains d'entraînement, les bureaux de l'administration. On croise des hommes et des femmes en uniforme qui courent dans tous les sens je n'ai pas la moindre idée de ce qu'ils font. On sort d'un tunnel pour entrer sur le terrain. Le match va bientôt commencer, le stade est presque plein. Les billets, comme toujours à Chicago pour les matchs de basket, ont presque tous été vendus. Leonard en sort trois de la poche intérieure de sa veste, m'en tend un, en tend un à Barracuda. Il marche le long du terrain, on le suit. Il s'arrête à trois sièges du centre, nous fait signe de nous asseoir.

Au bout de cinq minutes, les lumières s'éteignent, une musique assourdissante vagit des haut-parleurs accrochés au plafond, l'équipe de Chicago est annoncée et rejoint son banc au petit trot. L'équipe adverse, qui vient de New York, entre sans tambour ni trompette. Tout le monde se lève tandis que retentit l'hymne national, le match commence au signal. L'équipe de Chicago est la championne en titre, le joueur vedette est censé être le meilleur basketteur au monde. L'équipe de New York ne tient pas le coup et se fait mettre la pâtée. À la mi-temps, Chicago mène de dix-huit, et gagne le match de trente points. Tout du long, Leonard se comporte comme un petit gamin, sifflant, riant, sautant dans tous les sens, mangeant du pop-corn, des hot dogs et des barres glacées, buvant des colas les uns après les autres. J'évite le pop-corn et les hot dogs, je mange huit barres glacées et je bois sept colas. Barracuda ne mange rien, il dit qu'il fait attention à sa ligne et attend le dîner.

Après le match on va au restaurant. C'est un restaurant italien tout simple dans la partie ouest de la ville, non loin du stade. On entre, Leonard et Barracuda saluent le patron, qui nous mène dans une pièce derrière la salle principale. La pièce est dotée d'une longue et simple table couverte d'une nappe blanche, entourée de dix chaises. On s'assied et le patron demande ce qu'on aimerait boire, des colas pour Leonard et moi, un verre de vin rouge pour Barracuda. Leonard me regarde, parle.

Tu as démissionné, aujourd'hui ?

Je secoue la tête.

Non.

Pourquoi ?

J'ai passé la journée au musée.

Barracuda parle.

Qu'est-ce que t'as vu ?

Des tas de trucs.

Leonard parle.

Sois un peu plus précis, mon fils.

Tu t'y connais, en art ?

Leonard jette un coup d'œil à Barracuda.

On s'y connaît, en art ?

Carrément, en fait.

Leonard se tourne vers moi.

On s'y connaît carrément.

Je ris.

Comment ça ?

Comment ça ? On lit. On va dans les musées et les galeries. On se renseigne.

Je n'aurais jamais cru…

Barracuda parle.

Dis-lui comment ça nous a pris.

Leonard parle.

J'ai une maison sur la plage, aux environs de L.A. Tous les étés, la ville organise un festival d'art qui s'appelle le *Pageant of the Masters*[1].

Barracuda parle.

J'adore le *Pageant of the Masters*.

Leonard hoche la tête.

En fait, ils fabriquent des décors de théâtre qui évoquent des tableaux célèbres. Bon, disons qu'ils font *Le Dernier Souper* de Léonard de Vinci. Ils dégotent plein de types, les habillent de façon à ce qu'ils ressemblent comme deux gouttes d'eau aux apôtres du tableau. Ils dégotent un autre type et ils l'attifent comme le Jésus du tableau. Ils mettent tout le monde devant une table qui ressemble à la table du tableau, dans une salle qui ressemble comme deux gouttes d'eau à la salle du tableau. Puis ils prennent les poses du tableau et ils restent sans bouger.

Barracuda parle.

C'est magnifique.

Leonard parle.

Et plein de gens viennent voir les tableaux, qui sont désormais devenus vivants.

Barracuda parle.

Ils ont l'air tellement vrais, c'est dingue.

Leonard parle.

On y va tous les étés depuis des années.

---

1. « Tableaux vivants de maîtres ». *(N.d.T.)*

Barracuda parle.

Et chaque été c'est encore mieux.

Leonard parle.

On s'y connaît, pour tout ce qui va de la pré-Renaissance au post-impressionnisme.

Barracuda parle.

Ils ne s'en sortent pas très bien avec l'art moderne. C'est trop difficile de transformer une personne réelle en une espèce de forme cubique, une pure abstraction, ou d'en faire un truc minimaliste.

Leonard parle.

Ils s'en sortent pas mal avec Matisse et Modigliani. Ne les oublie pas.

Barracuda parle.

Je n'aurais pas dû oublier Matisse, mais Modigliani c'est chiant.

Leonard parle.

Son œuvre n'est pas aussi vivante que d'autres.

Barracuda parle.

C'est chiant. Putain ce que c'est chiant.

Leonard se tourne vers moi.

Qu'en penses-tu, mon fils ?

De Modigliani ou de la conversation ?

Les deux.

J'aime bien, Modigliani. Je trouve que ces femmes sont étranges et sublimes. Je suis un peu surpris par notre conversation.

Tout le monde croit qu'on est des barbares, mais nous avons des côtés doux, sensibles, sophistiqués.

Barracuda parle.

Je suis très doux, sensible, et sophistiqué.

Je ris. La porte s'ouvre, les serveurs commencent à apporter les plats, des assiettes d'antipasti, mozzarella et tomates, calamars frits, courgettes frites, soupe de palourdes, salade César, croûtons avec du pâté de foie. Il y a plus de nourriture que nous ne pourrions en absorber à nous trois, je demande à Leonard s'il attend quelqu'un d'autre. Il me dit que quelques personnes vont peut-être passer nous dire bonjour. On commence à manger. L'odeur de la nourriture sur la table, les odeurs provenant des cuisines qui s'engouffrent dans la pièce, ail origan huile d'olive poivron parmesan basilic, poulet rôti bœuf et veau, épinards sautés et scampi, espresso et chocolat, m'aiguisent l'appétit, je commence à manger. Je mange doucement, un mets après l'autre, bien que le drogué en moi et l'alcoolique en moi me disent vas-y vas-y vas-y encore encore encore. Tout en mangeant, on discute, on discute du match qu'on vient de voir, Leonard et Barracuda débattent au sujet des mérites de ce restaurant par rapport aux restaurants italiens de Manhattan et du Bronx. Comme nous finissons les entrées, la porte s'ouvre et deux hommes pénètrent dans la pièce. Tous deux sont de grands hommes costauds, menaçants, cheveux courts, costume noir sobre. Leonard et Barracuda se lèvent, les saluent, me présentent à eux. Tous deux, lorsque nous nous serrons la main, me glissent une carte que je fourre dans ma poche. Je suis curieux d'en savoir plus sur ces cartes, ce qu'il y a dessus, qui sont ces hommes, mais je sais qu'il vaut mieux que j'attende, que je regarde plus tard, s'ils avaient voulu que je regarde tout de suite, ils me les auraient tendues, et ne me les auraient pas glissées discrètement.

Tandis que les plats continuent à arriver, de grands plats de nourriture, de grandes assiettes avec des boulettes de viande, des linguini avec une sauce aux palourdes, du poulet scarpariello, du poulet cacciatore, des côtelettes et des escalopes de veau, du veau saltimbocca, de l'osso-buco, du homard oreganato, scampi fra diavolo, d'autres convives arrivent. La table déborde, il y a des gens autour et jusque dans les moindres recoins de la salle. Je rencontre des hommes, certains manifestement italiens, d'autres pas, tous en costume sombre et avec des alliances, on me glisse carte sur carte. Je rencontre des femmes toutes belles certaines avec des hommes, aucune ne porte d'alliance, on me glisse deux numéros de téléphone. Il y a des poignées de main, des baisers sur la joue, des tapes dans le dos, des rires des rires des rires. Il y a des cigares, des cigarettes, du vin rouge, du vin blanc, de la bière, des cocktails, des colas pour moi j'adore le cola glacé. Leonard et Barracuda passent du bon temps, rient et sont heureux, quand je ne parle pas à quelqu'un je les regarde. Leonard préside l'assemblée chacun semble conscient de sa présence lorsqu'il parle, tout le monde écoute quand il passe d'une personne à une autre, d'un groupe à un autre, l'attention est toujours axée sur lui.

Les heures passent vite. Il est tard, la salle est encore pleine de monde. Je suis repu, fatigué, saturé de caféine et de nicotine. Mes habits dégagent une odeur profonde de cigare puissant. Ma chemise a des taches de graisse et de sauce tomate. Ma poche est pleine de cartes. Je dis à Leonard que je vais rentrer à la maison, j'ai l'impression que je vais trouver le sommeil, il m'accompagne dehors. Je parle.

Tu as beaucoup d'amis, Leonard.

La plupart des gens sont venus pour te rencontrer.

Pourquoi ?

Tu leur as demandé ce qu'ils font dans la vie ?

Non.

Tu as regardé les cartes qu'ils t'ont données ?

Non.

Regarde-les quand tu seras chez toi.

Pourquoi ?

Chaque carte que l'on t'a donnée ce soir est plus ou moins un ticket gagnant pour sortir de prison peinard. Si tu viens travailler pour moi, il ne pourra rien t'arriver. Tous les gens là-dedans en sont les garants.

Je ris.

Tu ne t'arrêteras jamais, hein.

Pas tant que tu n'auras pas arrêté de travailler dans ce bar.

Demain, je démissionne.

Leonard sourit.

Ha ha ! Ça, c'est une bonne nouvelle.

Je ris.

On ne fait pas de contrats, mais je vais te donner une prime d'arrivée.

Je ris de nouveau. Il fouille dans sa poche, en sort une liasse de billets retenus par un élastique. Il me la tend.

Je ne peux pas accepter ça, Leonard.

Bien sûr que si, et tu vas le faire.

Hors de question. C'est un sacré paquet de pognon, j'en ai pas branlé une pour le mériter.

Et alors. Prends-le. C'est pour démarrer.

Non.

Je lui rends l'argent. Il secoue la tête.

On a déjà longuement parlé de ça, mon fils.

De quoi ?

Quand quelqu'un propose de faire quelque chose de bien pour toi, ne chipote pas, ne conteste pas, n'essaie pas de le faire changer d'avis. Contente-toi de sourire et de dire merci et pense à la chance que tu as d'avoir des gens généreux autour de toi.

C'est un putain de paquet de pognon, Leonard.

Contente-toi de sourire et de dire merci.

Je mets les billets dans ma poche.

Merci, Leonard.

C'est bien de t'avoir, c'est génial de t'avoir !

Je ris.

Il faut que je rentre à la maison.

Accroche-toi.

Il se dirige vers une voiture noire arrêtée le long du trottoir, frappe à la vitre. La vitre se baisse, il parle au conducteur, lui serre la main, se tourne vers moi.

T'as un chauffeur.

Je marche jusqu'à la voiture.

Merci pour le match, le restaurant, l'argent.

C'est ta prime d'arrivée. Tu vas devoir la mériter.

Je ris.

Ouais.

Puisque j'ai réussi à te faire démissionner, et te faire prendre un vrai boulot, je partirai dans la matinée.

Bon voyage.

Merci.

Quand est-ce que je commence ?

Je ne sais pas trop. Quelqu'un viendra te voir bientôt.

Et il me dira ce que je suis censé faire ?

Ouais.

Super.

À bientôt, mon fils.

Merci pour tout, Leonard.

Il hoche la tête. Je monte sur le siège arrière de la voiture.

Je rentre chez moi.

MA MÈRE VIENT ME RENDRE VISITE. Mes parents habitent à Tokyo, je ne les vois pas souvent. C'est grâce à eux que j'ai été admis à la clinique. Je ne les ai pas toujours appréciés, et je leur ai fait mal sans relâche au cours de ma vie, mais ils m'ont toujours aimé. J'ai de la chance de les avoir.

Ma mère voit mon appartement, éclate de rire. Elle me demande où je dors, où je m'assieds, je lui réponds par terre. Elle secoue la tête et dit ce n'est pas bien, James, pas bien. Elle appelle quelqu'un dans le Michigan, où ils habitaient auparavant, ils ont toujours une maison qui est vide, maintenant. Elle pose des questions concernant le garde-meuble, si c'est facile d'y avoir accès, elle demande si l'on peut m'envoyer un lit, un bureau et une table. Elle raccroche, dit que j'aurai un lit et un bureau et une table d'ici quelques jours.

On va au centre-ville. On descend Michigan Avenue. Ma mère et mon père viennent tous les deux de la ban-lieue de Chicago, ils s'y sont rencontrés, s'y sont mariés. Ils n'avaient pas d'argent quand ils se sont mariés, ils ont passé leur lune de miel dans un hôtel du centre. En marchant, ma mère me montre les restaurants où ils allaient, les parcs dans lesquels ils s'asseyaient, se tenaient la main, s'embrassaient, les magasins dans les-quels ils se baladaient, regardant des objets qu'ils ne pouvaient pas s'acheter, espérant qu'un jour, un jour.

C'est agréable d'écouter ses souvenirs, j'apprécie qu'elle les partage avec moi. C'est comme une porte qui s'ouvre, qui mène à ma mère, à mon père, à leur vie. C'est une porte que j'ai toujours ignorée, une porte par laquelle je suis heureux de passer, une porte dont je m'estime chanceux qu'elle soit toujours ouverte.

On va déjeuner. Un endroit chic, un endroit que ma mère connaît et dont elle raffole, elle essaie d'y manger chaque fois qu'elle est en ville. On attend une table, on s'assied, serviettes sur les genoux, verres d'eau. Ma mère se met à me poser des questions. Comment vas-tu, je vais bien. Comment te sens-tu, ça dépend, j'ai des hauts et des bas, ça monte et ça descend, en général je suis au plus bas. Est-ce dur de rester sobre, ouais c'est dur, la moindre seconde de chaque journée est un combat, je sais que je mourrai si je recommence, parfois j'ai l'impression d'avoir envie de mourir. As-tu besoin d'aide, non, je vais m'en sortir, il faut que je croie que je vais m'en sortir. Elle me parle de Lilly, je secoue simplement la tête. Elle me demande ce qui s'est passé, je secoue simplement la tête, dis que ça n'a pas marché, je ne veux pas en parler, je ne peux pas en parler. Elle dit c'est dommage, j'aurais aimé que ça marche pour vous. Je suis incapable de répondre.

Comme on a fini de manger, quelqu'un s'approche de notre table. Je le reconnais vaguement, mais je ne m'en souviens pas.

James ?

Ouais ?

David. On était en cours ensemble.

Je ne me souviens toujours pas de lui, je fais semblant.

Ouais, comment ça va ?

Bien. Qu'est-ce que tu fais là ?

C'est ma mère. On déjeune.

Il regarde ma mère.

Ravi de vous rencontrer.

Maman parle.

Moi de même.

Il me regarde à nouveau.

Je suis étonné de te voir ici parce qu'on m'avait dit que tu étais en prison. Pour avoir éclaté un flic.

Ma mère tique.

Où t'as entendu ça ?

Je sais pas trop.

Comme tu vois, j'y suis pas.

Je vois. Tu vis ici, maintenant ?

Ouais.

Tu veux qu'on se voie, à l'occase ?

D'accord.

Il cherche dans sa poche, en sort son portefeuille.

Tu fais toujours la fête ?

Je secoue la tête.

Non.

Il tire une carte de son portefeuille, me la tend.

Si jamais t'as besoin de quelque chose, appelle-moi.

D'accord.

Au revoir.

Ouais.

Il s'en va. Je regarde ma mère. Elle parle.

J'espère que tu ne l'appelleras jamais.

Ça risque pas.

Ça m'a l'air d'être un salopard.

Je ris. Ma mère ne parle jamais comme ça en ma présence.

J'ai pas la moindre idée de qui il s'agit. Je sais que j'étais en cours avec lui, mais à part ça, rien.

Bon. C'est un salopard.

Je ris de nouveau. On termine, on sort, on se promène encore un peu. Ma mère me fait partager d'autres souvenirs, je l'écoute, je franchis davantage la porte. On voit l'hôtel où ils ont passé leur nuit de noces, une pizzeria que mon grand-père adorait, un grand magasin où ma grand-mère aimait acheter des cadeaux. On voit un maillot de l'équipe de hockey de Chicago. Mes parents ont assisté à un match de cette équipe le soir qui a suivi leur mariage. Ils ne pouvaient rien s'offrir d'autre, c'était une soirée grandiose pour eux.

Il commence à faire noir, le moment où ma mère va s'en aller se rapproche. Avant de partir, elle veut m'acheter des assiettes, des fourchettes, des cuillers, des couteaux. Pour l'instant j'utilise des couverts en carton et en plastique que je récupère dans les fast-foods. Elle pense que le fait de posséder des objets normaux tels que des assiettes, des fourchettes, des cuillers, des couteaux m'aidera à normaliser mon existence, m'aidera à me réadapter plus facilement. On va dans un magasin, on jette un œil, tout ce que j'aime est noir. Ma mère rit, pense que c'est bizarre d'aimer des assiettes noires et des couverts noirs. Je lui dis que quel que soit son désir de me normaliser, un côté de moi restera toujours un peu étrange. Elle rit. On prend tous les beaux articles noirs, à moitié normaux.

On rentre chez moi. On range tout dans les placards au-dessus de mon évier. Une voiture est sur le point de chercher ma mère, pour l'emmener à l'aéroport, elle annonce qu'elle doit partir. Je la remercie pour la journée, la superbe journée, sûrement la meilleure journée que j'aie passée avec elle. Elle sourit, se met à pleurer, elle est heureuse, heureuse que je sois vivant, heureuse que je devienne humain, heureuse qu'on puisse passer une journée ensemble sans cris. Je l'embrasse, l'accompagne dehors, lui ouvre la portière de la voiture. La voiture s'en va.

JE CROISE UN HOMME SOUS LES RAILS DU MÉTRO AÉRIEN il se surnomme le ragamuffin, le Roi du Ragamuffin. Il dit qu'il erre de par le monde à la recherche du raga, le beau raga, le magnifique raga. Je m'incline devant lui, le Roi du Ragamuffin. Je vais prendre un café avec Mickey. Je suis le seul hétéro du café. Mickey me présente à ses amis comme son pote James l'hétéro. Mickey a un nouveau petit copain. Un avocat qui dit qu'il l'aime, qu'il aime ses tableaux, qu'il souhaite qu'il fasse ce qu'il a envie de faire, pour être heureux, c'est tout. Et il l'est, Mickey est heureux.

Je croise un homme dans un bar alors que j'attends mes amis. Il dit qu'il a quarante-cinq ans, il en fait vingt-cinq je lui demande quel est son secret il dit ne jamais se mettre en colère et rester le plus immature possible le plus longtemps possible. Un homme assis à côté de lui éclate de rire et dit c'est des conneries, le truc c'est de manger et de boire de la bière jusqu'à ce que tu tombes.

Je vois un vieil ami. Avant, on buvait ensemble, on se droguait ensemble, on dealait ensemble. Il a décroché pour une fille, une fille qui vit avec lui maintenant, une fille qu'il aime, une fille avec laquelle il veut se marier. On rit en parlant du bon vieux temps, des bons et des mauvais moments, il s'en est tiré avant que ça dégénère vraiment. On va voir un concert punk dans un vieux bowling abandonné. Le groupe joue sur l'une des pistes

136

désaffectées, ils sont jeunes, bruyants, ils ne savent pas jouer, les morceaux sont atroces et ils ont l'air de s'amuser comme des fous. On va dans la fosse, dans l'arène, le cercle turbulent des jeunes hommes en colère en veste noire et rangers qui jouent des coudes, écrasent les pieds et dansent le pogo. On se cogne, on tombe, on prend quelques coups. C'est amusant, de temps en temps, de prendre quelques coups.

Je rencontre un troisième type c'est un vieux monsieur il trébuche dans la rue il tombe je l'aide à se relever, l'accompagne jusqu'au trottoir. Il me serre la main dit gardez la foi, jeune homme. Je lui demande ce qu'il veut dire, il dit continuez de courir et ne les laissez pas vous rattraper.

JE DORS LA JOURNÉE. JE RÊVE ENCORE d'alcool et de drogue. Parfois je me réveille avec la gueule de bois, parfois je me réveille avec un filet de sang qui s'écoule de mon nez, parfois je me réveille apeuré et tremblant.

Je lis, vais dans les musées et rends visite à Lilly les après-midi. Parfois je lui fais la lecture, parfois je lui parle, parfois je ne fais que m'asseoir et je me rappelle les moments, je me rappelle les moments, je me rappelle les moments.

Je sors le soir. Vais dans des bars avec mes amis. Je bois du cola, fume des cigarettes, joue au billard, parle, parfois je ne parle pas, je reste simplement assis à regarder. Je me mets à rire de plus en plus facilement, commence à me sentir plus à l'aise.

Quand les bars ferment, je marche, marche au hasard dans la ville déserte, marche parmi les immeubles, dans les parcs, le long du lac. Je m'assieds sur les bancs, le vent et le froid me font mal, m'engourdissent, je ne sens plus rien. La paix se trouve dans cette douleur tellement accablante qu'elle annihile toute sensation. C'est la seule paix que je connaisse.

Je rentre chez moi.

Dors.

Rêve.

C'EST LE MATIN LE TÉLÉPHONE SONNE. Un homme une voix que je ne connais pas me dit de le rejoindre dans une cafétéria du quartier.

Je marche jusqu'à la cafétéria, m'assieds dans un box, bois un café, attends. Un homme entre dans le restaurant il a un peu moins de trente ans, rasé de près, cheveux noirs, bien habillé, mais pas tape-à-l'œil, une montre en or. Il s'arrête devant mon box, parle.

Vous êtes James ?

Ouais.

Il s'assied en face de moi.

Vous avez une bonne mémoire ?

Ouais.

Tant mieux.

Pourquoi ?

Voici comment ça marche.

Il met la main dans sa poche, sort un biper, le fait glisser sur la table.

Gardez constamment ce biper sur vous. Quand vous êtes bipé, appelez le numéro. Allez systématiquement dans une cabine téléphonique, jamais deux fois dans la même. Quand vous appellerez, vous tomberez sur quelqu'un qui vous donnera des instructions. Ne notez jamais ces instructions, ne gardez absolument aucune trace d'elles. Si vous vous gourez, ça sera votre problème, alors assurez-vous de bien les avoir comprises avant de raccrocher. Quand vous aurez raccroché, mémorisez le numéro du biper, effacez-le, suivez les instructions. Si vous êtes en voiture, conduisez cinq kilomètres au-dessus de la vitesse autorisée, jamais au-delà, jamais en deçà. Vérifiez toujours la voiture pour vous assurer que les feux fonctionnent correctement. Si vous êtes arrêté, fermez-la. Demandez à avoir un avocat et attendez, dites à l'avocat de se mettre en relation avec votre ami Leonard. Si tout se passe bien, et si vous ne foirez pas, quand la mission est terminée, appelez le premier numéro pour confirmer. Si jamais vous tombez sur un message 911, arrêtez tout sur-le-champ. Prenez ce que vous transportez et placez-le dans un lieu sûr, qui n'est pas chez vous. Si c'est une voiture, garez-la dans un endroit sûr. Si vous tombez sur le message 411, cessez ce que vous êtes en train de faire et attendez d'autres instructions. Des questions ?

Non.

Voulez-vous que je répète ce que je viens de dire ?

Non.

Bonne journée.

L'homme se lève et s'en va. Je commande un deuxième café, des œufs, du bacon et des toasts. Je fume une cigarette, lis le journal, attends mon repas. Ça arrive, je commence à manger, le biper se met à sonner, deux bip forts et perçants, deux autres, deux autres. Je me lève récupère le biper, me rends vers le téléphone au fond de la cafétéria. Je mets les pièces, compose le numéro, une voix masculine répond après la première sonnerie.

Salut.

J'ai été bipé.

Vous êtes novice.

Ouais.

Vous avez un stylo ?

Non, pas de stylo.

Bien. Vous avez une bonne mémoire ?

Ouais.

Tant mieux.

La voix m'indique une adresse dans la proche banlieue. Me dit de frapper à une porte, on me remettra une
valise. Placer la valise dans le coffre de la voiture
blanche arrêtée dans l'allée, les clefs sont sous le tapis
du côté du conducteur. On m'indique une deuxième
adresse, qui se trouve à Milwaukee. Conduire jusqu'à
l'adresse à Milwaukee, sortir la valise du coffre. Frapper
à la porte, faire appeler un homme du nom de Paul, lui
donner la valise, ne la donner à personne d'autre, Paul
l'attend. Ramener la voiture dans la banlieue de Chicago, la laisser dans l'allée, les clefs sous le tapis. Appeler
pour confirmer.

Je fais répéter les deux adresses à la voix. Il me
demande s'il doit encore répéter, je lui dis que non, je
m'en souviens. Il dit bien, me raccroche au nez. Je raccroche, retourne à mon box, finis mon petit-déjeuner,
m'en vais.

Je prends le train de banlieue pour aller dans les fau-
bourgs aisés au nord de Chicago. C'est la fin de matinée,
le train est presque vide. J'ai la trouille. Mon cœur
s'emballe, mes mains tremblent légèrement. Je regarde
par la vitre, essaie de respirer lentement, essaie de rester
calme. Les rares passagers ressemblent tous à des agents
du FBI, des hommes d'âge moyen dans des costumes
sombres, et on dirait qu'ils me jettent des coups d'œil,
qu'ils m'observent. Je me dis que c'est des conneries, que
je deviens parano, personne n'en a rien à foutre de ce
que je fais dans ce train, mais je ne me sens pas mieux.
Dans ma tête, je me fais le film de mon arrestation, je
vois déjà les menottes, les sens sur ma peau, entends les
flics me réciter mes droits, sens l'odeur du siège arrière
de la voiture, sens un courant d'air comme la portière
claque. Je m'imagine assis en face d'un avocat, discutant
de mon affaire, pesant les avantages d'un arrangement
avec le procureur, essayant de trouver comment alléger
le chef d'inculpation. Je me rappelle mon admission,
avoir glissé mes quelques maigres affaires dans une

enveloppe, troqué mes habits contre une combinaison, passé des chaînes, marché sur le ciment et dans les halls en acier. Ma cellule m'attend. J'ai une putain de trouille.

Le train arrive dans ma gare, je sors, deux taxis attendent, je grimpe dans l'un d'eux, donne au chauffeur le nom de la rue, il démarre. On progresse dans des quartiers calmes, parmi de grandes maisons dotées de grandes pelouses, de haies impeccables, de pancartes signalant un système d'alarme, de voitures étrangères dans les allées.

Je lui dis de me laisser à un croisement. Je commence à scruter les élégants numéros accrochés aux porches et aux portes. Je trouve ce que je cherche, une grande maison de pierre avec une voiture blanche dans l'allée. J'avance vers la porte, frappe, attends, mon cœur s'emballe. La porte s'ouvre c'est un homme d'âge moyen qui porte un pyjama en soie. Il a une valise. Il parle.

Puis-je vous aider ?

Je suis venu récupérer quelque chose.

Quoi ?

On ne me l'a pas dit.

Vous êtes sûr de vous adresser au bon endroit ?

Mes mains se mettent à trembler.

Ouais, j'en suis sûr.

Je me mets à paniquer.

Il me semble que non.

Panique.

C'est l'adresse qu'on m'a donnée.

Panique.

Qui donc ?

Je ne suis pas libre de le dire.

C'est très étrange. Vous venez chez moi pour récupérer quelque chose, mais vous ne savez pas ce que c'est, et vous ne voulez pas me dire qui vous envoie ?

Je ne fais que suivre des instructions.

Vous voulez que j'appelle la police ?

Non, monsieur.

Elle arrive vite dans cette ville.

Vous n'avez pas à appeler la police, monsieur. Je dois avoir fait une erreur. Je vous laisse.

Je fais demi-tour, commence à partir, ne peux pas courir ça serait trop gros, faut que je me casse d'ici tout de suite, comment est-ce que j'ai pu merder à ce point bordel, faut que je me casse d'ici tout de suite tout de suite tout de suite.

Fiston.

Je m'arrête me retourne.

Je me fous de toi. J'ai entendu dire que t'étais nouveau et j'ai voulu m'amuser un peu.

Je souris, pas parce que je trouve ça drôle, si je pouvais je le frapperais cet enculé, mais parce que je suis soulagé, mon sourire n'est qu'une réaction nerveuse. Je reviens vers la porte. L'homme tend la main derrière lui et pose une valise marron, toute cabossée, devant moi.

Vous m'avez foutu une putain de trouille.

Ça ne se voyait pas.

Si.

Tu t'es très bien débrouillé, tu es resté calme, sans paniquer. Si jamais ça t'arrive pour de vrai, conduis-toi exactement de la même manière.

J'espère que ça n'arrivera jamais.

Ne déconne pas et ça n'arrivera pas.

J'attrape la valise.

Bonne journée.

À toi aussi.

Je fais demi-tour, me dirige vers la voiture. La valise est lourde, plus lourde que ce à quoi je m'attendais, vingt-cinq kilos, peut-être trente. J'entends l'homme refermer la porte derrière moi, j'ouvre la portière de la voiture, cherche les clefs sous le tapis, les trouve. Je mets la valise dans le coffre, me glisse derrière le volant. En sortant de l'allée je vois l'homme qui se tient derrière une des fenêtres. Il sourit, me fait un signe de la main.

Je sais que la voie rapide se trouve à l'ouest je vais en direction de l'ouest. Je sors la carte de la boîte à gants, l'étudie. La route 94 y va directement, si je continue à aller dans la même direction je tomberai dessus. Je range la carte, allume une cigarette, m'installe confortablement pour le voyage.

Le voyage est facile, ennuyeux. Je fume des cigarettes, écoute la radio, de temps en temps je chante en entendant une chanson d'amour sirupeuse, une puissante ballade *heavy metal* ou un standard rock. J'essaie de trouver une station qui passe du punk, pour que je puisse hurler et crier et vociférer des obscénités, mais je n'en trouve pas. Mais tous les quarts d'heure ou presque, je vocifère malgré tout des obscénités.

J'aperçois Milwaukee dans le lointain. C'est une petite ville, une vieille ville, de celles qui n'ont jamais été rénovées. Quand j'étais petit je regardais un feuilleton à la télé sur deux femmes qui travaillaient comme ouvrières brasseuses à Milwaukee, à part ça je connais que dalle à cette ville.

Je quitte la voie rapide, recherche une station-service. Je m'arrête, demande ma route on m'explique, je retourne derrière le volant, continue d'avancer, trouve l'adresse, c'est là encore un beau quartier de grandes maisons bordant le lac Michigan. Je m'arrête dans une longue allée. Une rangée de haies se dresse d'un côté, un jardin de la taille d'un terrain de football s'étend de l'autre. Une immense demeure en pierre se trouve au bout, on se croirait en Angleterre, en Irlande ou en Écosse, pas à Milwaukee. Je m'arrête devant, prends la valise, la porte jusqu'à l'entrée. Je frappe et j'attends. J'entends du bruit derrière la porte, la porte s'ouvre brusquement, j'entends une voix.

Je suis Paul.

Je ne vois personne.

Laissez la valise et fichez-moi le camp.

Je pose la valise sur le perron. Paul jette une enveloppe, elle atterrit à mes pieds. Je la ramasse, regarde à l'intérieur, elle est remplie de billets, je m'en vais. Le retour à Chicago se passe bien, je fume des cigarettes, j'écoute des mélodies et je jure. Je gare de nouveau la voiture dans l'allée, prends le train pour rentrer en ville. Sur le chemin de mon appartement, je m'arrête à une cabine téléphonique, appelle le premier numéro du biper, confirme la livraison.

JE JOUE AU BILLARD EN MISANT DE L'ARGENT. Je joue contre un type qui s'appelle Tony, j'ai déjà joué avec lui chaque fois sans exception j'ai perdu. J'ai l'avantage pour cette partie, je dois faire rentrer la bille huit, il lui en reste trois.

Je me trouve dans un bar appelé le Local Option. Il y a une salle principale, une arrière-salle. Un comptoir s'étend le long du mur de la pièce principale, la table de billard se situe dans l'arrière-salle. Mes amis sont là. Ils se saoulent.

Comme j'attends mon tour, j'entends mon biper. Je dis à Tony que j'ai un coup de fil à passer, lui demande s'il peut m'attendre, il rit, attrape l'argent sur le rebord, où il est censé rester jusqu'à ce qu'il y ait un vainqueur.

Je récupérerai ça à la prochaine partie.

Il rit.

On verra.

Je quitte le bar. Marche dans la rue, cherche une cabine téléphonique. J'en trouve une devant un pressing, c'est calme j'arriverai à entendre. Je regarde le biper compose le numéro je ne le connais pas. J'attends, Leonard répond.

Ha-ha !

Qu'est-ce qu'il y a, Leonard ?

Qu'est-ce qu'il y a ? Qu'est-ce qu'il y a ? Mon fils a réussi sa première mission. Voilà ce qu'il y a, bordel !

146

Je ris.

Comment ça a été ? Dis-moi comment ça s'est passé.

C'était facile. J'ai récupéré la valise, suis allé à Mil-waukee en voiture, je l'ai laissée là-bas, suis rentré à la maison.

C'est tout ?

C'est tout.

J'avais entendu dire qu'on se moquerait un peu de toi. Pour t'asticoter un peu.

Ouais, c'est ce qui s'est passé. Le type qui m'a donné la valise s'est foutu de moi, m'a fait croire que j'avais une mauvaise adresse.

Leonard rit.

Je parie que t'as chié dans ton froc.

Si on veut.

T'as rencontré Paul ?

Non.

Bien. Tu ne dois jamais rencontrer personne. Comme ça, au cas où quelque chose arriverait, tu ne pourrais témoigner contre personne.

Je croyais que tu avais dit que rien ne pouvait arriver.

Bien sûr que non, bien sûr que non. C'est juste au cas où. Le cas où ne se produira jamais, mon fils.

J'espère bien.

Et oublie que t'as rencontré ce vieux con en pyjama.

Comment tu sais qu'il était en pyjama ?

Il ne sort jamais de chez lui, et il reste toujours en pyjama. C'est comme ça que je le sais.

Il est oublié.

T'as une idée de ce qu'il y avait dans la valise ?

Nan. Et je ne veux pas le savoir.

Essaie de deviner.

Non.

Allez.

Non.

À ton avis, combien elle pesait ?

Je sais pas.

Devine.

147

Vingt-cinq, trente kilos.

Vingt-cinq.

D'accord.

Tu sais qu'un million de dollars en billets de vingt dollars, ça pèse vingt et un kilos ?

Je l'ignorais.

Et qu'une valise ordinaire, ça en pèse environ six.

Je l'ignorais aussi.

On en apprend tous les jours.

Merci pour cette petite leçon, Leonard.

T'as eu ton argent ?

Paul m'a jeté une enveloppe. J'étais pas sûr que c'était pour moi parce qu'il y en avait tellement.

C'est foutrement mieux que sept putains de dollars de l'heure, nan ?

Je ris. Il y avait cinq mille dollars dans l'enveloppe.

Ouais, carrément mieux.

Tu t'en es bien sorti, mon fils. Tu t'en es bien sorti. Je suis fier de toi.

Merci, Leonard.

À part ça, tu vas bien ?

Ouais. Je jouais au billard, dans un bar, quand tu m'as bipé.

Alors retournes-y, amuse-toi. Dis bonjour à tes amis, s'ils sont avec toi.

Ils seront contents.

Je viendrai te voir bientôt, mon fils.

J'ai hâte d'y être.

Continue de faire du bon boulot.

Je ris.

Merci.

Je raccroche, je retourne au bar, perds trois autres parties contre Tony. Je me balade pendant quelques heures, passe quelques heures avec Lilly. Je lui parle de mon nouveau boulot. Je sais qu'elle n'approuverait pas, elle dirait ça ressemble trop à ton ancienne vie, tu ferais mieux de laisser tomber ces conneries. Je lui dis que je sais que c'est dangereux, mais je me sens fort, chaque jour je me sens plus fort, chaque jour passé sans boire et sans me droguer me rend plus fort. Je lui dis que ça serait différent si elle était là. Je lui dis qu'elle a fait son choix, et que désormais je suis seul, moi aussi je ferai mes choix.

JE PRENDS UNE VOITURE À SAINT LOUIS. Je ne sais pas ce qu'il y a dans la voiture, ni s'il y a quoi que ce soit. Personne ne me l'a dit et je n'ai rien demandé. Je roule 5 km/h au-dessus de la limite autorisée. Je laisse la voiture dans le parking d'un centre commercial.

Je trimbale des attachés-cases du nord de Chicago au sud de Chicago. Je trimbale des attachés-cases du sud de Chicago au nord de Chicago. Je fais des allers-retours en métro. Je me suis acheté des jolies fringues un treillis des chaussures en cuir noir une chemise blanche une veste sport bleue, de façon à avoir l'air d'un jeune banlieusard ambitieux, comme ça les gens penseront que je suis un étudiant en droit, un trader débutant, un jeune cadre dans une grande multinationale, tout ce que, d'une certaine et risible manière, je suis.

Je vais à nouveau à Milwaukee.

À Detroit.

À Rockford, dans l'Illinois.

Parfois je reçois des enveloppes, parfois non. Quand c'est le cas, le montant diffère, pouvant aller jusqu'à cinq mille, et pas en dessous de cinq cents, restant en général aux alentours de trois mille. Je n'ai pas de compte en banque, alors je planque l'argent dans mon appartement. J'en mets la majeure partie sous mon matelas. J'en mets encore dans un sachet transparent et je mets le sachet dans la chasse d'eau de mes toilettes. J'en mets un peu dans une boîte de céréales Captain Crunch, je recouvre les billets de pépites croustillantes. Je mets le reste dans une boîte vide de liquide vaisselle qui se trouve sous mon évier. Je n'ai jamais beaucoup de liquide sur moi parce que je ne veux pas attirer l'attention.

Mes amis me demandent ce que je fais, me demandent pourquoi j'ai quitté mon boulot au bar. Je leur dis que j'ai démissionné parce que c'était trop dur de travailler dans un bar trop de tentations, un vrai supplice. Ils me demandent pourquoi ce n'est pas la même chose quand je traîne dans les bars avec eux je leur dis que quand je travaillais je devais rester planté sans rien faire je m'emmerdais comme un rat mort et ça me donnait envie de boire. Que quand je suis dans un bar avec eux je me distrais, parle, ris, joue au billard, bois cola sur cola sur cola, c'est plus facile de se changer les idées. Je leur dis que d'une certaine façon c'est plus facile quand je suis avec eux parce que je vois comment ils agissent quand ils sont saouls et ça me rappelle que je ne veux plus être comme ça ni me comporter comme ça. Ils me demandent comment je gagne ma vie je leur dis que je n'ai pas beaucoup d'argent et que le peu que j'ai, je l'ai emprunté. Ils me demandent comment j'occupe mon temps libre, je leur dis que j'essaie de le tuer. Et ça, au moins, c'est vrai. Parfois tout ce que je veux, c'est tuer le temps.

LE TÉLÉPHONE SONNE. C'EST LE MATIN. Je fume des cigarettes, en regardant ce putain de plafond. Je décroche.

Allô ?

Mon fis, j'arrive en ville. On va s'en payer une bonne tranche.

Quoi de neuf, Leonard ?

Y a rien de neuf, que du vieux.

Quand est-ce que t'arrives ?

Cet après-midi.

Tu veux que je vienne te chercher à l'aéroport ?

Tu te rappelles le grill où on est allés avec tes amis ?

Ouais.

Retrouve-moi là-bas. À 18 heures.

D'accord.

Et appelle tes amis. Vois si on peut les retrouver après le dîner.

D'accord.

Tu veux que je te ramène quelque chose de Vegas ?

Est-ce que tu peux me ramener une danseuse qui me fera oublier tous mes problèmes ?

Eh bien oui, c'est possible.

Je ris.

Ça ira.

T'es sûr ?

Ouais.

Si tu changes d'avis, je reste chez moi encore une heure.

D'accord.

On se voit à 18 heures.

Ouais.

Je raccroche, fixe le putain de plafond. Le plafond n'a pas grand-chose à me dire ce matin, ne me dit pas pourquoi je n'arrive pas à me tirer du lit, ne me dit pas pourquoi mon chagrin commence à se muer en rage, ne me dit pas comment je suis censé le supporter, ne me dit rien, bordel. Je fume, fixe le mur, attends, attends, attends, rien.

Parfois dans l'après-midi je me lève, prends une douche, récupère un peu d'argent sous mon matelas, mets mes beaux habits. J'appelle mes amis pour voir ce qu'ils font dans la soirée ils vont dans un bowling où l'on peut aussi jouer au billard, je leur dis que je les rejoindrai vers 21 heures. Je sors, me mets à marcher il ne fait plus aussi froid, le printemps s'impose lentement. J'ai plus de mal à m'engourdir, je dois marcher plus longtemps, moins m'habiller, et ça ne fonctionne pas toujours, mon corps s'est adapté au froid. Il faut une heure pour rejoindre le restaurant. Quand je rentre, le patron me salue, dit content de vous revoir, Monsieur. Je demande si Leonard est arrivé il dit oui, je vais vous mener à sa table.

On traverse le restaurant, il est tôt, il est presque vide. Leonard est assis dans un coin, faisant face à l'entrée, il me voit se lève.

Mon fils ! **Mon fils !** MON FILS !

Je ris.

Salut, Leonard.

Assieds-toi, assieds-toi.

Le maître d'hôtel m'emmène vers la table, me présente une chaise. Je m'assieds, moi aussi face à l'entrée. Le maître d'hôtel s'en va. Je parle.

Alors c'est vrai.

Qu'est-ce qui est vrai ?

Les hommes comme toi ne s'asseyent jamais le dos tourné vers la porte.

153

Il rit.

N'importe quoi.

Comment ça, n'importe quoi ?

Le dos tourné vers la porte. C'est des conneries.

Ça m'a pas l'air d'être des conneries, pourtant.

Je suis sociable, je suis sociable, bordel. Je m'assieds comme ça pour regarder les gens.

Les gens ?

Oui, les gens. Je les aime. Je suis comme ça.

Je ris de nouveau.

Où est Barracuda ?

Il est resté à la maison.

Pourquoi ?

Ce n'est pas un voyage d'affaires. Je suis juste venu te voir.

Merci.

J'ai pensé que ça pouvait être bien qu'on passe du temps ensemble, rien que toi et moi.

Ça m'a l'air bien.

Comment va la vie ?

Je ris.

Ça dépend de quels aspects…

De quels aspects tu veux parler ?

J'aime mon nouveau boulot.

Je savais que ça te plairait. Que fais-tu de tout cet argent ?

Je le cache.

Sous ton matelas ?

Ouais.

Dans une boîte de céréales ?

Ouais.

Dans la chasse d'eau ?

Ouais.

T'as sûrement pensé que tu étais très malin.

En effet.

C'est pas bien, mon fils. Tout le monde connaît ces cachettes.

J'en ai aussi mis dans une boîte de produit vaisselle. Sous l'évier. Tu la connais, celle-ci ?

Non, j'en ai encore jamais entendu parler.

Si on me cambriole, il me restera au moins ça.

Tu ne vas pas te faire cambrioler. Je vais t'apprendre à gérer ton argent.

D'accord.

Il fouille dans sa poche, en sort un portefeuille en cuir noir, me le donne.

Il y a un permis de conduire de l'Illinois là-dedans. Il est valide, il est bien enregistré dans les ordinateurs de l'État. J'ai une photo de toi que j'avais prise à la clinique et je l'ai un peu trafiquée, elle a l'air vraie. Je t'ai aussi inventé un nom.

Je sors le permis de conduire du portefeuille, le regarde. Il a l'air vrai.

James Testardo ?

Ouais. Testardo, ça veut dire têtu en italien. J'ai pensé que ça serait drôle, si tu t'appelais Jimmy Testardo.

Je ris.

D'accord.

L'adresse sur le permis, c'est une maison vide qui appartient à une société écran à laquelle je suis très très vaguement associé, bien qu'il n'y ait aucune trace de cette association. Va à la banque, plus la banque et grande et anonyme, mieux c'est, et prends-toi un coffre. Chaque fois que tu iras là-bas, mets un chapeau ou des lunettes de soleil ou quelque chose qui change légèrement ton apparence. Fais des dépôts en liquide, vas-y lentement et pour des montants raisonnables, trois, quatre, cinq mille dollars chaque fois. Ne dépasse jamais les dix mille, parce qu'à dix mille la banque doit signaler le dépôt au fisc. Une fois que ton argent est placé, retire du liquide quand tu en as besoin. Ne paye jamais avec des chèques, mais toujours par mandats postaux. Si tu commences à avoir trop d'argent, achète un objet cher, quelque chose dans les quatre ou cinq mille dollars. Paye avec une carte de crédit. Si tu n'en as pas, je peux t'en avoir une, au nom de Testardo, si tu veux qu'on fasse comme ça. Rembourse le crédit de la carte en plusieurs fois en utilisant des mandats postaux payés en liquide. Quand tu achètes un truc, je te conseille d'acheter quelque chose de petit, comme des montres ou de l'art ou de l'argent, des bijoux, des livres rares, que tu n'iras pas exhiber devant tout le monde. Achète des objets que tu peux revendre si jamais t'es dans la merde, que tu peux déplacer rapidement et facilement. Aie du bon sens, n'attire pas l'attention sur toi et tout ira bien.

Je crois que je m'en sortirai.

Je sais bien. Tu as des questions ?

Non.

Tu veux qu'on commande ?

Oui.

Leonard fait signe au serveur. On commande du homard et du filet mignon, des épinards à la crème et des pommes de terre au four. On boit de l'eau, je bois du cola, Leonard boit du cola sans sucre. On parle de la prochaine saison de base-ball, on parle de nos amis de la clinique. L'un était en cavale, il s'est fait attraper et a été condamné à de la prison à perpétuité, sans possibilité de libération. Un autre a été tabassé à mort devant un bar. Un troisième a disparu. Un quatrième s'est suicidé avec un flingue. Quelques-uns vont bien, continuent de s'accrocher, continuent de se battre. Je discute avec Leonard je lui parle de notre ami Miles, qui est juge fédéral à La Nouvelle-Orléans. Il a décroché, il se sent fort, prend soin de lui. Il est content d'être chez lui, de vivre à nouveau avec sa femme et ses enfants, qu'il avait eu peur de perdre à cause de l'alcool. Leonard sourit, me demande de passer le bonjour à Miles. Il dit qu'il apprécie Miles, qu'il aimerait rester en contact avec lui, mais que leurs positions respectives leur interdisent d'entretenir une relation poussée.

La nourriture arrive, on mange. Je demande à Leonard où en sont ses recherches actuelles pour jouer au golf dans le Connecticut, où son père travaillait. Il rit, c'est un rire amer, un rire qui masque de la colère et de la peine, il dit nulle part. Je dis désolé, il hausse les épaules, dit que

156

c'est comme ça que le monde fonctionne, que les gens privilégiés gardent leurs privilèges, qu'ils entretiennent leur caste, qu'il y a certaines institutions qui sont incessibles, que ça soit juste ou non. Il dit que ça fonctionne aussi comme ça dans sa propre organisation, que seuls les Italiens peuvent en devenir membres à part entière, qu'il n'y a pas d'exception. Je lui demande ce qu'il va faire il rit de nouveau, son rire est différent maintenant, un mélange de colère et de menace, il dit que les membres du club ne font pas le serment du sang, qu'il doit bien y en avoir qui ont des écarts de conduite trompent leur femme couchent avec des putes font des dettes de jeu qu'il va en trouver un avec qui il aura une petite conversation, et qu'il entrera dans le club et fera sa partie de golf, comme son père mourant lui a fait promettre de le faire.

On finit, la table est débarrassée. Leonard propose d'aller prendre le café au bar, pour fumer des cigares. On se lève et comme nous nous éloignons de notre table, il fait signe au maître d'hôtel, on entre dans le bar on s'installe dans deux fauteuils en velours larges et confortables le maître d'hôtel suit parle au barman qui entre dans la cave à cigares du bar. Le barman revient, tend une petite boîte au maître d'hôtel, le maître d'hôtel s'avance vers nous, ouvre la boîte, parle.

Voudriez-vous un cigare cubain ?

Leonard sourit.

À vrai dire, oui. Merci.

Leonard tend la main vers la boîte choisit deux cigares le maître d'hôtel s'en va.

Leonard sort un cutter de sa veste, coupe précautionneusement les cigares, m'en tend un, les allume.

Tu te rappelles la manière de fumer ?

Ouais.

Je prends une bouffée, avale. Le tabac est doux, fort, il inonde immédiatement ma bouche. Je préfère le tabac des cigarettes. Leonard parle.

Ils sont sacrément bons.

Si tu le dis.

Si tu en fumais un dégueu, tu serais capable de faire la différence.

J'en fume seulement avec toi.

Alors tu n'en fumeras jamais de dégueu.

Sans que nous l'ayons commandé, le café arrive. J'en prends une petite gorgée, il est chaud, fort, il me fait tout de suite de l'effet, mon cœur se met à cogner.

Il est temps qu'on parle sérieusement, mon fils.

De quoi devons-nous parler ?

Je veux savoir comment tu vas.

Je vais bien.

Qu'est-ce que ça veut dire ?

Je ne sais pas.

Alors ça ne va pas bien.

Non, si l'on prend tout en compte, je crois que je vais mieux que bien, beaucoup mieux que bien.

Continue.

Je m'accroche, les jours passent, je me sens plus fort, mieux dans ma peau. Je ne sais pas comment je m'en sors, mais je m'en sors, et chaque jour représente un pas de plus vers une forme de normalité et de sécurité, un pas de plus vers une vraie vie. Si j'étais en enfer, avant, je suis au purgatoire désormais, et j'ai l'impression de pouvoir réussir la suite, quelle qu'elle soit. Je ne dors pas bien encore, j'ai encore des pulsions toute la journée chaque putain de journée, je suis encore nerveux et mal à l'aise avec les gens, j'ai encore peur, parfois, mais je fais avec. J'ai accepté que toute cette merde, c'était simplement une partie du prix à payer à cause de mon ancienne vie.

De quoi as-tu peur ?

Je ne sais pas.

Si, tu le sais.

Quand t'as passé toute ta vie à boire et te camer, tu ne sais faire les choses que n'importe comment. Il faut tout que je réapprenne à zéro, et des fois ça fait peur, la plupart du temps j'ai peur.

Si ça peut un peu te réconforter, moi aussi j'ai peur tout le temps.

Je ris.

Un vieux dur à cuire comme toi ? Je te crois pas.

Avant, je croyais moi aussi que j'étais un dur à cuire, mais j'ai compris que non. J'étais fragile, et j'avais une putain de carapace bien épaisse, et je faisais du mal aux gens pour qu'ils ne me fassent pas de mal, et je croyais que c'était ça, être un dur, mais je me trompais. Ce qu'on traverse aujourd'hui, ça c'est dur. Reconstruire, changer, s'occuper des dégâts, regarder la peur en face. Si j'y arrive, alors tu pourras dire que je suis un putain de dur à cuire.

Tu vas y arriver.

On va y arriver tous les deux.

On verra.

Comment ça va, malgré le deuil ?

Elle me manque.

Tu croyais qu'elle ne te manquerait pas ?

Non, mais en fait je ne croyais rien, parce que je ne pensais pas qu'un tel truc allait arriver. Je m'étais préparé à autre chose.

Mais c'est arrivé.

Ouais, c'est arrivé, et ça fait chier et elle me manque.

Qu'est-ce qui te manque ?

Tout me manque. Ça me manque de lui parler, de l'entendre me raconter sa journée. Sa voix rauque et enfumée me manque, ça me manque de l'entendre rire, de recevoir ses lettres, de lui écrire des lettres. Ses yeux me manquent, et l'odeur de ses cheveux, et le goût de son souffle. Tout me manque, bordel. Ça me manque de savoir qu'elle était là, parce que ça m'aidait de savoir qu'elle était là, que quelqu'un comme elle existait. Et je crois que surtout, ce qui me manque le plus, c'est de savoir que je la reverrai. J'ai toujours pensé que je la reverrais.

Tu dois respecter son geste, ça t'aidera.

Putain, je comprends pas pourquoi tu répètes toujours ça.

C'est la vérité.

C'est délirant, putain.

Non, pas du tout.

Elle s'est suicidée, Leonard, avec une putain de serviette, et je suis triste et paumé et plein de haine, haine de moi-même parce que j'ai été incapable de l'empêcher, et haine envers elle parce qu'elle l'a vraiment fait, mais je n'ai pas de respect.

Tu te rappelles qu'elle disait qu'une seconde de liberté vaut plus que toute une vie d'asservissement.

Ouais.

Elle a choisi la liberté, et tu devrais respecter sa décision et l'admirer d'avoir eu assez de courage pour aller jusqu'au bout. Ce n'est pas ton genre de liberté, ni mon genre de liberté, mais c'était le sien.

Le suicide, c'est pas la liberté.

Si tu ne connais que la souffrance, et qu'il n'y a rien à part la drogue pour la faire disparaître, et que tu n'as que le choix de vivre dans la dépendance ou de partir selon tes propres modalités, il n'y a qu'un seul choix qui s'offre à toi, c'est de partir.

Et que fais-tu du troisième choix, qui consiste à apprendre à gérer la douleur ?

Ce n'est pas à la portée de tout le monde.

Je détourne le regard, secoue la tête, serre les dents. Leonard parle.

T'as déjà entendu parler des cinq étapes du deuil ?

Je repose les yeux sur lui.

Non. Qu'est-ce que c'est ?

Je ne sais pas, je viens tout juste d'en entendre parler. J'ai vu un truc là-dessus dans une émission pour bonnes femmes. Je me dis que tu dois en passer par là, et tu finiras par tomber d'accord avec moi.

Je t'emmerde, Leonard, et j'emmerde tes cinq étapes de deuil.

Il rit.

Tu veux qu'on s'en aille ?

Ouais.

Il demande la note. Lorsqu'elle arrive, je m'en empare. Il parle.

Qu'est-ce que tu fais ?

C'est pour moi, cette fois.

Je mets la main dans ma poche, prends mon argent.

Non, certainement pas.

Bien sûr que si.

C'est inadmissible.

Il n'y a pas à discutailler.

Je te paye le resto. Ça fait partie de mes prérogatives.

Pas ce soir.

Je suis plus riche que toi.

Je regarde la note, commence à compter l'argent.

Tu te rappelles la fois où tu m'as dit que quand quelqu'un veut faire quelque chose de bien pour toi, il faut se contenter de sourire et de dire merci.

Ça marche seulement quand c'est moi qui fais quelque chose de bien pour toi.

Souris et dis merci, Leonard.

Je pose l'argent sur la note, la referme. Leonard sourit.

Merci, mon fils.

Je me lève.

Allons-y.

Leonard se lève, on s'en va. On prend un taxi pour rejoindre les amis au nord de la ville. On sort du taxi, on rentre dans un bowling à l'ancienne. Il y a trois salles. L'une d'elles comprend un long bar en chêne doté de tabourets, le bar doit avoir une centaine d'années. Une autre abrite le bowling, cinq pistes, toutes sont manuelles. Deux hommes sont accroupis en bout de piste et remettent les quilles en place lorsqu'elles tombent, puis renvoient les boules vers les joueurs. La troisième salle est vaste, sans cloisons, d'une hauteur de plafond de trois mètres cinquante. Elle accueille dix tables de billard alignées en deux rangées de cinq, qui courent sur toute la longueur de la salle. Des lampes accrochées au plafond pendent au-dessus de chaque table. Des tabourets et des tables de bar sont alignés le long des murs. Leonard et moi entrons dans la salle de billard, à la recherche de mes amis. Ils se trouvent autour d'une table dans un coin, on s'approche d'eux.

Bien que la plupart d'entre eux l'aient déjà rencontré, je présente Leonard à tout le monde. Il fait le baisemain à chacune des filles, leur dit qu'elles sont ravissantes. Il serre la main des gars, dit heureux de vous rencontrer, heureux de vous revoir. Une fois les présentations faites, il fait signe à la serveuse et lui dit de rapporter une tournée, de rapporter un pichet de cola et deux verres, et d'en rapporter toute la nuit, simplement d'en rapporter toute la nuit.

On joue au billard, mes amis boivent, on fume des cigarettes, Leonard fume un cigare, on rit, rit, rit. On se met à jouer de l'argent, cinq, dix billets par partie. Leonard est une vraie catastrophe, il perd trois parties. Nous autres avons des niveaux plus ou moins égaux, nous nous partageons le nombre de parties gagnées, nous nous partageons l'argent. Quand Leonard ne joue pas, il danse avec les filles, les fait tourner, leur apprend des pas sophistiqués, les couvre de compliments. La nuit avance, mes amis sont plus saouls. Mon ami Kevin suggère qu'on augmente les mises, on accepte de les porter à vingt dollars par partie. Leonard se remet à jouer, bat chacun d'entre nous à plate couture, rigole sous cape quand il joue. Je lui demande ce qu'il fabrique, il rit, dit qu'avant il arnaquait les gens au billard et qu'il voulait voir s'il savait toujours faire. Je ris, dis ouais, tu sais toujours faire, maintenant arrête, mes amis ne roulent pas sur l'or.

Leonard arrête de jouer, rend à tout le monde son argent, dit qu'avant il arnaquait les gens pour gagner sa croûte, offre à chacun quelques tuyaux. Il se remet à danser avec les filles. Mon ami Scott, qui est complètement bourré, s'approche de moi. Il a l'air énervé. Il parle.

Tu ferais mieux de dire à ton pote d'arrêter de danser avec ma copine.

Il ne fait rien de mal.

J'aime pas sa façon de danser avec elle, putain.

Je peux te jurer qu'il n'a aucune idée derrière la tête.

Je m'en fous. Dis-lui d'arrêter.

Scott est un grand type, un mètre quatre-vingt-dix, cent kilos au bas mot, et un caractère de cochon. Je sais que Leonard n'a pas de vues sur sa copine, mais je ne veux pas d'embrouilles. Je m'approche de l'endroit où Leonard et la petite copine de Scott, dont le nom est Jessica, dansent. Scott me suit.

Leonard.

Leonard fait tourner Jessica.

Leonard.

L'attire à lui, la renverse.

Leonard.

Il lève les yeux vers moi.

Une seconde.

Scott me contourne. Je tente de l'arrêter, il me repousse.

Arrête de danser avec ma copine, fils de pute.

Il écarte Jessica. Jessica a l'air effarée, Leonard a l'air effaré.

On fait rien de mal, mon ami. Rien de mal.

Je vais te botter le cul si tu la touches encore.

Détrompe-toi. Je ne cherche pas à manquer de respect.

Scott ignore tout de Leonard, ce qu'il est ou ce qu'il fait, ignore tout du pétrin dans lequel il est en train de se fourrer. Je m'avance vers lui.

Faut que tu te calmes, Scott.

Il se tourne vers moi.

Va te faire foutre.

Il se tourne vers Leonard.

Et va te faire foutre. Je vais te botter le cul si tu reposes ne serait-ce qu'une fois un œil sur elle.

Les gens autour de nous ont arrêté de jouer, ils nous regardent.

Tu devrais faire gaffe, petit. Ton mauvais caractère risque de t'attirer des ennuis.

C'est à toi que ça risque d'attirer des ennuis, vieux con.

Quelque chose change en Leonard qui, jusqu'à présent, était resté calme. Son visage se fige, ses yeux se rapprochent, son corps se raidit. Je l'ai déjà vu dans cet état, la première fois, quand je l'ai rencontré à la clinique, une autre fois quand on s'est battus avec deux autres patients, là-bas, dont l'un a été tué, plus tard.

Tu es en train de faire une grosse bêtise, mon ami. Je te conseille de faire demi-tour et de t'en aller tout de suite.

Jessica se met à tirer le bras de Scott en disant viens, viens, partons.

Scott regarde fixement Leonard.

Je t'emmerde.

Leonard ne répond pas, se contente de soutenir son regard. Jessica prend Scott par le bras, ils vont vers la porte, elle est manifestement bouleversée, on dirait qu'elle est au bord des larmes.

Je m'approche de Leonard.

Je suis désolé de cet incident.

Ton ami ne devrait pas boire autant.

Il lui arrive de perdre un peu les pédales.

Tu crois que j'ai le droit de danser avec les autres filles ?

Je ris.

Ouais, ça doit être jouable.

Bien. Retournons nous amuser. C'est pour ça que je suis venu, pour m'amuser, bordel de merde.

Je ris. Leonard se dirige vers Adrienne, lui demande si elle veut danser.

Elle répond oui.

JE RETROUVE LEONARD POUR PRENDRE LE PETIT-DÉJEUNER, un petit-déjeuner tardif, on est rentrés à 4 heures du matin, Leonard dansait avec les filles, moi je jouais au billard avec les copains, du bon temps, du bon temps.

Leonard me demande si j'ai parlé à Scott, je réponds non, je crois qu'il vaut mieux laisser tomber, il n'a pas besoin de connaître les conséquences éventuelles de ses actes. Ça reviendrait à lui dire ce que Leonard fait pour gagner sa vie. Leonard est d'accord avec moi.

On quitte l'hôtel. Le soleil rayonne. Il brille, il est chaud, les rues sont pleines de gens heureux, heureux parce que l'hiver s'en va, des gens heureux parce que c'est le premier jour de beau temps depuis des mois. On descend Michigan Avenue, s'arrêtant parfois pour regarder les vitrines des boutiques de luxe.

Leonard adore les vêtements, adore les vêtements coûteux, adore les costumes en laine sur mesure, les chaussures faites à la main, des chemises en coton égyptien, des cravates en soie. Il dit que la plupart des gens n'aiment pas porter des costumes, qu'ils ne s'y sentent pas à l'aise, parce qu'ils achètent des costumes de merde, pas chers et mal fichus, dans des tissus de mauvaise qualité. Il dit un costume bien coupé, fait avec des tissus de qualité, c'est le vêtement le plus agréable que l'on puisse porter. Je lui dis que je préfère les jeans et les T-shirts, les chaussettes en laine et les rangers, il rit, dit si tu étais mon fils naturel, tu verrais les choses autrement.

On finit par se retrouver au musée, l'Art Institute of Chicago. On déambule dans les galeries des maîtres européens, qu'on visite par ordre chronologique. On voit six retables de Giovanni di Paolo représentant saint Jean-Baptiste, qui a l'air de mourir de faim, errant dans le désert, et dont l'auréole dorée scintille. On voit un El Greco aux couleurs vives et argentées représentant l'ascension de la Vierge vers un croissant de lune. On voit huit Rembrandt lugubres, des hommes sévères en pèlerine et chapeau à plumes regardant dans le lointain, on voit le pauvre Rinaldo se faire ensorceler par la sorcière Armida vêtue de sa robe qui volette, peinte par Tiepolo. On voit des tableaux de Turner, Manet, Corot, Monet, Renoir, Caillebotte. On voit une danseuse de Degas, une promenade de Seurat, un autoportrait maussade de Van Gogh, un avec oreille, un sans oreille. On voit un Gauguin à Tahiti et Leonard se met à pleurer, il reste planté devant à pleurer sans rien dire, de grosses larmes coulent le long de ses joues. Je me tiens à côté de lui, regarde le tableau, qui représente une jeune Tahitienne, sûrement la maîtresse de Gauguin, qui porte une robe en coton toute simple, des fleurs blanches dans ses cheveux noirs, un éventail à la main. Je ne dis pas un mot, laisse Leonard pleurer, il se met à parler. Gauguin était banquier à Paris, marié, cinq enfants. Un jour il est rentré du travail et a dit à sa femme qu'il s'en allait, qu'il n'en pouvait plus d'être chargé de famille, qu'il en avait sa claque. C'est comme ça qu'il s'est barré. Il a dit qu'il avait toujours eu l'impression qu'il était peintre, alors il s'est installé dans un taudis infesté de rats et s'est mis à peindre. Sa femme l'a supplié de revenir, ses patrons lui ont dit qu'il était fou, il s'en fichait, il écoutait son cœur. Il a quitté Paris, est allé à Rouen, est parti de Rouen pour Arles, d'Arles pour Tahiti. Il cherchait la paix, la satisfaction, essayant de combler le putain de trou qu'il sentait à l'intérieur, pensant qu'il pourrait le combler. Il est mort à Tahiti, aveugle et fou à cause de la syphilis, mais il a réussi. Il a comblé son putain de trou, a produit une œuvre magnifique, une œuvre magnifique, magnifique.

Leonard essuie ses larmes.

C'était un homme courageux de s'en être allé, d'avoir tellement tenu à ça qu'il ne tenait à rien d'autre, d'avoir écouté ce qu'il éprouvait en son for intérieur, d'avoir accepté de pâtir des conséquences induites par le fait qu'il ne vivrait que pour lui-même. Chaque fois que je me retrouve devant son œuvre, ça me fait pleurer, et je pleure parce que je suis fier de lui, et heureux pour lui, et parce que je l'admire.

Leonard prend une grande inspiration, essuie ses dernières larmes, fait demi-tour et sort de la salle, du musée.

LEONARD S'EN VA, RENTRE À LAS VEGAS. Ma vie redevient normale, ou ce que je considère comme normal, c'est-à-dire plus normale que jamais.

Je vais à Kansas City.

Retourne à Detroit.

Indianapolis.

Milwaukee, trois fois à Milwaukee.

Dans les quartiers Nord. Dans les quartiers Sud.

Minneapolis.

Parfois je conduis, parfois je prends le métro aérien, parfois je prends le bus. Mes amis commencent à se demander pourquoi je disparais de temps en temps je leur dis que j'ai besoin d'être seul.

Je passe mes journées à marcher, à marcher sans fin. C'est le printemps je n'ai plus besoin de porter de veste les rues sont bondées les terrasses de café pleines les stands de hot dogs ouverts à chaque coin de rue. Je mange plein de hot dogs. Avec de la moutarde en rab, c'est encore meilleur. Quand je ne marche pas, je lis, je reste assis à lire plusieurs heures par jour. Chez moi sur des bancs dans l'herbe des parcs sur les marches du musée je reste assis à lire. Je lis les classiques, ou ce qu'on appelle les classiques, essayant de rattraper ce que j'ai manqué à l'école.

Je dors plus. Je fais moins de rêves. Quand les rêves surviennent ils ne sont plus aussi mauvais, je ne me réveille plus en tremblant, en saignant ou en vomissant, je ne me réveille plus en criant, en gémissant ou en pleurant.

Je prends du poids. Je ressemble moins à un toxicomane et plus à un jeune homme mal fringué.

JE ME RENDS DANS UNE BOÎTE PUNK pour voir un groupe appelé The Vandals. J'y vais avec mon ami Chris, avec qui je dealais de la coke, avant. On veut les voir jouer quelques-uns de leurs tubes, dont les classiques *Anarchy Burger* [*Hamburger anarchie*], *A Gun for Christmas* [*Un flingue pour Noël*] et *Tastes Like Chicken* [*Un goût de poulet*]. On n'est pas déçus. Les guitares sont bruyantes et rapides, la batterie gronde, le chanteur y va à fond, sa voix passe sans effort du cri au hurlement. On s'enfonce dans la fosse, levant les jambes, jouant des coudes, nous jetant parfois au milieu et nous faisant virer.

Pendant une pause, Danny et Kevin se pointent avec un groupe de filles. Danny est originaire de la banlieue de Chicago, dans l'un des coins les plus chic de la côte Nord. Il connaît depuis l'enfance les filles, qui sont bien habillées et ont de belles coiffures, des diamants et des perles aux oreilles. Elles jurent terriblement dans ce décor et ont l'air mal à l'aise.

Chris et moi nous dirigeons vers elles, les saluons, elles s'appellent Molly, Rory, Mila et Brooke. Je les ai déjà rencontrées, bien que mes souvenirs de ces rencontres soient vagues. Je leur demande si elles veulent boire un verre l'une d'entre elles me demande quelle bière ils servent je lui dis de la bière de base. Elle rit, dit O.K., une bière de base s'il te plaît. Je regarde les autres filles elles sont d'accord, elles veulent toutes une bière de base.

Je vais au bar, Kevin m'accompagne. Je parle.

Qu'est-ce qu'il y a ?

Rien.

Qu'est-ce qu'elles font là ?

Danny voulait les emmener.

Et elles ont dit oui ?

Je ne crois pas qu'elles savaient où elles allaient.

Tu crois qu'elles vont tenir combien de temps ?

Elles vont prendre une gorgée de bière et s'en aller.

Je ris. Je commande les bières, les attends les obtiens fais demi-tour. Trois des quatre filles sont toujours là, discutant avec Danny et Chris, observant les clients de la boîte, des jeunes hommes avec tatouages, crânes rasés et iroquoises, comme si elles étaient au zoo et contemplaient les animaux. Je reviens, tends les canettes, je demande si la quatrième fille est partie. J'entends une voix derrière moi.

Je ne m'appelle pas la quatrième fille, mais Brooke.

D'accord.

Je suis allée aux toilettes.

Je ris.

C'était comment ?

C'était dégueulasse, et hors service.

Y a des urinoirs dans les toilettes pour hommes.

Non merci.

Elle me prend la dernière canette des mains, me contourne, marche en direction de Danny, se met à lui parler. Je me tourne vers les trois autres, me mets à leur parler. L'une d'elles, qui s'appelle Molly, me demande comment je vais depuis le temps, je ris, leur dis que j'ai eu deux années difficiles. Elle dit qu'elle en a entendu parler, qu'elle a été surprise quand Danny leur a dit qu'ils allaient me voir ce soir. Je lui demande comme ça va depuis le temps, elle dit bien, elle travaille pour une boîte de décoration intérieure et fait des études d'archi. Tout en lui parlant, je jette des coups d'œil à Brooke. Ses cheveux sont blonds, presque blancs, ses yeux sont bleu clair. Elle est bronzée, a l'air d'avoir pris le soleil loin de Chicago, elle a des lèvres boudeuses des dents parfaites est peu maquillée. Je lui jette un coup d'œil, je la surprends qui me jette un coup d'œil. Je m'éloigne de Molly et me dirige vers Danny et Brooke elle s'éloigne de Danny, va parler à Molly. Je souris, sais quel petit jeu se joue ici, un jeu qui m'amuse, auquel je n'ai pas joué depuis longtemps. J'avance et je recule, elle s'écarte dès que je me rapproche d'elle. Elle sait ce que je fais, fait comme si je n'étais pas là, se contente de s'écarter, s'écarte. La musique repart, Chris et moi retournons dans la fosse. On joue de nouveau des coudes, on est repoussés, on chante pendant tous les morceaux connus. Je sais que Brooke m'observe, je ne regarde pas dans sa direction, sais que ça la gênerait que je la regarde.

La musique s'arrête. Danny propose qu'on aille dans un autre bar, tout le monde sauf Chris et moi n'a qu'une envie, sortir de ce trou. On se met d'accord pour s'entasser dans deux taxis je prends soin de m'asseoir près de Brooke allume une cigarette et l'ignore.

On va au Local Option. Nos autres amis sont là, d'autres personnes avec qui nous étions à la fac. Tout le monde se trouve dans la salle du fond à jouer au billard je pose des pièces sur le rebord la prochaine partie est pour moi. Je joue au billard et bois du cola et fume des cigarettes le restant de la nuit, Brooke et moi faisons beaucoup d'efforts pour nous ignorer mutuellement.

Quand le bar ferme je m'en vais et commence à rentrer chez moi. Je marche seul mes amis prennent des taxis. Pour la première fois depuis des heures je pense à Lilly, je n'ai jamais passé autant de temps sans penser à elle. Je me sens coupable, comme si j'avais fait quelque chose de mal, comme si je l'avais trahie, en quelque sorte. Je change de direction, vais vers elle et lui dis je suis désolé et je pleure.

Je me hais de l'avoir perdue.

Je la hais de m'avoir laissé.

Je n'ai aucune réponse.

LE SURLENDEMAIN JE REVOIS BROOKE elle est avec Danny je l'ignore ne lui dis pas un mot. Je ne joue pas, j'essaie d'être loyal, d'être fidèle, d'honorer la mémoire de Lilly.

Le soir suivant je suis au bar je la vois de nouveau. Elle se trouve avec un de ses amis, quelqu'un que je ne connais pas. Elle s'approche de moi, parle.

Salut.

Je hoche la tête.

Tu ne peux pas me dire bonjour ?

Si.

J'attends.

Bonjour.

Comment ça va ?

Bien.

Je fais demi-tour, m'éloigne, vais dans les toilettes elles sont libres. J'ouvre la porte d'une cabine descends la lunette m'assieds sur le couvercle. Je lève les mains, elles tremblent. J'allume une cigarette, ça ne me calme pas. Mon cœur cogne, j'ai la nausée, le vertige. Je me prends la tête entre les mains, ferme les yeux, respire lentement. Il ne faut pas que ça se produise, je ne suis pas prêt pour que ça se produise et je ne veux pas que ça se produise. Je veux rester avec Lilly. Je veux rester seul. Je suis en sécurité, tout seul, et quand je suis tout seul, on ne peut pas me faire de mal. Mon cœur cogne. Elle pourrait me faire du mal. Je me lève sors regarde vers le bar elle est partie. D'un côté je suis soulagé, d'un autre je suis déçu. Je suis encore paniqué, mes mains restent dans mes poches, encore tremblantes. Je m'en vais commence à marcher. J'ai envie de parler à Lilly, j'ai besoin de lui parler, j'ai peur de lui parler. Je marche pendant une heure deux trois réfléchis. J'achète des fleurs des roses rouges dans une épicerie ouverte vingt-quatre heures sur vingt-quatre. Je les pose, m'assieds devant.

Je parle.

Salut.

Tu me manques.

J'essaie de faire autrement, mais j'y arrive pas. Tu me manques.

Je veux te parler d'un truc. Ça me fait peur, mais il va bien falloir, tôt ou tard.

J'ai rencontré une fille.

Je ne la connais pas vraiment, je lui ai à peine parlé, et je ne sais pas s'il se passera quoi que ce soit entre nous, mais c'est la première personne qui me fait éprouver quelque chose depuis que tu m'as quitté.

Je suis désolé, je suis désolé.

Je ne sais pas quoi faire.

Si tu étais là ça ne se produirait pas.

J'aimerais que tu sois là.

J'aimerais que tu ne m'aies pas quitté.

Je te hais, à cause de ça.

Mais je te pardonnerai, si tu me pardonnes.

Je t'aime, et je t'aimerai toujours, mais j'ai envie de la voir.

Pardonne-moi.

TANDIS QUE JE COMPOSE LE NUMÉRO mon cœur bat la chamade mes mains tremblent. Première sonnerie, deuxième
sonnerie je pense à raccrocher. Elle répond.

Allô ?

Salut.

Qui est-ce ?

Tu sais bien qui c'est.

Non.

Si.

Il est 8 heures du matin.

Et alors.

Pourquoi est-ce que tu appelles si tôt ?

Tu dormais ?

Non, en fait. Est-ce que je peux faire quelque chose
pour toi ?

Tu aimes le base-ball ?

C'est pas une question qui occupe mes pensées.

T'as déjà vu un match ?

Non.

T'as envie d'en voir un ?

Quand ?

Demain.

À quelle heure ?

À 13 heures.

Cubs ou White Sox ?

Cubs.

Laisse-moi vérifier sur mon agenda.

Je ris.

Pourquoi tu ris ?

File-moi plutôt ton adresse.

Il y a un silence. Mon cœur continue de battre la chamade, mes doigts continuent de trembler.

65 East Scott.

Quel est le numéro de l'appartement ?

Il y a un gardien. Il m'appellera quand tu seras arrivé.

J'y serai à midi.

Je raccroche. Je souris. Mon cœur bat la chamade mes mains tremblent, mais pas parce que je suis nerveux, plus maintenant. Je me lève décris un cercle en marchant souris décris un cercle en marchant. J'éprouve autre chose que le chagrin et un sentiment de perte, de la confusion et de l'incertitude. Je sens une pulsion que je n'ai pas à combattre, qui ne fait pas partie de l'horreur de mon ancienne vie, qui ne va pas me tuer si je lui cède. Je sens, quelque chose de plus, je sens. Je décris un cercle en marchant.

Je prends une douche souris sous la douche. Je passe le restant de la journée à me promener en souriant, m'assieds dans un parc près du lac en souriant, je mange un énorme banana split dans l'après-midi je ne suis pas rassasié j'en mange un deuxième en souriant. Je ne fais rien, mais quand l'après-midi arrive, j'ai envie de dormir. Ne rien faire, c'est un sacré boulot et ça peut se révéler extrêmement fatigant. Je décide d'essayer et fais une sieste. Je n'arrive pas à me rappeler la dernière fois que j'ai fait une sieste. Si j'en suis capable, ça doit vouloir dire que mon corps est finalement en train de se rétablir, de devenir normal.

Je rentre chez moi m'allonge dors. Le sommeil vient facilement, profond complet sans rêves un sommeil de sieste. Il fait noir quand je me lève je me brosse les dents sors vais au bar voir si mes amis sont dans le coin ils se trouvent dans la salle du fond jouent au billard et picolent. Je vois Danny il se dirige vers moi.

Tu l'as appelée ?

Ouais.

Tu vas la voir ?

Je l'emmène à un match des Cubs demain.

Il rit.

J'y crois pas, putain.

Et si, putain.

Comment ça s'est passé ?

Je l'ai appelée et je lui ai demandé si elle voulait venir voir le match. En tout, ça a dû durer deux minutes. J'ai gardé mes distances parce que je sais que les filles dans son genre sont tout le temps sollicitées, et si tu ne gardes pas tes distances, tu ne les intéresses pas.

Qu'est-ce que tu sais d'elle ?

Je sais qu'elle s'appelle Brooke. Je sais que t'as grandi avec elle. Je sais qu'elle habite dans un quartier chic, et qu'elle n'a pas l'air d'avoir besoin de travailler. Je sais d'autres trucs, mais je ne suis pas certain que ce soit tes oignons.

Quoi par exemple ?

J'ai dit que j'étais pas certain que ce soit tes oignons.

Allez.

Je sais qu'elle est belle. Je sais que je me sens nerveux quand je suis près d'elle. Je sais qu'elle ressent la même chose que moi.

C'est plutôt des chouettes trucs à savoir.

Ouais.

Tu veux en savoir plus ?

Du genre ?

Elle vient d'une des familles les plus fortunées de Chicago, si ce n'est pas la plus fortunée.

Ça, j'en ai rien à foutre.

Elle est aussi du genre pas facile, et ne supportera pas les conneries.

J'ai pas l'intention de déconner.

En plus, elle est aussi très difficile.

C'est pas un problème, Danny. Je suis le meilleur parti de tout cet enfoiré de siècle.

Il rit de plus belle.

Si jamais tu dois rencontrer ses parents, j'espère que je serai là.

Pourquoi ?

Ils sont sympas, mais ils sont très conservateurs, ce sont des gens de vieille fortune. Ils vont sûrement se mettre à flipper si tu leur racontes quoi que ce soit à propos de ton passé.

Je ris, passe les deux heures suivantes à fumer des cigarettes, boire du cola, assis dans un coin, à regarder la table de billard, en parlant de temps à autre à l'un de mes amis. Je suis fatigué, m'en vais, songe à aller voir Lilly, rentre chez moi, décide d'essayer de dormir, j'ai besoin d'une putain de bonne nuit de sommeil. Ça vient facilement je ferme les yeux et sombre.

Je me lève tôt. Une douche avec du savon, mets des habits propres, prends un café, marche. Je vais vers la Gold Coast, le quartier le plus riche de Chicago. Il se trouve dans le North Side, devant le lac et juste au-dessus de Michigan Avenue et du quartier des boutiques. Les rues sont bordées de briques recouvertes de lierre, de grandes maisons en pierres grises et marron construites au tournant du XXe siècle par de riches industriels. Des berlines européennes sont garées le long des trottoirs, certaines avec leur chauffeur à l'intérieur. Les femmes avec enfants sont accompagnées de nourrice, les hommes sont vêtus de costumes sombres classiques et se promènent le journal à la main. Je vais et viens dans les rues, regardant les maisons, regardant le nom des rues, recherchant East Scott. Je la vois, elle est parallèle au lac, le pâté de maisons se trouvant derrière Lakeshore Drive. Par rapport au reste du quartier, l'immeuble de Brooke est neuf, construit dans les années 1960 ou 1970, vingt-cinq ou trente étages, de simples pierres blanches avec de grandes fenêtres.

J'entre dans le hall. Un homme qui a la cinquantaine avec un manteau et une cravate se tient derrière un comptoir d'accueil. Il lève les yeux, parle.

L'entrée de service est de l'autre côté.

Je ne suis pas là pour travailler.

Puis-je vous être utile ?

Je lui donne le nom de Brooke, il me demande comment je m'appelle, décroche le téléphone et fait un numéro. Il parle dans le téléphone, raccroche, me dit qu'elle sera là dans une minute. Je le remercie, sors, allume une cigarette. Je suis nerveux, j'ai peur. Je n'ai jamais eu de rencard à jeun. À part avec Lilly, je n'ai jamais été avec une fille en étant à jeun. Le temps que j'ai passé avec elle s'est déroulé dans une institution où nous étions en sécurité, où nous étions protégés des tentations et des cauchemars du monde extérieur, où nous pouvions faire semblant d'être normaux, où nous pouvions rêver que nous avions un avenir. Tout est différent aujourd'hui, c'est différent parce que Lilly est partie, parce que je suis seul, parce que Brooke et moi ne nous connaissons pas, parce que je suis fragile, parce qu'on peut me faire du mal. La nicotine ne réduit ni ma nervosité ni ma peur. Elle ne me rend pas invincible. Elle me permet de m'occuper en attendant que Brooke descende.

J'entends la porte s'ouvrir derrière moi. Je fais demi-tour. Elle vient vers moi elle porte un jean, des baskets, un pull, elle est souriante elle parle.

Salut.

Salut.

Je jette ma cigarette, l'écrase. Nerveux.

T'es prête ?

Oui.

Tu préfères marcher ou prendre le métro ?

On a le temps d'y aller à pied ?

Sûrement.

Marchons.

On se met à marcher, on parle en marchant, les conneries qu'on se raconte lors des premiers rencards.

Comme on se rapproche du stade, les rues deviennent de plus en plus bondées. On n'a pas de billets, alors je me mets à chercher des revendeurs. Je vois trois types dans un coin qui font semblant de s'affairer. Je m'approche d'eux leur demande s'ils ont des billets l'un d'eux me demande si je suis flic je dis non il me donne le prix. Je lui tends de l'argent il me donne des billets.

Brooke et moi entrons dans le stade. Je lui propose de lui acheter des babioles, un chapeau, un T-shirt, peut-être qu'elle aimerait une batte miniature, elle se moque de moi. On trouve nos places, elles sont situées en haut des gradins le long de la ligne de la troisième base. On s'installe je lui demande si elle connaît les règles elle sourit dit je n'ai jamais vu de match, mais je ne suis pas complètement conne.

L'hymne national retentit, le match commence. Une minute plus tard, un vendeur de bières remonte notre allée.

Tu veux une bière ?

Tu viens pas de sortir de cure de désintoxication ?

Je viens pas juste de sortir, mais ça fait pas très long-temps.

Ça ne va pas te mettre mal à l'aise ?

J'en prendrai pas, mais si t'en veux une, n'hésite pas. La bière, ça fait partie de la grande tradition du base-ball américain.

D'accord, j'en prends une.

Je fais signe au vendeur, le paye, tends la bière à Brooke, elle avale une gorgée.

C'est comment ?

Bon. Merci.

Bien.

Est-ce que ça te dérange si je te pose une question ?

Demande-moi tout ce que tu veux.

Pourquoi t'étais là-bas ?

Alcool et cocaïne.

Tu es alcoolique ?

Ouais, je suis alcoolique et je suis toxicomane. J'ai aussi un casier.

Un casier, pour quoi ?

Trafic de stupéfiants, deux conduites en état d'ivresse, vandalisme, deux voies de faits, toutes sortes de trucs à la con.

Je suis désolée.

T'as pas à être désolée. Ce n'est pas ta faute, ce n'est la faute de personne, à part la mienne.

Combien de temps es-tu resté là-bas ?

En désintox ?

T'as été ailleurs ?

J'ai été en prison après la cure.

Combien de temps es-tu resté à la clinique ?

Quelques mois.

Combien de temps es-tu resté en prison ?

Quelques mois.

Qu'est-ce qui était pire ?

La clinique, c'était pire mais c'était aussi mieux. Mon corps était en vrac à cause de l'excès d'alcool et de drogue, j'ai été malade pendant un bail, j'ai morflé, putain, un vrai cauchemar. Quand j'ai commencé à me sentir mieux, j'ai dû choisir entre rester en vie ou non, et c'est une décision difficile parce que ça voulait dire en finir avec pas mal de saloperies assez horribles. Après avoir fait mon choix, j'ai rencontré une petite bande de gens chouettes, j'ai commencé à aller un peu mieux, c'était assez incroyable. La prison, c'était chiant et ça me foutait les jetons, mais surtout c'est une putain de perte de temps.

Comment tu te sens maintenant ?

En ce moment je me sens bien, et en général ça va, mais tout ça est relatif. Par rapport aux gens normaux je suis une loque, vachement perturbé, vachement déglingué.

Elle rit.

Au moins tu ne racontes pas de craques.

Si on devient amis, tu finiras bien par le savoir un jour ou l'autre.

Elle sourit.

Si ?

Je souris.

Si.

Dès que le match commence le temps se met à tourner. De gros nuages noirs arrivent sur nos têtes, on entend au loin le grondement sourd de l'orage. La température chute de trois degrés, de cinq degrés. Le soleil s'en va, le vent revient. Je regarde Brooke.

Tu crois que ça va aller ?

Ici, c'est n'importe quoi, la météo. Il pourrait faire soleil dans quinze minutes, ou bien se mettre à neiger.

Tu veux tenter le coup, ou tu préfères qu'on s'en aille ?

Le match vient de commencer. Tentons le coup.

On reste, mais je ne fais pas très attention au match. Je lui pose des questions sur sa famille, elle a une sœur aînée, une sœur cadette, elle s'entend bien avec les deux, ses parents sont heureux ensemble. Je lui demande où elle a fait ses études elle me dit qu'elle est allée dans une petite fac privée. Je lui demande ce qu'elle a étudié elle dit la psychologie, je lui demande ce qu'elle veut faire elle dit qu'elle ne sait pas, qu'elle essaie de trouver.

Il se met à pleuvoir. Au bout de quinze minutes la pluie se mue en neige fondue. Nous sommes sous l'auvent en haut des tribunes, donc on reste au sec, mais il fait froid et je vois en observant ses bras que Brooke a la chair de poule. Je lui demande si elle veut partir elle dit essayons de tenir, dix minutes plus tard je lui redemande, je ne veux pas qu'elle se sente mal, elle dit essayons de tenir. Je lui repose la question lorsque le match est reporté et qu'une bâche est posée sur le terrain, elle sourit et dit, oui, je crois qu'on peut y aller maintenant.

On sort du stade, on commence à retourner vers le centre, à pied, on se fait tous les deux mouiller j'essaie de tenir le programme au-dessus de la tête de Brooke, ça ne change pas grand-chose. Je l'entraîne loin du stade loin des bars loin des gens elle demande où nous allons je dis dans un endroit que je connais.

On longe quelques blocs. On essaie de s'abriter sous des arbres ou des auvents afin de rester au sec. On va dans un petit bar. J'ai déjà été dans ce bar, c'est un troquet doté d'un billard. Je sais qu'on y sera au calme. Je sais qu'on y sera seuls.

On rentre il y a deux personnes au comptoir et les tables sont vides. Je demande à Brooke si elle veut boire un verre elle dit oui je lui prends une bière, je me prends un cola. On va dans la salle du fond où il y a le billard et quelques tabourets.

Je regarde Brooke, parle.

Tu veux faire une partie ?

Oui.

Tu sais jouer ?

Plus ou moins.

Tu veux que je t'apprenne ?

Tu peux me donner des conseils.

Je mets les billes dans le triangle, tends une queue à Brooke.

Tu veux casser ?

D'accord.

J'enlève le rack, lui donne la bille du joueur, recule. Elle se penche en avant, aligne la bille, tire, la bille du joueur éparpille les autres billes sur toute la table.

On dirait que t'as pas vraiment besoin de conseils.

Elle sourit.

On joue pendant une heure. Elle sirote lentement sa bière, je bois cinq colas. On fume tous les deux. Elle gagne deux parties, j'en gagne trois. On parle facilement, sans silences gênés, sans interruptions maladroites. Elle demande si j'ai souvent envie de boire ou de me droguer je lui réponds tout le temps. Elle me demande si c'est dur d'être dans un bar je lui dis je peux trouver de l'alcool partout, n'importe où, il y a des magasins de spiritueux à chaque coin de rue, être dans un bar, c'est comme être ailleurs. Elle me demande si c'est dur de ne pas boire, je lui dis que c'est abominable, que je passe beaucoup de mon temps à pleurer, que parfois j'ai envie de mourir. Elle me demande comment je m'en sors, je lui dis je garde à l'esprit qu'à un certain moment je vais me sentir mieux et que si je suis patient et que je m'accroche, ce moment viendra. Elle me demande ce que je veux faire de ma vie je lui dis que la plupart du temps j'ai du mal à passer la journée et que pour l'instant je ne m'en préoccupe pas vraiment. Elle me demande comment je gagne ma vie, je lui dis que je n'ai pas beaucoup d'argent, que je vivote en faisant des petits boulots à la con. Je m'ouvre à elle, je m'ouvre plus à elle qu'à presque tous les autres, mais il y a des choses qu'elle n'a pas besoin de savoir, et il y a des choses que je n'ai pas l'intention de lui dire.

On s'en va vers 17 heures. On prend un taxi pour aller chez elle. Je passe tout le trajet à me demander si je vais l'embrasser. Bien qu'on bavarde, je n'entends pas un mot, je n'ai pas la moindre idée de ce que je dis. Je me contente de la regarder en me demandant est-ce qu'elle va me laisser faire est-ce que j'essaie est-ce qu'elle va me laisser faire est-ce que j'essaie est-ce qu'elle va me laisser faire.

On arrive près de son immeuble, on sort du taxi.

Je peux te raccompagner à la porte ?

N'espère pas te faire inviter à entrer.

Qui a dit que je voulais être invité à entrer ?

Elle sourit.

Ouais, tu peux me raccompagner à la porte.

On entre dans l'immeuble, est-ce que j'essaie, on se dirige vers l'ascenseur, est-ce qu'elle va me laisser faire. Elle appuie sur le bouton de son étage, lève les yeux vers moi.

Merci de m'avoir emmenée voir le match.

Merci d'être venue.

Elle sourit, nous ne parlons plus, nous contentant d'échanger des regards gênés. L'ascenseur s'arrête, les portes s'ouvrent. On sort, on se dirige vers sa porte. Mon cœur se met à battre la chamade mes jambes sont lourdes je suis nerveux j'ai peur j'ai envie de l'embrasser je n'ai pas envie d'être éconduit je pense qu'elle me rendra mon baiser mais on ne sait jamais nerveux apeuré. On s'arrête devant sa porte. Elle parle.

C'est ici.

T'as une belle porte.

Elle regarde la porte. C'est une porte sans prétention, grise, avec un chiffre dessus. Elle me regarde à nouveau.

Je ne l'avais jamais remarqué.

Elle est belle. Elle me plaît.

Elle rit.

Merci pour cette chouette journée.

Nerveux.

Tout le plaisir était pour moi.

Apeuré.

On se voit bientôt ?

Mon cœur bat la chamade.

Ouais.

Elle tend la main, je la prends, l'attire contre moi, l'embrasse. C'est un baiser tout simple. Les lèvres entrouvertes, quelques secondes. Je m'écarte lentement, ouvre les yeux. Brooke a l'air surprise. Comme déstabilisée. Comme apeurée. Je souris.

Salut.

Je fais demi-tour, vais vers l'ascenseur, appuie sur le bouton la porte s'ouvre, je pénètre à l'intérieur, attends que la porte se referme. Je ne me retourne pas, ne regarde pas derrière moi, ne la cherche pas des yeux, je la laisse avec le baiser. La porte se referme, je me mets à sourire, prends une longue inspiration, expire. J'appuie sur le bouton l'ascenseur commence à descendre. Un flash me traverse, quelque chose qui ressemble au flash de la drogue, à un flash de plaisir, de sécurité, de joie, un flash d'espoir réalisé, un flash d'amour ou quelque chose qui pourrait être l'amour.

Je sors de l'ascenseur le sourire encore aux lèvres sors de l'immeuble le sourire toujours aux lèvres. Je descends la rue je pense à Lilly mon sourire s'évanouit. Quelque chose à l'intérieur me fait mal quelque chose entre la joie d'avancer et le chagrin de renoncer. Je vais chez un fleuriste dépense tous les sous que j'ai en poche en roses rouges en roses.

Je tombe à genoux. Dépose les fleurs devant moi.

Salut.

J'ai vu la fille dont je t'avais parlé.

Ça s'est bien passé avec elle.

Je ne me suis jamais senti bien depuis que tu es partie, mais aujourd'hui si, je me suis senti bien, j'ai fini par me sentir bien.

J'ai envie de la revoir.

J'ai besoin de voir ce qui va arriver.

Je ne viendrai plus aussi souvent dans le coin.

Tu me manques, et j'aimerais que tu sois là, et si tu étais là ça ne se produirait pas.

Je me mets à pleurer.

Tu m'as quitté.

Je pleure.

Tu m'as quitté.

Pleure.

Je ne viendrai plus aussi souvent dans le coin.

Pleure.

JE VOIS BROOKE LE LENDEMAIN.

Puis le lendemain.

Puis le lendemain.

On fait des balades, on va au ciné, on mange des cheeseburgers dans une cafet'. On va dans des bars, on joue au flipper, on fume des cigarettes.

Au bout d'une semaine elle me fait entrer chez elle. C'est un trois pièces avec vue sur le lac Michigan. Joli, mais rien d'extraordinaire.

Au bout de dix jours elle me fait entrer dans sa chambre. Elle a un lit blanc et douillet, elle a de beaux draps propres, elle a plus de coussins qu'il n'en faut. On s'allonge sur son lit et on s'embrasse, on s'embrasse, des baisers longs et profonds on s'allonge l'un en face de l'autre nos jambes entrelacées on s'embrasse. On ne va pas plus loin que les baisers je ne suis pas assez sûr de moi pour aller plus loin. Je lui dis que j'ai peur qu'elle me fait peur que mes émotions me font peur que le fait de m'ouvrir me fait peur. Elle pose des questions sur mon passé je lui raconte des histoires de drogue des histoires sur mon arrestation sur la dépendance sur ma déchéance. Je n'éprouve ni fierté ni honte en racontant ces histoires. C'était ma vie, et maintenant ça ne l'est plus.

Je rencontre sa colocataire, Heather. Heather est sympa avec moi, mais je sais qu'elle pense que je suis un truand, et je sais qu'elle pense que Brooke pourrait trouver quelqu'un de mieux. Je suis d'accord avec Heather, Brooke pourrait indéniablement trouver quelqu'un de mieux.

Je rencontre son ami Ned. Ned est ouvertement hostile à mon égard. Il dit à Brooke que je vais lui faire du mal, que je suis dangereux, instable, dérangé. Nous dînons avec lui dans l'intention de l'adoucir, il ne m'adresse pas la parole, sauf de temps en temps pour me faire des remarques sur mes manières à table. Je demande à Brooke si je peux botter le cul de Ned. Elle dit non.

Je passe la nuit avec elle pour la première fois je me sens en sécurité dans ses bras je dors facilement, sans rêves.

On loue des films.

On commande des pizzas.

On se tient la main quand on marche.

On reste éveillés jusqu'à tard on regarde le soleil couchant.

On dort les après-midi.

On voit Danny, Kevin. Ils rient tous deux de ce qui nous arrive. Kevin dit c'est comme dans les films je demande quel film il rit, dit *La Belle et la Bête*.

Je ne travaille pas. Je ne sais pas pourquoi on ne m'appelle pas, ne sais pas pourquoi je ne suis pas obligé d'aller quelque part.

Je fais rire Heather, une, deux, trois ou quatre fois mon humour désopilant commence à marcher avec elle. On sait tous les deux que Brooke mériterait quelqu'un de mieux, mais Heather se met à croire que je ne suis peut-être pas si affreux.

On dîne à nouveau avec Ned. Je sais qu'il aime le sport j'essaie d'engager la conversation avec lui. On parle base-ball, basket, football. Il aime l'équipe de Chicago j'en sais assez pour entretenir la discussion. À la fin de la soirée, alors que je suis aux toilettes, il dit à Brooke qu'il s'est peut-être trompé sur mon compte. Plus tard, quand

Brooke me raconte, je réponds que je suis content qu'il ait dit ça, parce que sinon, malgré ses objections, j'étais sur le point de lui botter le cul. Elle se moque de moi.

Je me mets à passer toutes les nuits avec elle.

Je rentre chez moi le matin. Je prends une douche, prends mon courrier, me réapprovisionne en argent liquide. Je suis chez moi un matin le téléphone sonne je décroche.

Allô.

Leonard parle.

Harry Houdini à l'appareil, nom de Dieu.

Je souris.

Quoi de neuf, Leonard ?

Où t'étais, mon fils ?

Pas loin.

Et tu faisais quoi ?

Pas grand-chose.

Ah ! AH !

Je ris.

Qu'est-ce que ça veut dire, bordel ?

J'ai dit **AH !** Tu t'affiches partout avec une petite demoiselle.

Peut-être.

Peut-être, mes couilles. Un de mes informateurs dit que tu prends du bon temps avec une jolie petite blonde.

Un de tes informateurs ?

Il y a des gens qui m'informent de trucs. Je les appelle mes informateurs.

Et ils me surveillent ?

Ils regardent ce que tu fais, de temps en temps.

Il faut que ça cesse, Leonard.

C'est pour ton bien.

Cesse de me faire surveiller, Leonard.

D'accord, d'accord, je vais arrêter.

Merci.

Est-ce que tu t'amuses ?

Je ris.

Oui.

Je parie que ça ne te manque pas de ne pas travailler.

Est-ce que c'est pour ça qu'on ne m'a pas appelé ?

Je me suis dit que tu méritais un peu de repos pour te concentrer sur des sujets plus importants.

Merci.

On dirait que t'as pas perdu ton temps.

Ouais.

Impressionnant.

Qu'est-ce que tu sais sur elle ?

Je sais qu'elle est très séduisante, je sais qu'elle est très riche. Je sais qu'elle a du sang bleu, qu'elle vient d'une vieille famille. Je sais que t'as l'air d'aller mieux que depuis un sacré bail.

Tu la fais surveiller par quelqu'un ?

Non, j'ai juste fait quelques recherches.

Plus de ça.

Je comprends.

Plus jamais.

Tu la protèges.

Ouais.

Je suis content pour toi.

Pourquoi ?

Si tu la protèges, ça veut dire que tu tiens à elle. C'est une bonne chose, une belle chose, que tu sois de nouveau capable de tenir à quelqu'un.

Tu devrais venir pour la rencontrer.

Ça sera pas de sitôt.

Pourquoi ?

J'ai des affaires à régler en ce moment, de grosses affaires, et il faut que je veille au grain. Je viendrai la voir quand ça sera bouclé.

D'accord.

T'as besoin de quelque chose ?

Nan.

T'as de l'argent ?

Assez pour un an.

Il rit.

Ça m'étonnerait.

Je ne dépense pas grand-chose.

T'as une petite copine. Tu vas commencer à en dépenser.

Je ris.

C'est pas son style.

On verra.

T'as besoin de quelque chose ?

Non.

On reste en contact ?

Évidemment.

Bonne chance avec tes affaires.

Au revoir, mon fils.

Je raccroche, sors, descends en ville. Brooke m'attend.

ON DÎNE AVEC LA SŒUR AÎNÉE DE BROOKE, Courtney, et le mari de Courtney. C'est une sorte de test avant une éventuelle rencontre avec ses parents. On va dans un restaurant chic. Je porte de beaux vêtements, un treillis et une chemise bleue et une veste sport, les mêmes que je porte quand je transporte quelque chose dans le métro aérien et fais semblant d'être un banlieusard. On s'assied, on est en avance, je me sens nerveux. J'ai l'impression d'être un imposteur dans mon accoutrement, comme un acteur en costume, comme si je faisais semblant d'être quel-qu'un que je ne suis pas. Brooke et moi avons parlé de ce que je peux dire et de ce que je ne peux pas dire, Brooke me dit d'être totalement sincère. Elle a raison, je devrais être sincère, mais je veux que sa sœur m'apprécie et je sais que ce ne sera sûrement pas le cas si elle connaît mon passé. Je sais qu'à bien des égards je ne devrais rien en avoir à foutre, je suis ce que je suis, mais je n'en ai pas rien à foutre, loin de là. Je ne veux pas lui faire honte.

On s'assied à notre table, on attend que sa sœur arrive elle est en retard. Brooke me prend la main, parle.

Ça va ?

Tendu. Et toi ?

Un peu tendue.

T'as pas à être tendue, je vais bien me tenir.

Je le sais bien, et si ça peut te rassurer, Courtney est sûrement plus tendue que nous.

Pourquoi ?

Je lui ai parlé de toi, elle est anxieuse et excitée à l'idée de te rencontrer.

Qu'est-ce que tu lui as dit ?

Que des choses bien. Tu n'as pas à t'inquiéter.

Brooke désigne la porte. Je me tourne, vois un homme et une femme qui viennent vers nous. L'homme a des cheveux bruns et frisés, le teint olivâtre, presque trente ans. La femme est un modèle de Brooke en plus grand. Les mêmes cheveux blonds, les mêmes yeux bleus, la même peau, les mêmes lèvres. Le même air réservé, le même air fortuné. Elle est légèrement plus grande que son mari, qui se tient quelques pas derrière elle.

Je me lève dis bonjour elle sourit me dit salut, je suis Courtney, et voici mon mari Jay, je leur serre la main je dis je m'appelle James on s'assied.

Le dîner se passe bien, nous sommes à l'aise. Courtney fait la conversation, elle parle de ses enfants, de sa maison sur la côte Nord, combien elle est occupée, combien elle aime son mari. Juste avant que les plats arrivent, elle me demande si ça me dérange si elle commande du vin je dis non elle demande comment je m'en sors je comprends que Brooke lui a parlé de la cure de désintoxication je dis bien elle commande un verre de chardonnay. Elle parle pendant tout le repas, ne touche pas à son assiette. Je mange un steak c'est succulent mais j'ai encore faim elle ne touche pas à son saumon si je pouvais je tendrais le bras par-dessus la table, l'attraperais et le mangerais.

On termine le repas son mari prend la note. On sort ensemble elle m'embrasse embrasse Brooke on dit au revoir ils s'en vont. Brooke et moi rentrons à pied chez elle. Elle parle.

Ça s'est bien passé.

Tu crois ?

Ouais, tu lui as plu.

Comment tu le sais ?

Si tu ne lui avais pas plu, elle t'aurait fait la tête, n'aurait pas arrêté de se plaindre et aurait torturé Jay.

Je ris.

Le pauvre bougre.

Mon cul, le pauvre bougre, il savait dans quoi il mettait les pieds en l'épousant.

J'éclate de rire à nouveau.

Je suis content que ça se soit bien passé, content que tu penses que je lui ai plu.

Elle va faire son rapport à mes parents et leur dire que tu conviens parfaitement.

Ce qui est bien.

Très bien.

Je désigne ma veste sport.

Maintenant que tout s'est bien passé, est-ce que je peux enlever ça ?

Non.

Non ? Pourquoi non ?

Je ne t'ai jamais vu sur ton trente et un. Je te trouve très beau. Fais-moi plaisir, garde-la jusqu'à ce qu'on arrive chez moi.

Je souris, lui prends la main. Un frisson chaud et froid me parcourt le corps s'apaise lentement persiste me fait peur. Je me sens très proche de Brooke, fort avec sa main dans la mienne, invincible face au monde entier, mais fragile devant elle, vulnérable devant elle, elle pourrait me faire du mal, elle pourrait me faire du mal, rien d'autre à part elle ne pourrait me faire du mal.

On rentre chez elle. On va dans la chambre de Brooke. Brooke ferme la porte, allume une bougie. Je m'assieds sur le lit elle s'assied à côté de moi. On s'observe un petit moment, on s'observe en silence. On se rapproche l'un de l'autre, on ferme les yeux, on tend les bras, on se trouve, mains souffles lèvres corps se rencontrent. Il y a quelque chose de plus cette fois-ci, les murs sont tombés, la carapace s'est fendue, les digues ont lâché. Il y a quelque chose de plus profond de plus brusque de plus urgent dans nos mains dans notre souffle dans nos lèvres dans nos corps. On se lève ses mains courent sous ma chemise mes mains sous son corsage sur son dos on se sépare brièvement ma chemise tombe on s'allonge. Je sens ses cheveux, le savon sur sa peau, le parfum sur son poignet. Ses lèvres sont douces contre les miennes, ses mains fermes. J'ôte son corsage. Ma poitrine contre sa poitrine je sens son cœur qui bat. Je suis près d'elle mon corps et le reste sont près d'elle.

Je me sens faible fragile vulnérable. Elle pourrait me faire du mal. Je suis près d'elle. J'ai peur. Elle pourrait me faire du mal. Je sens son cœur qui bat, je sens mon cœur qui bat, elle pourrait me faire du mal. Je ne peux pas continuer comme ça elle pourrait me faire du mal. Je ne peux plus supporter ça, un peu plus et elle pourrait me faire du mal.

J'ai envie de l'embrasser je continue de l'embrasser je ne me suis pas senti aussi bien depuis Lilly depuis Lilly. J'ai envie de continuer à l'embrasser je commence à paniquer putain je suis mort de trouille. Je m'écarte.

Pourquoi tu t'arrêtes ?

Je ne peux pas.

Qu'est-ce qui ne va pas ?

Je ne peux pas, c'est tout.

Qu'est-ce que j'ai fait ?

Rien.

Est-ce que j'ai fait quelque chose de mal ?

Je suis désolé.

De quoi ?

Je flippe, c'est tout.

Pourquoi ?

Je flippe, c'est tout. Je suis désolé.

Elle me dévisage. Je regarde ailleurs. Je suis embarrassé, honteux, confus. Mes mains tremblent, mon corps tremble. Ses bras m'enlacent elle me sent trembler je me déteste elle pourrait me faire du mal comme Lilly m'a fait du mal putain je suis mort de trouille.

Qu'est-ce qui ne va pas ?

Je n'arrive pas à la regarder.

Qu'est-ce qui ne va pas, James ?

Je secoue la tête, me mords la lèvre. Je ne veux pas pleurer devant elle je ne veux pas pleurer. Elle m'attire contre elle, pose ma tête contre son épaule me tient contre elle.

Je veux l'aimer. Je veux me donner à elle. Je veux la prendre dans tous les sens du terme je veux être normal avec quelqu'un mener une vie normale avec quelqu'un. Je ne veux pas avoir peur d'aimer de donner de l'amour et d'en recevoir. J'en ai marre d'être seul, putain. Je n'y arrive pas et j'ai honte de moi. Je parle doucement je parle.

Ça n'a rien à voir avec toi.

Quelque chose de ton passé ?

Ouais.

Tu veux qu'on en parle ?

Non.

On peut rester ici, allongés. On n'est pas obligés de parler.

Je suis désolé.

Reste tranquillement ici.

On est allongés sur son lit nos jambes enlacées elle plaque ma tête contre son épaule. Mon cœur se calme, je cesse de trembler. Les murs sont revenus, la carapace est refermée, les digues sont restaurées. Elle me tient dans ses bras je me sens en sécurité je suis à l'abri. Elle se penche embrasse mon front.

Tu veux une cigarette ?

Ouais.

Elle lâche son étreinte. Elle se lève va devant sa commode ouvre un tiroir en sort un T-shirt. Elle le met et quitte la chambre. Je m'assieds, me penche contre la tête du lit. Je prends une grande inspiration, fixe les draps. Je déteste ma faiblesse, déteste ma peur, je me déteste. Brooke revient dans la chambre. Elle porte un paquet de cigarettes, un cendrier, une bouteille d'eau. Elle s'assied devant moi, me tend une cigarette, je la prends elle l'allume.

Merci.

Tu veux un peu d'eau ?

Je prends la bouteille, bois une gorgée.

Merci.

Ça va ?

Je secoue la tête.

Non, pas du tout. Je suis complètement taré.

Est-ce que je peux faire quelque chose ?

J'aimerais bien.

Je suis désolée.

Tu n'as pas à l'être. Tu n'as aucune raison d'être désolée.

Elle se penche en avant, m'embrasse le front. Elle change de place pour s'asseoir à côté de moi. On fume notre cigarette, buvant chacun à notre tour de l'eau à la bouteille. Je regarde fixement les draps, levant parfois les yeux vers elle. On finit les cigarettes, les écrase. Elle prend le cendrier, le pose sur la table de nuit près du lit.

Elle me jette un coup d'œil, parle.

Tu veux dormir ?

Ouais.

On s'allonge l'un à côté de l'autre. Elle se penche de nouveau embrasse gentiment mes lèvres, enroule ses bras autour de moi, pose sa tête sur ma poitrine. Je l'observe s'endormir. Au bout d'une heure, je sors de son lit. Je vais dans le salon, allume une cigarette, regarde par sa fenêtre observe le lac, fume et observe le lac il est calme, noir, tranquille. J'aimerais pouvoir la laisser m'aider. J'aimerais qu'elle puisse faire quelque chose pour moi. Je fume et observe le lac j'ai peur, elle pourrait me faire du mal, elle pourrait me faire du mal.

JE DORS MAL. JE M'EN VAIS TÔT le lendemain matin. J'embrasse Brooke pour lui dire au revoir me mets à marcher tente de chasser ma peur en marchant il n'y a rien à faire. Je marche toute la journée je marche jusqu'à ce que mes jambes me fassent mal mes pieds me fassent mal ça ne marche pas. Je rentre chez moi lis le *Tao* ça ne marche pas. Je me dis que je n'ai pas à avoir peur il n'y a rien à faire. Je me dis qu'elle ne va pas me faire de mal ça ne marche pas. Je me dis je peux me sortir de n'importe quoi j'ai vu pire j'ai supporté pire ça ne s'en va pas.

Brooke appelle me demande comment je vais je lui dis ça va. Elle demande si je veux la voir dans un bar elle sort avec Heather je dis oui. Peut-être que quand je la verrai je me sentirai mieux, peut-être, peut-être.

Je prends une douche, me change, me rends à pied au Local Option. Je rentre j'aperçois Brooke et Heather assises à une table. J'avance dans leur direction comme je me rapproche je vois que Brooke a l'air bouleversée. J'arrive je parle.

Salut.

Salut.

Salut, Heather.

Salut, James.

Je regarde Brooke.

Comment ça va ?

Brooke jette un coup d'œil à Heather, puis vers moi.

198

Je vais bien.

Je tire une chaise, m'assieds devant elle.

Qu'est-ce qui va pas ?

Rien.

Quelque chose ne va pas.

C'est pas grave.

Si, c'est grave.

Elle secoue la tête.

Allez, dis-moi.

Elle jette de nouveau un coup d'œil à Heather, puis à moi.

On était debout, au comptoir, un type s'est approché de moi et il m'a peloté le cul. Je lui ai demandé ce qu'il faisait et il a dit je pelote ton joli cul et il a recommencé.

Il est ici ?

C'est pas grave.

Il est ici ?

Heather me désigne trois types au comptoir, parle.

C'est celui du milieu.

Je me lève.

Je reviens tout de suite.

Brooke parle.

Qu'est-ce que tu vas faire ?

T'inquiète pas pour ça.

Je me dirige vers les trois types au comptoir. Les vannes s'ouvrent à l'intérieur de moi. Je suis submergé par la rage, la peur, l'agressivité, le besoin de protéger et le besoin de venger, l'irrépressible besoin de détruire détruire détruire. Je connais ce sentiment j'ai vécu avec pendant des années la Fureur est de retour. Je ne l'aime pas, elle a failli me tuer dans le passé, elle est revenue. Mon cœur se met à cogner. Je serre les poings, serre les mâchoires. Chaque muscle de mon corps se tend, se pré-pare, se contracte, se bande. Mon esprit se calme mes yeux se concentrent sur les trois hommes penchés contre le comptoir. Ils font presque la même taille que moi, ils regardent le comptoir, ne me regardent pas. Ils portent des treillis repassés, des chaussures de cuir, des chemises amidonnées, des montres de valeur. Ils ont des visages bien rasés et des coupes de cheveux classiques et courtes. Ils peuvent me filer me raclée, je peux leur filer une raclée, peut-être qu'il n'arrivera rien. J'essaie de me maîtriser, j'essaie de me préparer.

Je m'arrête à moins d'un mètre d'eux, parle.

Excusez-moi.

Pas de réponse. Je hausse le ton.

Excusez-moi.

L'un d'eux pas celui du milieu se tourne.

Ouais ?

Je veux parler à ton pote.

Il tapote l'épaule de son pote, me désigne du doigt. Celui du milieu se tourne.

Ouais ?

Mon cœur cogne. Je désigne Brooke et Heather, qui nous observent.

Ne la touche plus jamais. Ne touche pas sa copine.

Ses amis se tournent vers moi.

Quoi ?

Elle n'a pas envie que tu la touches à nouveau. C'était déplacé la première fois, il ne devrait pas y en avoir d'autre.

Qui t'es ?

Ça n'a aucune importance.

Elle t'a demandé de venir me voir ?

Ça n'a aucune importance.

Je le fixe des yeux. Il soutient mon regard. Je suis nerveux tendu j'ai peur je suis prêt à décamper je ne sais pas comment je vais me débrouiller avec ses amis. Il les regarde l'un après l'autre, repose les yeux vers moi.

On est trois et t'es tout seul.

Je le fixe des yeux. Ils sont trois, je suis seul. Je ne sais pas ce que je vais faire.

J'en ai rien à foutre que vous soyez trois. Ne la touche plus jamais.

On se regarde dans les yeux. J'aperçois Derek qui se penche sous le comptoir pour saisir une matraque courte, épaisse, il s'approche de nous, parle.

James ?

Je lève les yeux vers lui.

Y a un problème ?

Je regarde à nouveau celui du milieu, il jette un coup d'œil à Derek, aperçoit la matraque. Il parle.

Y a pas de problème.

Il se tourne vers moi.

Dis à ta copine que je suis désolé.

Merci.

Je retourne à la table rejoins Brooke et Heather. Brooke parle.

Qu'est-ce qui s'est passé ?

Il m'a dit de te dire qu'il est désolé.

Qu'est-ce que tu lui as dit ?

Ça n'a pas d'importance. Il ne te touchera plus jamais

Elle me prend la main.

Merci.

C'est rien.

Elle sent que je tremble.

Tu vas bien ?

Ça ira mieux dans quelques minutes.

Elle sourit.

Merci d'avoir fait ça.

Je hoche la tête.

De rien.

Je reste assis avec elles, bois un cola ou deux, fume, attends que ça passe. Mes mains cessent de trembler mais ça ne va pas mieux. La Fureur reste avec moi, me torture, dit bois espèce d'enculé bois espèce d'enculé, elle dit détruis détruis, elle dit je vais te faire du mal. Je ne me suis pas senti comme ça je n'ai pas senti la Fureur comme ça depuis la clinique je me sens déjà assez fragile et vulnérable. Je n'ai pas envie de me trouver dans un bar à cet instant. J'ai envie que la Fureur s'en aille et que l'alcool la détruise. J'ai envie de boire. À chaque seconde

201

le besoin grandit, grandit, à chaque seconde c'est un véritable combat de résister. Il faut que je parte. J'ai envie de boire. Il faut que je parte. J'attends que les trois types au comptoir partent en premier, je ne veux pas que Brooke se retrouve seule avec celui du milieu. Ils s'en vont au bout d'une heure je les regarde partir j'attends cinq minutes me lève, regarde Brooke, parle.

Faut que j'y aille.

Qu'est-ce qui va pas ?

Je ne peux pas rester ici.

Je viens avec toi.

Reste ici, passe une bonne soirée. J'ai besoin d'être seul.

Je me penche, l'embrasse, sors du bar. Je commence à marcher dans la rue. J'ai envie de me calmer. J'ai envie que la Fureur s'en aille. J'ai envie de me sentir à l'abri, j'ai envie que les pulsions s'en aillent. Cela ne devrait pas être si difficile cela ne devrait pas m'embêter. Je sais que mes problèmes sont dérisoires. Je sais que j'ai connu pire, vu pire, ressenti pire. Je sais que mes problèmes sont minuscules et pathétiques comparés aux problèmes dans le monde. Je sais que je devrais ne rien en avoir à foutre et faire avec. Le savoir, cependant, ne change rien. Tout au plus, le savoir me fait me sentir stupide, me sentir faible, me sentir encore plus mal.

Je marche pendant des heures, toute la nuit. Je marche et je cherche et ne trouve rien ni réponse ni rien. Je suis toujours le même je ressens les mêmes choses que lorsque je suis sorti du bar. Je ne veux pas le reconnaître mais je sais que je ne peux pas continuer je ne suis pas prêt à être avec quiconque d'autre que moi-même Elle pourrait me faire du mal. J'ai envie de la protéger, des sentiments aussi forts sont dangereux pour moi. J'ai peur. Je vais chez elle je dis bonjour au gardien il me connaît maintenant je monte frappe à sa porte. Il est 9 heures du matin elle devrait être debout elle ouvre la porte en pyjama. Elle sourit, parle.

T'as pas l'air très bien.

Je ne le suis pas.

Elle m'invite à entrer je pénètre dans son appartement. Je vais dans son salon m'assieds sur son canapé,
elle va dans la cuisine.

Tu veux une tasse de café ?

Volontiers.

Elle verse le café dans deux tasses, met un peu de lait
dans la sienne, vient dans le salon. Elle me tend une des
tasses, s'assied à côté de moi. Elle m'embrasse sur la joue,
s'écarte.

Tu as l'air triste.

Je hausse les épaules.

Qu'est-ce qui ne va pas ?

Je baisse les yeux, secoue la tête. Je me déteste, déteste
ma faiblesse, déteste de ne pouvoir continuer. Elle pose
sa main sur la mienne.

Qu'est-ce qui ne va pas ?

Je lève les yeux, secoue la tête, mords ma lèvre. Elle
m'observe pendant un moment, attrape ses cigarettes.

Tu veux une clope ?

J'acquiesce. Elle me tend une cigarette, l'allume, s'en
allume une pour elle, me regarde.

Tu ne peux pas continuer, c'est ça ?

Non.

Pourquoi ?

Je ne peux pas, c'est tout.

Est-ce que j'ai fait quelque chose ?

Je secoue la tête, mords ma lèvre. Je ne veux pas
pleurer.

Alors, qu'est-ce qui cloche ?

Je suis taré, c'est tout. Paumé et apeuré et taré.

Une larme se met à rouler sur ma joue.

Ça n'a rien à voir avec toi.

Les deux joues.

Et j'aimerais que ça se passe autrement.

Des larmes ruissellent sur mes deux joues elle hoche
la tête, se penche, met ses bras autour de moi, parle.

Je me disais que ça risquait de se produire. Je voyais bien que tu étais tout le temps mal et je voulais faire quelque chose pour toi. Je ne sais pas ce qui t'est arrivé avant, mais je suis désolée, et j'espère que tu vas arriver à t'en sortir, et si tu as besoin d'une amie, tu sais où me trouver.

Je la laisse me tenir dans ses bras et je pleure. J'en ai marre de chialer bordel ça fait trop en un an trop. J'en peux plus de pleurer. Brooke me serre dans ses bras et relâche son étreinte et bien que tout aille mal et que je me déteste de la quitter je me sens bien parce qu'elle me serre.

Je pleure.

J'en peux tellement plus, bordel.

Je pleure.

JE TROUVE LA CARTE DE LEONARD cinq noms cinq numéros je commence par le haut attrape mon téléphone compose le premier numéro ça sonne sonne sonne une voix.

Ouais ?

Est-ce que M. Sinatra est là ?

Non.

La voix raccroche je compose le numéro suivant. Sonnerie sonnerie une voix.

Allô ?

Est-ce que M. Kennedy est là ?

Non.

Numéro suivant.

M. Bob Hope, je vous prie ?

Il n'est pas là.

Numéro suivant.

Est-ce que Joe DiMaggio est dans le coin ?

Nan.

Dernier numéro.

Pourrais-je parler à Leonard ?

Qui est-ce ?

James.

Il n'est pas là. Vous voulez laisser un message ?

Dites-lui que j'ai appelé.

Ça sera fait.

Merci.

Je raccroche. Cinq minutes plus tard, mon téléphone sonne. Je décroche.

Allô ?

Mon fils, tu as appelé.

Ouais.

Qu'est-ce qui ne va pas ?

Rien. Je veux reprendre le travail.

Pourquoi ?

Parce que, c'est tout.

Tu l'as quittée, n'est-ce pas ?

Qu'est-ce qui te fait penser ça ?

Je l'entends.

Oui, je l'ai quittée.

Je suis désolé.

C'est con, mais ça arrive.

N'essaie pas de te la jouer avec moi. Tu es bouleversé. Je l'entends à ta voix.

T'as raison, je suis bouleversé. La seule chose que j'ai à faire, c'est passer à autre chose, essayer de m'occuper. C'est pour ça que je veux travailler.

Je vais voir ce qu'on a, peut-être que j'essaierai de venir te voir cette semaine Te remonter le moral.

Ça serait chouette.

T'as besoin de quelque chose ?

Ce dont j'ai besoin, je n'y ai pas droit.

Ça c'est bien dit. Tiens-toi à carreau.

Appelle-moi si tu viens.

D'accord.

Merci, Leonard.

Au revoir, mon fils.

Je raccroche.

Ce dont j'ai besoin, je n'y ai pas droit. Je bois du café fume des cigarettes lis le *Tao* fais de longues promenades erre dans les galeries du musée parle à Lilly ne dors pas. Le temps passe lentement. Ce dont j'ai besoin, je n'y ai pas droit. J'aimerais être occupé. J'attends que le téléphone sonne.

ON FRAPPE À LA PORTE. IL EST ENVIRON MIDI je suis allongé sur mon lit à regarder le plafond. Je me lève on frappe encore je vais devant la porte.

Qui est-ce ?

C'est la voix de Leonard.

M. Tout-Jouasse et son équipe de Boute-en-Train.

Je ris, ouvre la porte. Leonard et Barracuda entrent dans l'appartement. Je parle.

Pour une surprise.

Leonard parle.

On avait des affaires à régler à New York. On a bidouillé notre planning pour avoir huit heures de battement.

Je regarde Barracuda.

Comment tu vas, Barra ?

C'est moi, la putain d'équipe de Boute-en-Train. On peut pas espérer mieux.

J'éclate à nouveau de rire. Leonard parle.

Va te mettre des belles sapes et attrape ta carte de crédit, on a rendez-vous.

Où ça ?

Surprise.

Qu'est-ce qu'on va faire ?

Apporter un peu de beauté à ta vie.

Qu'est-ce que ça veut dire ?

Ça veut dire mets des belles sapes et attrape ta carte de crédit, on a rendez-vous.

Faut que je prenne une douche.

Bien. On t'attend.

Je vais dans la salle de bains, prends une douche rapide, vais dans ma chambre, mets mes beaux habits, Leonard, Barracuda et moi partons. On marche sur le trottoir on entre dans une longue Benz blanche on va vers le centre. Leonard me demande si j'ai faim je dis non, il dit qu'il a faim on s'arrête dans un petit restaurant il mange une salade verte. Il finit la salade on remonte dans la voiture on va dans le quartier des galeries de Chicago on gare la voiture dans la rue on sort de voiture on descend la rue. Leonard parle.

Tu sais ce qui est arrivé à ce quartier y a deux ans de ça ?

Aucune idée.

Le marché de l'art s'est effondré et ici, comme dans tous les quartiers à galeries du pays, ça s'est foutrement écroulé. Tu sais ce que ça veut dire, pour nous ?

Aucune idée.

Ça veut dire que la plupart de ces galeries sont au bord de la faillite, qu'elles désespèrent de vendre leur stock et qu'elles ont envie de faire des putains de très, très, très bonnes affaires. Tu sais pourquoi on est là ?

Pour acheter des œuvres ?

Plus précisément.

Je ne sais pas.

On est là pour te trouver un Picasso.

Tu te fous de moi.

Leonard regarde Barracuda.

Est-ce que je me fous de lui ?

Barracuda me regarde.

Il se fout pas de toi.

Je regarde Leonard.

Je n'ai pas les moyens pour un Picasso.

Tu n'as pas les moyens de t'offrir un tableau. Tu n'as pas les moyens de t'offrir un grand dessin ou un dessin important, mais tu peux probablement t'offrir quelque chose de petit.

Barracuda parle.

Les œuvres de Picasso sont étonnamment abordables.

Leonard parle.

Barra en a deux.

Barracuda parle.

J'ai un beau dessin au pastel d'une tête de femme et un dessin au crayon d'une colombe.

Leonard parle.

Et il les a eus pour pas cher parce que les vendeurs ont besoin de vendre.

On s'arrête devant un immeuble. Leonard parle.

J'ai fait des recherches avant de venir. Il y a une galerie à l'intérieur. Chic, mais pas très chic. Ils ont de belles pièces en stock et ils ont un énorme, énorme trou financier.

Il ouvre la porte et on entre dans l'immeuble. La galerie se trouve au deuxième étage, on monte une volée de marches. Barracuda ouvre une porte vernie en acier on pénètre dans une grande salle avec des murs blancs un sol en bois gris et une belle hauteur de plafond. Des tableaux sont accrochés aux murs, certains sont de grands tableaux abstraits, colorés, certains ne sont que de petits dessins, certains sont des panneaux monochromes minimalistes. Dans un coin au fond de la salle, il y a l'accueil, et derrière, une porte qui mène à un bureau. Leonard me regarde, parle.

Allons là-bas derrière.

On va en direction du bureau. Lorsqu'on s'approche, une belle femme d'une bonne trentaine d'années sort. Elle a des cheveux bruns et courts, porte du rouge à lèvres sombre, un tailleur noir. Elle sourit.

Que puis-je faire pour vous ?

Leonard parle.

Nous recherchons des dessins de Picasso.

J'en ai quelques-uns.

Nous aimerions les voir.

Suivez-moi.

On passe la porte, on entre dans une petite pièce. Il y a une grande vitrine contre un mur, les dessins sont pourvus d'étiquettes aux noms des artistes, deux petits dessins encadrés se trouvent au-dessus. Il y a deux chaises contre un autre mur, une porte dans un troisième. La femme parle.

Asseyez-vous, je reviens tout de suite.

Barracuda nous laisse les chaises on s'assied. La femme sort par la porte, la referme doucement derrière elle. Je regarde Leonard, parle.

C'est hallucinant, putain.

Il rit.

Pourquoi tu trouves ça hallucinant ?

L'idée que je vais peut-être rentrer chez moi avec un Picasso, c'est tout simplement hallucinant.

Tu t'en remettras.

Je ris.

Qu'est-ce que j'en fais, une fois que je suis à la maison ?

Tu le fous sur un mur, qu'est-ce que tu crois ?

Et si on me le pique ?

Leonard regarde Barracuda.

Barracuda ?

Barracuda me regarde.

Tu les retrouves et tu les butes.

Je ris. La femme ouvre la porte. Elle entre dans la pièce avec un petit dessin, peut-être vingt centimètres par vingt-cinq, et un légèrement plus grand, peut-être vingt-cinq centimètres par trente. Elle prend précautionneusement les dessins dans la vitrine et les remplace par les nouveaux. On se lève pour les observer.

Leonard parle.

Si ce que tu vois ne t'émeut pas, ne te fait pas sourire, ne te rend pas heureux, ne te fait rien éprouver, alors laisse tomber, ne l'achète pas.

Je ris. La femme rit. Je regarde de nouveau les dessins. La femme parle.

Vous éprouvez quelque chose ?

Je secoue la tête.

Non.

J'en ai d'autres.

Elle reprend les dessins, s'en va, revient avec deux autres quelques instants plus tard. Je les observe n'éprouve rien elle s'en va en rapporte deux rien deux autres. Il y en a un que j'aime bien. Il est composé de deux morceaux de papier superposés, un visage d'homme souriant tout simple est dessiné au crayon bleu, à cheval sur les deux. Le mot *papiers* est griffonné au crayon gris en haut du morceau le plus bas, le mot *collés* est griffonné au bas du morceau de papier le plus haut. Une grande étoile, également au crayon gris, est dessinée au petit bonheur sur les deux morceaux et le visage bleu, Picasso a signé en bas, dans de grandes lettres. La pièce fait environ trente-cinq centimètres de large sur soixante-dix de haut, et se trouve dans un vieux cadre en bois noir sculpté, orné. Je le regarde et il me fait sourire. J'imagine Picasso assis dans un atelier désordonné quelque part en France, je l'imagine en train de le dessiner distraitement, je l'imagine le fourrer dans un tiroir et l'oublier. Peut-être l'a-t-il donné, peut-être l'a-t-il vendu quand il avait besoin d'argent, peut-être quelqu'un l'a-t-il trouvé après sa mort, je ne sais comment il a atterri ici, dans une galerie de Chicago, mais je le regarde et il me fait sourire et je sais qu'il va venir à la maison avec moi.

Je demande à la femme combien c'est elle me donne le prix, Leonard dit hors de question, c'est au-dessus du marché et il donne son chiffre. Elle répond ils augmentent et baissent augmentent et baissent jusqu'à ce qu'ils arrivent à un prix convenable. Ils me regardent je souris et dis d'accord.

Je donne ma carte de crédit à la femme elle dit qu'elle préfère les chèques. Je dis que je préfère les cartes de crédit elle dit d'accord elle prend la carte. Je signe le reçu.

211

Elle demande si je veux me le faire livrer, je dis non je l'emporte tout de suite.

Je le prends, le retire de la vitrine. Leonard et Barracuda et moi remercions la femme, on sort de la galerie. Je porte mon Picasso sous le bras. Je souris en marchant j'ai un Picasso sous le bras je trouve ça absolument ridicule. Leonard me regarde, sourit, parle.

T'as fière allure avec ce truc.

Je ris. Il jette un coup d'œil à Barracuda, parle.

Il a fière allure, hein ?

Barracuda parle.

Ça lui va à ravir.

Il faudrait peut-être qu'il revienne demain pour en acheter un autre.

Pourquoi pas ? On n'a qu'une vie.

Je ne te le fais pas dire. On ne vit qu'une fois, et on achète un Picasso dès que l'occasion se présente.

On rit, on rejoint la Mercedes, grimpe à l'intérieur, part. On rentre chez moi. Leonard dit qu'ils doivent aller à l'aéroport, ils ont un avion dans quelques heures. Je dis merci d'être venus j'ai passé une super journée. Leonard dit c'est rien, on reviendra bientôt. Je sors de voiture, ils s'en vont. Je rentre chez moi. Comme je n'ai pas de marteau ni de clou, je pose mon Picasso contre le mur près de mon lit. Je ris chaque fois que je le vois.

L'ÉTÉ SUCCÈDE AU PRINTEMPS.

Je parle à Lilly. Parfois je lui fais la lecture, parfois je reste simplement assis près d'elle.

Je vais à Saint Louis.

Milwaukee.

Vers le nord, vers le sud. Dans les quartiers Nord. Dans les quartiers Sud.

Je sors tous les soirs. Je vais dans des bars avec mes amis. Je fume joue au billard regarde mes amis se saouler. Je rentre tard je n'arrive toujours pas à dormir quand les bars ferment je marche dans les rues vides, obscures, silencieuses. Je marche jusqu'à ce que le jour pointe. Je m'assieds près du lac et je regarde le lever du soleil.

Je dors la journée, quelques heures par jour.

Je lis, regarde des œuvres d'art.

Je vais à Detroit.

Rockford.

Gary, Indiana.

Je décide que j'ai envie d'écrire quelque chose. Je ne sais pas quoi, ça n'a pas vraiment d'importance, je veux juste essayer. J'achète un ordinateur. Je m'assieds devant et je fixe l'écran. J'ouvre un fichier de traitement de texte et, avec deux doigts, je tape – Tu veux ma photo, abruti ? – encore et encore et encore. Une femme m'arrête dans la rue et dit tu ne te sentiras pas toujours comme ça. Je lui demande ce qu'elle veut dire et elle dit je sens ta douleur, je la sens. Je ne sais pas si c'est un génie ou une cinglée. Je me détourne et m'en vais rapidement.

Je vois quelqu'un que je connaissais, quelqu'un que je n'ai pas vu depuis des années. Il me voit sourit s'approche et dit comment ça va avec la picole, Frey ? Je réponds ça va, et toi, comment ça va avec la picole ? Il dit qu'il est fauché, qu'il n'a pas de travail et que ça fait chier, mais que ça lui permet de sortir tous les soirs. Je lui donne dix billets, dis bois un coup à ma santé, vieux frère, bois un coup à ma santé.

Je retourne à Milwaukee.

Vais deux fois à Rockford.

Minneapolis-Saint Paul.

Je suis toujours trop maigre, je fais un régime spécial. Je prends tous mes repas soit à The Weiner Circle, soit au Taco/Burrito Palace n° 2, soit à The Olympic Gyro House. Je commande uniquement des plats avec de la viande rouge, je reprends toujours de la viande rouge, avec la plupart des plats je commande aussi un rab de fromage.

Un homme me propose de me vendre un pack de six coups de pied au cul et une bouteille de grande gueule. Je lui demande c'est combien ? Il dit t'as pas assez, enfoiré, mais je parie que tu peux te payer cette merde de solitude.

Je vais voir Lilly. Parfois je lui fais la lecture, parfois je lui parle, parfois je reste seulement assis auprès d'elle.

L'automne succède à l'été.

ÇA FAIT UN AN, EXACTEMENT UN AN, que je n'ai pas bu un verre. Ça fait un an et deux jours que je n'ai pas fumé de crack.

JE SUIS DANS LE TRAIN QUI VA DANS LA BANLIEUE NORD. Je suis d'abord passé à la maison. C'est la maison où j'ai pris mon premier paquet, où le drôle de type en pyjama de soie s'est payé ma tête. J'y suis retourné trois ou quatre fois, chaque fois une nouvelle personne est venue ouvrir la porte. Je suis censé récupérer une serviette et l'emporter dans la partie Sud de la ville.

C'est tôt le matin. Le train est presque vide. Je lis, de temps à autre je jette un coup d'œil par la fenêtre, le ciel est gris, les feuilles ont changé, elles commencent à tomber. Il commence à faire froid.

Je sors du train prends un taxi. Je me rappelle comment on y va. Je vois la maison les grosses pierres grises. Je me dirige vers la porte, frappe, personne ne vient, je frappe encore, entends des bruits de pas une respiration lourde. J'attends. Les pieds cessent de traîner j'entends toujours la respiration lourde. Je frappe de nouveau la porte s'ouvre c'est homme au pyjama. Il porte un caleçon blanc, sale et très court et un T-shirt blanc crasseux, il a des poches noires et profondes sous les yeux. Son nez coule et il tremble et on dirait qu'il n'a pas dormi depuis longtemps. Il tient un neuf millimètres dans une main et il le braque sur mon visage.

Qu'est-ce que tu veux ?

Je suis surpris terrorisé ne peux parler.

Qui t'a envoyé ici ?

Je ne veux pas mourir je me mets à trembler comme une feuille.

QUI T'A ENVOYÉ ICI ?

Le trou noir du canon se trouve à quelques centimètres de mon visage je sens l'odeur du métal. Je ne veux pas mourir je ne peux pas respirer bouger parler je ne veux pas mourir je suis paralysé.

ENCULÉ.

L'homme arme le flingue.

QUI T'A ENVOYÉ ICI, ENFOIRÉ ?

Je ne veux pas mourir je me pisse dessus. L'urine coule le long de ma jambe, dans mes chaussures, elle ne cesse de se répandre ma vessie s'est vidée.

QUI ?

Le pistolet tremble putain putain putain.

T'A ENVOYÉ ?

Je ne veux pas mourir le pistolet tremble putain de merde.

ENCULÉ ?

Il faut que je me tire bouge bouge bouge si je ne me tire pas je vais mourir. Je fais un petit pas en arrière. L'homme me fixe des yeux, le pistolet est toujours braqué sur mon visage. Je fais un nouveau petit pas en arrière j'ai tellement peur je ne veux pas mourir pitié pitié pitié. Je recule encore d'un pas l'homme me fixe des yeux son doigt est sur la détente pitié.

C'EST LEONARD QUI T'A ENVOYÉ ?

Pitié encore un pas pitié ne tirez pas pitié.

C'EST LEONARD QUI T'A ENVOYÉ ?

Encore un pas ne tirez pas pitié.

C'EST LEONARD QUI T'A ENVOYÉ ?

Je ne veux pas mourir. Je ne veux pas mourir.

TU VAS DIRE À LEONARD.

Encore un pas.

QUE JE VAIS LUI FOURRER CE FLINGUE DANS LE CUL.

Encore un pas.

ET LUI FAIRE EXPLOSER SA PUTAIN DE CERVELLE.

Encore un pas en arrière. Encore un pas, encore un pas. L'homme me regarde pitié ne tirez pas pitié encore un pas encore un pas. Pitié pitié pitié laissez-moi partir. L'homme me regarde, je suis presque parti. Il baisse son flingue, s'essuie le nez, ferme la porte. Je continue de reculer jusqu'à ce que j'atteigne le trottoir. Je fais demi-tour et je m'en vais en marchant d'un pas pressé. Mon cœur est en train d'exploser mes jambes sont en coton. Je tremble j'ai la jambe et les pieds, le pantalon, les chaussettes et les chaussures trempés d'urine. Quand j'arrive au bout du pâté de maisons je tourne au coin de la rue je suis loin putain de Dieu je suis loin. Je tombe à genoux sur une petite parcelle d'herbe marron entre le trottoir et la rue. Je vomis.

JE RENTRE CHEZ MOI EN MÉTRO mon pantalon est plein de pisse. J'achète un journal pour le poser sur mes genoux afin que les autres passagers ne voient pas mon pantalon le voyage n'est pas agréable.

J'appelle Leonard lui dis ce qui est arrivé il n'est pas content. Il me dit qu'il va venir à Chicago s'occuper personnellement de cette affaire il veut me voir à son hôtel habituel dans la matinée.

Je passe le reste de la journée à fumer cigarette sur cigarette. Je ne cesse de voir le trou noir du canon. Je ne cesse de sentir l'odeur du métal. Je ne cesse d'entendre la balle entrer dans le barillet. Je ne cesse de sentir l'urine couler le long de ma jambe. La nuit vient je n'arrive pas à dormir. Je ne cesse de voir ses yeux, d'entendre sa voix. Il avait le doigt sur la détente et il aurait pu me tuer.

Je vais à la banque. Remplis un sac de billets. Je vais à l'hôtel, c'est loin, à pied. Je veux détruire cette peur la brûler je la sens toujours, ça ne marche pas je la sens toujours. Je prends l'ascenseur, vais au restaurant. Leonard et Barracuda sont assis à une table, ils m'attendent. Ils n'ont pas l'air contents. Ils se lèvent en me voyant arriver. Leonard parle.

Mon fils.

Quoi de neuf, Leonard ?

Comment ça va ?

Je vais bien.

Je regarde Barracuda.

Quoi de neuf, Barracuda ?

À toi de me le dire.

J'ai passé une drôle de journée, hier.

À ce qu'il paraît.

Leonard s'assied, on fait de même. Leonard parle.

T'as mangé ?

Non.

On va commander, et puis je veux que tu racontes à Barracuda ce qui est arrivé.

On commande, et à la différence des autres repas qu'on a pris ensemble, le menu n'est pas gargantuesque. Une fois qu'on a commandé, je raconte les événements de la veille. Au milieu de mon histoire, les plats arrivent et je continue de parler pendant qu'on mange. Ni Leonard ni Barracuda ne m'interrompent. Ils m'écoutent en silence. Une fois que j'ai terminé, Barracuda prend une longue inspiration, écarte son assiette, regarde Leonard et parle.

Tu sais ce que ça veut dire ?

Oui.

Il a fini par péter complètement les plombs.

Je pensais qu'il allait mieux.

Je peux ?

Oui.

Barracuda se tourne vers moi.

Tu vas venir avec moi, fiston.

Je parle.

Pas question.

Tu le lui dois.

Je m'en fous.

Il t'a menacé avec un putain de flingue.

Je m'en fous, je viens pas.

Je me penche et j'attrape le sac de billets, qui était resté près de mes pieds.

Je le pose devant Leonard.

Et je ne veux plus faire ça. Je t'ai ramené l'argent que je te dois.

Leonard a l'air surpris.

Tu veux arrêter parce qu'un barjot t'a menacé avec un flingue ?

C'est une des raisons.

Et quelles sont les autres ?

Ça me fait du bien d'avoir décroché. J'ai l'impression que j'arriverai à tenir encore longtemps. Sachant cela, il faut que je trouve ce que je vais faire de ma vie. Ne le prends pas mal, mais je ne veux plus continuer à faire des courses, qu'importe la paye. Je ne veux pas me retrouver avec un flingue sur la tronche. Je veux essayer de mener une vie normale, ou au moins quelque chose qui s'en approche.

Putain de Dieu. C'est dingue. Si tu t'entendais parler…

Je ris.

Et si je te filais une promotion ?

Tu sais que je ne peux vraiment pas faire partie de ton organisation, et je ne veux pas m'y impliquer plus que je ne le suis déjà. Il faut que je fasse quelque chose tout seul.

Quoi ?

Je ne sais pas, mais j'ai assez d'argent pour prendre le temps de trouver.

Leonard désigne le sac de billets.

Je ne veux pas de ton argent.

Je te le dois.

Je veux savoir comment tu l'as dépensé.

Prends-le, c'est tout.

Pourquoi tu ne veux pas me dire comment tu l'as dépensé ?

Je ne veux pas, c'est tout.

Dis-moi comment tu l'as dépensé, et tu pourras le garder, et arrêter ce travail, et laisser Barracuda se démerder avec ton ami banlieusard. Je me rangerai à tes arguments, je pense que ça serait bien pour toi que tu commences à réfléchir à ton avenir, simplement, je veux savoir où est passé l'argent.

Je préfèrerais te montrer plutôt que de t'expliquer.

Bien. Montre-moi.

T'as une voiture en bas ?

Évidemment.

Allons-y.

Leonard demande la note on la lui amène il signe. On se lève, je prends mon sac, on s'en va. Barracuda récupère la voiture nous prend devant l'hôtel. On roule vers le nord-ouest ce n'est pas loin. Je donne les indications à Barracuda on s'arrête chez le fleuriste où je vais toujours, dès que je passe la porte ils savent ce que je vais acheter. J'achète des roses rouges de magnifiques roses rouges. Lilly en raffolait quand elle était vivante, j'espère qu'elle les aime toujours.

On passe le portail. On est toujours en ville, mais à la lisère, on aperçoit les imposants gratte-ciel au loin. Le terrain se déploie devant nous, autour de nous, il y a des milliers et des milliers de stèles. On roule lentement sur une petite route qui serpente. Elle est calme, tranquille, déserte. On tourne on quitte la route principale pour en prendre une plus petite, on avance un moment, je fais signe à Barracuda de se garer sur le côté.

Je sors de voiture, Leonard et Barracuda sortent de voiture. Je les guide dans les allées. Nous ne parlons pas. Les seuls bruits sont ceux de nos pas et les piaillements des petits oiseaux. À une trentaine de mètres de la route je m'arrête devant deux tombes blanches, dépouillées. Les deux stèles sont identiques. On découvre, dans des lettres toutes simples :

Katherine Anne Sanders
1932-1994
Avec tout notre amour

Lillian Grace Sanders
1970-1994
Avec tout notre amour

Des roses mortes sont posées sur la tombe de Lilly. Je les enlève et les remplace par les roses fraîches. Je me penche vers l'endroit où la pierre tombale rejoint l'herbe, où j'imagine qu'elle repose, sa tête placée sur un coussin. Je murmure bonjour, je t'aime, j'ai amené des amis avec moi, tu te rappelles sûrement de Leonard, il me demande toujours de tes nouvelles, j'espère que tu vas bien, je t'aime, je t'aime.

Je recule, posté aux côtés de Leonard et Barracuda, qui fixent les stèles, et je parle.

Elles n'avaient pas d'autre famille qu'elles deux, alors je me suis occupé d'elles. Je les ai fait passer de la morgue au funérarium. Je leur ai acheté des robes pour les obsèques, je les ai fait mettre dans des cercueils garnis de soie et j'ai acheté les emplacements et les tombes. Elles étaient catholiques, ce que j'ignorais avant, alors j'ai demandé à un curé de dire quelques mots. Lilly a eu une vie de merde, une putain de vie de merde, et j'ai cru que je pouvais la changer, mais je n'ai pas réussi, alors j'ai voulu que ça, au moins, ça soit bien pour elle.

Je regarde Leonard, des larmes ruissellent sur son visage. Il parle.

Elles sont belles.

Ouais.

Je n'ai jamais rien vu d'aussi beau.

Je hoche la tête, les larmes me montent aux yeux.

Je vais faire envoyer des fleurs ici chaque semaine, pour toujours.

Tu n'as pas à faire ça, Leonard.

Et ces tombes seront toujours entretenues.

Tu n'as pas à faire ça, Leonard.

Je sais que je n'ai pas à le faire, mais je vais le faire.

Merci, Leonard.

Il regarde Barracuda, parle.

Présentons-leur nos respects, faisons-leur savoir que nous pensons à elles.

Barracuda parle.

J'ai l'impression qu'elles le savent.

J'en suis sûr.

Ils s'avancent et font le signe de croix, se mettent à genoux, commencent à prier. Je ne crois pas en Dieu, mais j'aime penser que Lilly est dans un plus bel endroit, alors je me mets à genoux et je ferme les yeux et je prie.

J'espère qu'elle sait.

Que pour elle et seulement pour elle, pour elle et seulement pour elle.

Je prie.

L'HIVER SUCCÈDE À L'AUTOMNE.

Je reste assis devant mon ordinateur pendant des heures j'écris de quoi as-tu peur abruti, pourquoi as-tu peur ?

Un homme au bar me dit que je ressemble à une mouche. Je lui demande pourquoi il pense que je ressemble à une mouche il me dit que les mouches naissent dans la merde et vivent dans la merde, il me dit que je ressemble à une merde et que j'ai l'air d'avoir vécu dedans, avec et comme une merde, par conséquent je ressemble à une mouche. Je ne sais pas quoi dire alors je dis merci, mon ami, merci.

Je rencontre une fille qui s'appelle Julianne, c'est une amie de Danny elle cherche un colocataire. On s'entend bien, elle vient du Sud et son accent me fait rire, je décide de devenir son colocataire. On se met à la recherche d'un appartement. On trouve un grand appartement avec deux chambres, une belle hauteur de plafond, un salon-salle à manger et une cuisine, qui devrait coûter cher mais ce n'est pas le cas. Comme on essaye de comprendre pourquoi, on entend un puissant grondement, et l'immeuble tremble et les fenêtres tremblent et le sol tremble tout tremble putain. Julianne se demande si c'est un tremblement de terre, je ris, vais au fond de l'appartement, regarde par la fenêtre. Les rails du métro aérien passent à trois mètres. J'aime bien les rails du métro, j'aime bien les tremblements et les grondements, j'aime bien l'appartement. Je dis à Julianne qu'on devrait le prendre, elle est d'accord avec moi, on signe le bail. On emménage et toutes les quinze minutes ça gronde et ça tremble, ça gronde et ça tremble.

Je rencontre un autre type dans un autre bar il me regarde dans les yeux et il dit je suis malade mental et instable. Je lui dis que moi aussi je suis malade mental et instable. Il me dit que ses docteurs lui ont conseillé de ne jamais reboire, que ça pourrait le tuer. Je lui dis que mes docteurs m'ont donné le même conseil. Il me dit qu'il va dans les bars parce qu'il ne sait pas quoi faire d'autre de sa vie. Je lui dis que je comprends de quoi il parle et je lui paye un cola, un verre de cola frais avec de la glace.

Je m'assieds devant mon ordinateur.

Toutes les quinze minutes ça gronde et ça tremble.

L'hiver à Chicago il fait un froid de canard.

LEONARD NE VIENT PLUS ME VOIR il déteste le froid il le fuit. Je lui parle environ une fois par semaine il m'appelle d'endroits bizarres le Venezuela et le Costa Rica et la Barbade, la Guadeloupe et la République dominicaine. Je lui demande ce qu'il fait pourquoi il voyage autant il dit j'ai du BF mon fils, du putain de BF. Je lui demande ce que ça veut dire, il dit ça veut dire du business à faire, du putain de business à faire.

LEONARD M'APPELLE ET ME DIT qu'il m'envoie un billet d'avion il veut que je vienne dans sa villa en bord de mer pour le Super Bowl. Je prends mon billet, prends l'avion, vole jusqu'à L.A., sort de l'avion. Mon ami Chris passe me prendre. Je suis allé à la fac avec lui, j'ai habité avec lui pendant un an. Il travaille dans un golf dans le comté d'Orange. Il aimerait avoir son propre parcours de golf à l'avenir, à l'heure actuelle il est assistant jardinier. Je lui demande ce que ça veut dire, il dit ça veut dire que je tonds des putains de pelouses à longueur de journée.

Je sors du terminal c'est lumineux, chaud, ensoleillé. Chris m'attend, garé contre le trottoir, je grimpe dans son 4 × 4 il dit quoi de neuf je dis pas grand-chose il demande où on va je dis le comté d'Orange et je lui donne l'adresse.

Le voyage dure à peine plus d'une heure. On parle de nos amis on rit il me demande comment je vais je dis bien, je lui demande comment il va il dit bien il ne fait que travailler. Je vois une grande affiche pour le *Pageant of the Masters*, ça me fait rire. On passe devant un cinéma en plein air appelé le Irvine Bowl, où il y a écrit que c'est là que se déroule le *Pageant of the Masters* je ris de nouveau. On arrive à Laguna Beach. On se perd. J'appelle Leonard il nous donne les indications. On trouve sa maison au bout d'une impasse. C'est une grande maison blanche et moderne, tout en angles et en verre, construite contre une falaise et surplombant l'océan. Il y a une dizaine de voitures garées dans l'allée et le long du trottoir. Ce sont toutes des voitures européennes, coûteuses : des Porsche, des Bentley, des Mercedes, des Jaguar, des BMW.

On se gare, on va à la porte, un homme à l'entrée nous demande nos noms. Je lui donne mon nom et il nous laisse entrer. On passe la porte pour pénétrer dans un grand salon. Tout est blanc, le sol, les murs, les meubles, il y a des fleurs blanches dans des vases blancs, des lampes blanches avec des abat-jour blancs, de longs rideaux blancs en lin aux fenêtres. Il y a au fond de la pièce un escalier, du bruit provient d'en dessous on se dirige vers l'escalier on descend. On pénètre dans une autre grande pièce. Devant nous le mur est en verre, derrière le verre il y a une véranda et derrière la véranda la vue sur l'océan Pacifique. Le long d'un autre mur il y a un billard avec du feutre noir. Le long d'un troisième il y a un bar un long comptoir blanc, un barman en smoking blanc se tient derrière et sert à boire. Sur le mur de derrière il y a un immense téléviseur, le plus grand téléviseur que j'aie jamais vu, les images proviennent d'un projecteur suspendu au plafond. Il y a trois grands canapés confortables disposés en U devant le téléviseur. Il y a environ trente personnes éparpillées entre la salle et la véranda, il y a beaucoup plus de femmes que d'hommes. Les hommes sont hétéroclites, Noirs Blancs et Asiatiques, certains en costume, certains en short et T-shirt. Les femmes sont toutes blanches, toutes belles, la plupart blondes. La plupart se sont fait gonfler les seins, et toutes sont bien habillées, bien que certaines soient moins habillées que d'autres. Quand nous atteignons le bas des escaliers Chris jette un coup d'œil circulaire, me regarde, sourit et dit putain de Dieu, on va se marrer.

J'aperçois Leonard sur la véranda il fume un cigare et parle à un homme d'une soixantaine d'années avec de longs cheveux blancs et une longue barbe blanche l'homme est accompagné par une jeune fille blonde. Je me dirige vers Leonard il me voit lève la main crie.

Mon fils. Mon fils est arrivé.

L'homme et la blonde se tournent et me regardent je ris.

Salut, Leonard.

Tu viens d'arriver ?

Ouais.

C'est ton ami ?

Ouais. Chris, Leonard. Leonard, Chris.

Ils se serrent la main. L'homme les interrompt, dit à Leonard qu'ils discuteront plus tard. Il s'éloigne avec la femme, qui nous jette un coup d'œil en partant. Leonard regarde Chris, parle.

Tu habites près d'ici, non ?

Ouais.

Tu fumes de l'herbe ?

Ouais.

T'aimes baiser les petites poulettes ?

Chris rit.

Bien sûr.

Le type qui vient de partir est le plus grand dealer d'herbe de la côte Ouest et la jeune personne, c'est sa femme, et c'est une star du porno. Elle aime baiser et il se fout qu'elle baise ailleurs et je peux te dire, vu le regard qu'elle t'a lancé, qu'elle a envie de baiser avec toi, alors si tu veux de l'herbe, ou elle, fais-le-moi savoir.

Chris rit de nouveau.

Sérieux ?

Leonard hoche la tête.

Ouais, mais je tiens à te prévenir.

Me prévenir de quoi ?

Elle fait des pornos SM, et elle pourrait avoir envie de te fouetter avant de baiser avec toi.

Vraiment ?

Ouais, et elle y va pas de main morte. J'ai vu les résultats. C'est pas joli joli.

Chris se tourne, regarde la femme, qui se tient avec son mari près du billard. Il revient vers nous.

T'as une bière ? Je crois que j'ai besoin de boire une bière et d'y réfléchir.

Bien sûr que j'ai de la bière, j'ai tout ce que tu veux. Va demander au barman et laisse-moi une minute seul à seul avec mon fils.

Super.

Chris s'approche du bar. Leonard se tourne vers moi.

Merci d'être venu.

Merci de m'avoir invité.

Il se pourrait que ça soit la dernière fête de ce genre. J'ai pensé que tu aimerais voir ça et je me suis dit que ça te plairait.

Pourquoi la dernière ?

Il va y avoir du changement.

Ça te dérangerait de m'en dire plus ?

Pas tout de suite.

D'accord.

Je regarde autour de moi.

Qui sont tous ces gens ?

Des joueurs à la ramasse, dont un contingent important va perdre d'énormes sommes d'argent que je vais récupérer.

Ils jouent tous avec toi ?

Tous les hommes, et quelques femmes. Les autres femmes accompagnent des hommes ou sont payées par mes soins pour faire plaisir aux hommes.

Lesquelles sont payées ?

Y en a une que tu apprécies ?

Simple curiosité.

Tu vois celle qui parle avec ton ami ?

Je regarde Chris, qui se tient près du bar. Il parle à une grande femme blonde, elle est plus grande que lui, elle porte une minijupe et un bustier qui ne cachent pas grand-chose.

Ouais, je la vois.

C'est une professionnelle, et sous peu elle va se pencher vers lui et lui proposer en lui chuchotant à l'oreille d'aller faire un tour en haut avec elle.

Il va s'en chier dessus.

S'il est malin, il va aller faire un tour en haut. Ça sera le meilleur coup de sa putain de vie.

Je ris.

Tu fais souvent ça ?

Comme je t'ai dit, c'est peut-être la dernière fois, mais d'ordinaire je le fais pour le Super Bowl, le championnat de basket ou le Kentucky Derby, qui sont les jours de l'année où on prend les plus gros paris.

Pourquoi ici et pas à Vegas ?

Pour la même raison que je ne t'ai jamais emmené à Vegas.

Qui est ?

On me fait suivre à Vegas. Le moindre de mes mouvements est surveillé par des gens qui n'ont qu'un but dans la vie, trouver un moyen de me mettre sous les verrous. Tu n'es encore qu'un point sur leur radar, mais si tu venais à te pointer à Vegas, tu deviendrais un point beaucoup plus gros, et autant éviter ça. Je fais des fêtes ici parce que je maîtrise ce qui se passe dans cette maison et ce que les gens voient et entendent dans cette maison. Ce n'est pas par hasard qu'elle se trouve au fond d'une impasse, et qu'elle est construite dans la falaise. Ce sont deux choses qui rendent sa surveillance bien plus difficile. J'ai aussi déniché d'anciens agents secrets venus d'Angleterre qui ont ouvert une boutique d'espionnage vendant des babioles d'espionnage high-tech et ils viennent une fois par mois passer la maison au peigne fin pour chercher d'éventuels micros.

Est-ce qu'ils ont déjà trouvé quelque chose ?

Ouais, mais pas depuis un bail, ce qui veut dire soit que les fédéraux ont laissé tomber soit qu'ils utilisent des saloperies que mes gars peuvent pas détecter. Bientôt ça n'aura plus d'importance, parce que, comme je te l'ai dit, ces fêtes n'auront plus lieu.

Et tu ne veux pas me dire pourquoi ?

Pas encore.

Il tire une bouffée sur son cigare, parle.

Tout va bien pour toi ?

Ouais.

Tu t'occupes ?

Ouais.

Tu fais quoi ?

J'ai écrit un scénario de film.

Leonard sourit.

Ah ! C'est génial, putain. Pourquoi tu ne m'as pas dit que tu faisais ça ?

Je ne voulais pas avoir honte au cas où je n'aurais pas réussi à finir.

Tu as envie être écrivain ?

Je me suis dit que j'allais essayer.

Est-ce que je peux lire ton scénario ?

Non.

Pourquoi ?

Il est minable.

Allez.

Pas question.

Ça peut pas être si mauvais.

Il est à chier. Je l'ai montré à quelques personnes et tout le monde est d'accord, même si certains ne l'ont pas dit franchement.

Pourquoi tu as écrit un scénario ? J'aurais cru que tu écrirais un livre.

C'est plus facile d'écrire un scénario et ça prend moins de temps et je me suis dit que j'arriverais peut-être à gagner un peu d'argent comme ça.

La plupart des films sont minables, alors il est sûrement parfait.

Il est minable même par rapport à des films minables, et il n'était pas censé être minable. Quand je le faisais, je me disais qu'il était génial. Aucune personne saine d'esprit ne me filerait le moindre centime pour ça.

Il y a plein de gens à Hollywood qui ne sont pas sains d'esprit. Et certains d'entre eux sont ici, aujourd'hui même, dans cette putain de baraque.

Crois-moi, même eux, ils trouveront ça minable.

Tu vas en écrire un autre ?

Ouais.

Bien. Si t'écris le truc le plus pourri, le plus commercial auquel tu peux songer, je parie que tu vas le vendre.

Peut-être.

Comment ça va, côté pognon ?

J'en ai encore trop.

Dépense-le. Achète-toi un beau truc.

J'ai vu un dessin de Matisse, dernièrement.

J'espère que je le verrai sur ton mur la prochaine fois que je viendrai te voir.

Tu devrais te dépêcher de venir. Mes amis te réclament et ils meurent de faim.

Il rit, désigne la maison d'un geste.

Le match va bientôt commencer, faut que je rentre pour passer à l'action.

Où est Barracuda ?

Dallas joue, et pour une raison quelconque Barracuda, même s'il est originaire de New York, a toujours été un supporter de Dallas, alors j'ai pris deux billets pour lui et son frère, et je les leur ai envoyés.

T'es un chic type, Leonard.

Il rit.

Non, c'est pas vrai.

Oh que si.

Rentrons. J'ai du boulot.

Je le suis à l'intérieur. Chris est toujours en train de bavarder avec la fille. Leonard s'approche des canapés, une star du R'n'B qui a un disque de platine chante l'hymne national à la télévision. Leonard se mêle à ses invités, racontant des blagues, riant avec eux, serrant des mains. Je vais au bar, prends un cola, trouve une place pour m'asseoir, attends que le match commence. Presque instantanément, Chris s'assied à côté de moi, parle.

Mon gars.

Quoi de neuf ?

Cette poulette, je crois que j'ai une touche avec elle.

Je ris.

Qu'est-ce qu'il y a de drôle ?

Est-ce qu'elle te plaît ?

Regarde-la. Elle est splendide. Bien sûr qu'elle me plaît.

Et qu'est-ce qui te fait penser que tu lui plais ?

Elle m'a demandé si je voulais faire un tour en haut, pour avoir une conversation en tête-à-tête.

Qu'est-ce que t'as répondu ?

J'ai dit oui, putain. Elle récupère son sac à main et on monte.

Je ris de nouveau.

Qu'est-ce qui est si fendard ?

Je secoue la tête.

Allez, mon gars. Qu'est-ce qui est si fendard ?

C'est une pute, Chris.

C'est impossible.

Si, c'est possible.

Qu'est-ce qui te fait croire ça ?

Leonard me l'a dit.

Bordel, c'est une pute ?

Ouais.

Je croyais que je lui plaisais.

Tu lui plaisais sûrement, mais elle est payée pour que tout le monde lui plaise, ici.

Nom de Dieu.

Prends-toi un verre. Regardons le match.

Il va au bar, prend un verre, revient. Lorsque le match débute, la plupart des gens dans la maison se rassemblent autour du téléviseur. Leonard, assis au milieu du canapé, prend les paris. De là où nous sommes, nous entendons les montants cinquante, soixante-quinze, cent mille ; on entend un homme dire deux cent vingt-cinq, on entend un autre dire quatre cents. Pendant le match, on entend des paris plus absurdes encore. Un homme parie cent mille dollars que Dallas va obtenir l'engagement, il perd le pari. Un autre parie cinquante que le botteur de l'équipe adverse va manquer l'embut, il gagne le pari. Leonard accepte tous les paris, même s'il modifie souvent ceux qui sont bizarres. Des paris sont pris sur les engagements, les plaquages, les transformations, les progressions par passes, les progressions en courant, les tirs au-dessus ou au-dessous, des paris sont pris sur n'importe quelles conneries. À la mi-temps tout le monde monte à l'étage, où un énorme buffet a été dressé. Il y a des côtes de bœuf, il y a des pinces de crabe, il y a des salades César, des patates cuites au four, des épinards à la crème. Il y a des steaks de saumon, il y a une salade de pâtes. Il y a un buffet spécial avec des desserts gâteaux et tartes et tourtes et biscuits et chocolats et éclairs. Nous remplissons nos assiettes de nourriture, redescendons, regardons le spectacle de la mi-temps. Chris fait connaissance avec deux autres femmes l'une est une pute, l'autre est mariée à un producteur de musique, je rencontre le propriétaire d'une chaîne de concessions de voitures, un marchand d'armes israélien, un homme qui exporte des fripes américaines au Japon, deux joueurs professionnels, un homme qui prétend être un membre de la famille royale iranienne et avoir été obligé de fuir les ayatollahs. Lorsque la partie touche à sa fin, Leonard s'assied près de moi. Je parle.

Comment ça se passe ?

Mal, pour l'instant.

Pourquoi ?

1,2 million de perte.

Putain.

Je vais les récupérer.

C'est un paquet de pognon.

Attends voir. Les gens font les cons pendant la seconde mi-temps. Tu t'amuses ?

Ouais, je m'amuse. C'est ridicule.

C'est tout à fait juste.

Tu t'amuses ?

Je bosse.

Tu devrais prendre une de tes filles, pour éliminer le stress avant que le match redémarre.

Elles ne sont pas là pour moi. Si tu en veux une, par contre, tu peux prendre ma chambre.

Non merci.

De l'autre côté de la pièce, un homme se met à appeler Leonard.

Faut que j'y aille.

D'accord.

Il se lève, va vers l'homme. Le match redémarre. Chris joue au billard avec deux putes, hésite à coucher avec l'une d'elles ou les deux ou les deux en même temps. J'essaie de le convaincre qu'il devrait le faire avec les deux en même temps, mais il décide que non, dit qu'il ne s'en sent pas le droit. Je lui dis que, putain, il le sentirait sûrement super bien s'il le faisait et il rit et dit ouais, ouais, ouais.

Plus le match avance, plus les invités de Leonard sont saouls, certains commencent à sniffer de la cocaïne sur la table basse, le bar, sur des boîtes de CD, certains commencent à fumer de l'herbe. Les paris s'intensifient et, attisés par l'alcool et la drogue, sont de plus en plus risqués et absurdes. Leonard commence à en gagner plus, regagne l'argent perdu, se met à accumuler des sommes énormes. Quand le match est terminé, avec Dallas pour vainqueur, Leonard est manifestement content, bien que cela ne se voie pas parce qu'il garde un air sérieux. Après le match les femmes mettent de la musique, dansent. L'alcool coule toujours à flots, les drogues affluent, certaines filles commencent à embrasser des hommes, certaines se mettent à s'embrasser entre elles, certaines montent sur le bar, enlèvent leur corsage et dansent. Je dois prendre un vol de nuit et Chris doit tondre la pelouse tôt le lendemain matin, alors on cherche Leonard qui est sous la véranda à fumer un cigare, et je parle.

On met les voiles.

Vous en avez marre ?

C'est génial. Je suis content d'être venu. Merci de m'avoir fait venir.

C'est rien. Qu'est-ce que tu vas faire quand tu seras rentré ?

Écrire un autre film pourri.

Fais-le bien pourri.

Je ferai de mon mieux.

Et je viendrai te voir dès que je pourrai ou quand j'en aurai fini avec mes affaires.

Tes affaires secrètes.

Leonard rit.

Tu comprendras quand je t'en parlerai.

Sois prudent.

Je suis prudent. C'est pour ça que je mets un terme...

Il désigne la maison.

À ce genre de conneries.

Je suis content d'avoir pu y assister.

Il rit.

Si tu restais un peu plus, tu en verrais encore bien plus.

Je ris. Il passe le bras autour de moi.

Je t'accompagne à la porte.

Merci.

On va à la porte. Leonard l'ouvre, on sort. Il parle.

Bon voyage.

Rentrez bien.

Toi aussi.

Il regarde Chris.

Content de t'avoir rencontré.

Merci de m'avoir invité.

Si tu changes d'avis pour les filles, dis-le-moi. C'est pour moi.

Chris rit.

Merci.

Leonard repose les yeux sur moi.

À bientôt, mon fils.

À plus, Leonard.

Chris et moi allons jusqu'au 4 × 4 grimpons à l'intérieur partons. Leonard se tient au bout de l'allée, nous regarde partir.

À plus Leonard.

LE PRINTEMPS SUCCÈDE À L'HIVER.

J'écris un autre scénario. Je le trouve génial jusqu'à ce que je le montre à mes amis. Ils me font savoir qu'il n'est pas génial, qu'il est très loin d'être génial, qu'il faudrait le jeter.

Je rencontre une fille qui s'appelle Tanya au Local Option. Elle est petite, blonde, britannique. Elle a des yeux bleus qui brillent et elle aime rire. Quinze minutes après notre rencontre, elle me demande si je veux l'emmener chez moi. Je sais que je n'en serai jamais amoureux, alors je dis ouais. On passe une merveilleuse soirée ensemble.

J'achète un Matisse. Il en jette, accroché à mon mur.

Je fête le 1er Avril. Le jour des fous, le seul dans l'année où l'on se souvient qui on est les trois cent soixante-quatre autres. Poisson d'avril, enfoiré, poisson d'avril !

Je tombe sur Brooke dans la rue. Elle fait des courses, je me promène. On bavarde trois ou quatre minutes et ça me fait mal pendant trois ou quatre jours.

Je sors tous les soirs avec mes amis. On va dans les bars on joue au billard, on va dans les clubs écouter de la musique, on va dans des fêtes ils boivent, on va manger au restaurant.

Je n'arrive toujours pas à dormir correctement après un an et demi putain je n'arrive toujours pas à dormir correctement. Je lis chaque nuit jusqu'à 4 ou 5 heures je lis jusqu'à ce que mes yeux se ferment jusqu'à ce que les grondements et les tremblements me bercent et me plongent dans le noir.

Je ramène Tanya chez moi encore et encore je la ramène chez moi. Elle ne veut rien de moi elle n'attend rien de moi c'est facile d'être avec elle aime rire et elle me fait rire. Je la ramène chez moi encore et encore.

L'été succède au printemps.

LE TÉLÉPHONE SONNE JE RÉPONDS. Il est tôt le matin je viens juste de m'endormir.

Allô ?

Mon fils. MON FILS. Quelle journée sublime, sublime !

Il ne fait pas encore jour, Leonard. C'est encore le matin, bordel. Très tôt le matin, bordel.

L'avenir appartient à ceux qui se lèvent tôt.

Je ris.

Mais qu'est-ce qui t'arrive ?

Des choses merveilleuses.

Par exemple ?

Je viens te voir. Je te le dirai de vive voix.

Quand est-ce que t'arrives ?

Aujourd'hui. Viens me retrouver à l'hôtel pour déjeuner.

D'accord.

On se voit là-bas, ON SE VOIT LÀ-BAS !

Je ris.

Ouais, on se voit là-bas.

Je raccroche le téléphone, retourne me coucher. Je me lève vers midi, prends une douche, me rends à l'hôtel à pied. Leonard et Barracuda sont assis dans le restaurant quand j'entre ils se lèvent. Leonard parle.

Mon fils.

Leonard.

Il me prend dans ses bras, me relâche. Je regarde Barra.

Ça faisait longtemps.

J'étais occupé.

Content de te voir.

Moi aussi, fiston.

On s'assied. Je parle.

Quelle est donc cette grande nouvelle ?

Leonard sourit, fouille dans sa poche, sort une carte en plastique, la pose devant moi.

Des cartes de téléphone.

Je ris.

Des cartes de téléphone ?

C'est ça. Des cartes de téléphone.

Et alors.

Et alors ? Réfléchis, mon fils, réfléchis.

Tu veux que je passe un coup de fil ?

Non.

Tu veux que je la vende ?

Non.

Je pige pas. C'est une carte de téléphone. On en trouve partout.

Leonard secoue la tête.

Pas des comme ça.

Elle a quelque chose de différent ?

Leonard hoche la tête.

Où est-ce que j'ai été ces derniers mois ?

Dans plein d'endroits.

Où ça, dans plein d'endroits ?

Les Caraïbes et l'Amérique centrale.

Pourquoi est-ce que j'irais là-bas et qu'est-ce que ça a à voir avec moi et mes affaires et les cartes de téléphone ?

Aucune idée.

Réfléchis, mon fils, réfléchis.

Dis-le-moi.

Leonard jette un coup d'œil à Barracuda.

Il n'a aucun flair.

Barracuda hausse les épaules, parle.

Certaines personnes n'ont pas de flair.

Pour moi, c'est évident.

C'est pas toi.

Leonard repose les yeux sur moi.

Comme tu le sais, la majorité de mes revenus provient des paris que je fais et que je prends. Comme tu peux l'imaginer, la manière dont je prends ces paris, et la société conçue pour les organiser et les gérer sont complètement illégales.

Entendu.

Pour un certain nombre de raisons, je ne veux plus que mes affaires soient illégales. Les deux premières raisons sont qu'avec la mise en œuvre des lois RICO contre les activités illicites, qui sont faites pour coffrer les gens comme moi, ma vie devient de plus en plus difficile. Je n'en peux plus d'être suivi, surveillé, je n'en peux plus que ces connards d'agents du FBI harcèlent des gens qui font du business avec moi, je n'en peux plus d'avoir à me méfier de tous les gens que je connais bordel pour être sûr qu'ils ne vont pas me balancer. Je n'ai pas envie d'aller en prison. Je n'ai pas envie de mourir en prison. Il y a des choses que j'ai envie de faire avant de disparaître et je ne pourrai pas les faire si je suis en prison. Si mes affaires devenaient légales, on ne pourrait plus m'envoyer en prison.

C'est tout à fait compréhensible.

L'autre raison, c'est la promesse que j'ai faite à mon père sur son lit de mort, qui était de jouer au golf à l'endroit où il a travaillé comme jardinier et d'y jouer en en étant un enfoiré de membre. Comme tu sais, on me met des bâtons dans les roues. Une des raisons pour lesquelles on me met des bâtons dans les roues c'est que je suis un truand célèbre. Si je cesse d'être un truand, et que je peux prouver que j'ai cessé d'être un truand, ça pourra m'ouvrir certaines portes.

C'est aussi tout à fait compréhensible.

En 1982, le gouvernement fédéral a procédé au démantèlement de l'AT&T, qui avait le monopole du service des appels locaux et longues distances. Le démantèlement a eu lieu afin que la concurrence soit encouragée et que les clients ne soient plus forcés de payer des tarifs qui étaient plus importants que ce qu'ils auraient dû être. Plus récemment, la loi sur les télécommunications a été votée parce que le résultat final du démantèlement de 82 n'a pas été aussi positif qu'on l'espérait. La nouvelle loi ouvre le marché des appels longues distances à des dizaines de nouvelles entreprises de téléphonie, dont la plupart vont faire faillite. Ça ne sera pas le cas pour quelques-unes, et quelques-unes vont se tailler leur part du gâteau, et l'une de ces parts, c'est le marché des cartes téléphoniques.

Leonard récupère la carte.

Tu achètes une carte, et tu as une somme d'argent sur ta carte, dix dollars, vingt dollars, cinquante dollars, qu'importe, tu passes des coups de fil longues distances avec la carte de l'opérateur téléphonique, tu parles jusqu'à ce que la carte soit vide et puis tu en achètes une autre. Tu me suis ?

Je hoche la tête.

Ouais, je te suis.

Tu vois où je veux en venir avec ça ?

Non, pas du tout.

Leonard regarde Barracuda, parle.

Il n'a aucun flair.

C'est pas ça, c'est que toi t'en as plein. C'est pour ça que t'es le chef.

C'est mon fils, il devrait en avoir aussi.

Eh bien, il en a pas, et c'est comme ça.

Leonard me regarde à nouveau.

Saurais-tu par hasard ce qui est légal dans les Caraïbes et dans certaines parties de l'Amérique latine et qui est illégal ici ?

Je dirais qu'il doit y avoir plusieurs choses.

Tu dois avoir raison, mais à quelle chose peut-on relier directement ma personne ?

Encore une fois, je dirai sûrement à plusieurs choses, mais vu la conversation j'imagine que tu fais référence au jeu.

Bingo ! C'est un putain de paradis pour les joueurs, là-bas. Et ce qui n'est pas légal devient légal quand on glisse une liasse de billets de cent dans la main du bon fonctionnaire local. J'adore ça, qu'est-ce que j'adore ça, putain.

Je ris.

Et qu'est-ce que ça a à voir avec les cartes de téléphone ?

Les cartes de téléphone permettent de rendre tout ça légal, et me permettent de me faire de l'argent sans que j'aie à me soucier du résultat des paris.

Comment ça ?

J'ai récemment délocalisé la plupart des gens qui travaillent dans mes affaires de jeu dans les Caraïbes et dans certains coins d'Amérique latine, où ce qu'ils font est complètement légal. Je fais acheter à tous ceux qui font des paris avec mes gars des cartes de l'entreprise de téléphonie qui m'appartient, et le prix des communications est très cher. Tout l'argent récolté est viré par l'intermédiaire de banques off-shore, qui ne sont pas soumises aux lois de ce pays, et la seule personne qui enfreint la loi dans cette équation est l'individu qui fait un pari sur le sol américain.

Vraiment ?

Disons que t'es un de mes clients. Tu vas dans un endroit où on vend mes cartes de téléphone au détail. T'en achètes quelques-unes. T'appelles un numéro qu'on t'a donné, qui t'a été envoyé par la poste d'un endroit off-shore. Ce numéro ne reçoit que les appels des standardistes qui travaillent pour mon entreprise de téléphonie et ne prennent que les appels utilisant mes cartes de téléphone. Ils te mettent en communication avec quelqu'un qui se trouve dans un bureau dans un coin où le jeu est légal. Cette personne prend ton pari, et soit elle prend un numéro de carte de crédit soit elle te fournit les instructions pour un transfert d'argent. Tu prends ton pari, on te donne un numéro de confirmation. L'appel te coûte dix dollars la minute. Tu as enfreint la loi en prenant ton pari, mais personne de mon côté n'a enfreint la loi parce que tout le monde travaille dans des coins où cette activité est légale.

T'es sûr de tout ça ?

Il y a quelques zones pas claires, mais elles sont assez peu claires pour que, si quelqu'un veut m'arrêter ou essaie de me poursuivre en justice, il s'embourbe au tribunal pendant des putains de dizaines d'années.

Très impressionnant, Leonard.

Je vais envoyer un mot au procureur fédéral de Las Vegas pour l'inviter à passer chez moi et à gentiment me lécher le cul.

Je ris, Barracuda rit. Leonard jette un coup d'œil circulaire.

J'espère que ces enculés ont chargé quelqu'un de nous surveiller ou de nous écouter en ce moment.

Il lève son majeur, l'agite dans tous les sens.

Si c'est le cas, c'est pour vous, parce que vous m'aurez pas, bande de connards.

Je ris de nouveau. Ensuite, je parle.

Félicitations, Leonard.

Merci.

Je suis terriblement impressionné.

Merci.

On devrait fêter ça.

Pourquoi tu crois qu'on est là ?

Bien. Cette fois, par contre, c'est moi qui paye l'addition.

Non, c'est pas comme ça que ça marche.

Ce soir, si.

Non.

Leonard.

Quoi ?

Je brandis une liasse de billets.

C'est ce qu'il me reste de l'argent que j'ai gagné en travaillant pour toi. Je l'ai mis de côté pour pouvoir le dépenser dans un de nos restos. Tu vas fermer ta gueule et me laisser payer l'addition, ce soir.

Il rit.

Merci, mon fils, merci.

JE DÉCOUPE LE FAUX PERMIS DE CONDUIRE en petits morceaux le balance Jimmy Testardo n'existe plus.

Je clôture le coffre de dépôt sécurisé.

Je trouve un boulot dans une boutique de fringues sur Michigan Avenue. Je travaille avec un gars qui vient des Philippines et deux Mexicains. La majeure partie de mon travail se déroule la nuit, une fois que la boutique est fermée. La gérante nous file, à mes collègues et moi, une liste de tâches du style remettre en place des treillis, se réapprovisionner en T-shirts démodés et les plier, remettre du ruban dans les distributeurs derrière la caisse, balayer et nettoyer le sol de l'entrée. C'est un boulot de con, et je suis payé à coups de lance-pierre, mais ça me fait du bien de travailler. J'écris un autre scénario. Je l'envoie à mes amis je sais qu'ils en ont marre de lire mes scénarios minables. Je leur dis que c'est le dernier.

Je recommence à dormir, toutes les deux ou trois nuits je dors facilement, bien. Les tremblements et les grondements du train sont une berceuse qui m'accompagne durant six, huit, dix splendides heures de paix, de silence et d'obscurité.

Je marche sous la chaleur sous la pluie dans la journée la nuit le matin l'après-midi le lever du soleil le coucher du soleil je marche pendant des heures. Je marche le long du lac et je saute dans l'eau. Je vois un banc et je m'assieds et je fume. Je vois la camionnette d'un marchand de glaces, je prends les plus grands cônes qu'il vend. Je fais des siestes sur les pelouses des parcs, j'écoute de la musique jouée dans des kiosques, je lis à l'ombre des arbres à l'ombre des arbres grandioses. Je vais au zoo observe les animaux, salut gorille, alors ça boume ?

Mes amis me disent que le scénario n'est pas mauvais et qu'il pourrait peut-être même être bon. C'est une comédie romantique une histoire d'amour triangulaire entre amis avec une fin heureuse. Je décide de la vendre à Hollywood je ne connais personne à Hollywood, mais pourquoi pas, qui ne tente rien n'a rien.

J'erre dans les salles du musée les tableaux sont toujours magnifiques, les galeries ont l'air conditionné, j'erre dans les salles.

Je vais voir Lilly. Les fleurs se dessèchent avec la chaleur alors j'en apporte plus encore. Je ne parle pas beaucoup, ne ressens plus le besoin de parler, me contente de rester assis auprès d'elle, c'est bien de savoir qu'elle est là, je me contente de rester assis.

Je perds mon boulot à la boutique de fringues. La gérante a décidé qu'elle voulait que tous les articles du magasin, et il y a des milliers de vêtements, soient enlevés des rayons et pliés à nouveau. Je lui demande pourquoi elle dit parce que je l'ai demandé. J'essaie d'organiser une grève avec les autres manutentionnaires, j'y parviens, on achète une boîte de beignets et on s'assied par terre au milieu du magasin et on refuse de travailler. Elle dit aux autres manutentionnaires qu'ils sauveront leur travail s'ils arrêtent la grève et elle me fout à la porte, me disant que si je ne quitte pas immédiatement le magasin elle appelle la police. J'emporte les beignets avec moi.

Un de mes amis a une cousine qui travaille pour un célèbre réalisateur de Hollywood. Je l'appelle et je lui demande de lire mon scénario, elle me dit envoie-le et je le lirai quand j'aurai un peu de temps. Je lui téléphone une fois par semaine pour le lui rappeler. Elle ne le lit pas, alors je continue de l'appeler.

LEONARD M'APPELLE ME DIT QU'IL VIENT ME VOIR, il dit qu'il est en tournée avec un groupe de rock, qu'ils font un concert à Chicago. Je lui demande quel groupe il me répond je ris lui demande qu'est-ce que tu fous en tournée avec un groupe de rock il me dit que le chanteur est un ami et qu'il a envie de passer un été qui change de l'ordinaire. Je lui demande s'il veut me voir à son hôtel, il dit non, il est ailleurs, il me dit où je me rends en ville à pied.

L'hôtel se trouve sur Michigan Avenue, en face de son hôtel habituel. L'entrée se situe dans les étages, au-dessus d'un centre commercial de luxe. Je prends l'ascenseur pour m'y rendre. Les portes s'ouvrent sur une grande salle qui couvre toute la surface au sol du bâtiment. Le long d'un mur, il y a l'accueil et la cabine du gardien, le long des trois autres se trouvent des vitres qui vont du sol au plafond. Au milieu de la pièce il y a des tables et des chaises, de grands et luxueux canapés, des serveurs et des serveuses poussant des chariots pleins d'amuse-gueules et de boissons. Je cherche Leonard, le vois assis sur un canapé en compagnie de quelques femmes et d'un homme. Je reconnais l'homme qui est le chanteur du groupe. Je vais vers eux, Leonard me voit arriver, se lève, s'exclame.

MON FILS, MON FILS !

J'agite la main, ris. Tout le monde sur le divan se tourne et me regarde.

MON FILS EST LÀ.

Quoi de neuf, Leonard ?

Je découvre la vie *rock and roll*, j'adore la vie *rock and roll*.

Je ris de nouveau, m'assieds sur un fauteuil face à Leonard. Il me présente le chanteur et les femmes. Le chanteur, qui joue aussi de la batterie, a une petite quarantaine d'années, des cheveux courts, grisonnants, un léger accent dû à son enfance texane, il porte un jean et un T-shirt. Aucune des femmes n'a plus de vingt ans, et sur une échelle de un à dix, on leur donnerait environ cinquante. Toutes portent une version différente de presque rien, ce qui me convient très bien. Bien que Leonard ait l'air complètement à l'aise avec elles, il ne cadre pas vraiment. Il est beaucoup plus vieux que tout le monde, et ses habits ressemblent plus à ceux d'un comptable. Le chanteur et les filles boivent tous. Leonard a une carafe d'eau. Je demande un cola et écoute le chanteur qui raconte des anecdotes à propos de sa vie de rock star en tournée. Il parle de chambres d'hôtel saccagées, d'orgies au fond des bus, de deux jumelles, une fois des triplées, de choses spécifiées dans son contrat que les salles de concert doivent fournir, comme des pyramides parfaitement façonnées en beurre de cacahouète et des canettes de cola à une température exacte de deux degrés. Les filles sont suspendues à ses lèvres. Leonard semble connaître les anecdotes, ajoute certains détails et dit c'est ça le *rock and roll*, mec, c'est ça le *rock and roll* à la fin de chaque histoire. Je reste simplement là et ris, bien que je ne sache pas trop si je ris avec le chanteur ou du chanteur. À la fin d'une anecdote sur une mère et une fille particulièrement cochonne, qui provoque de grands rires et de nombreux ohhh et ahhh, le chanteur dit qu'il a besoin de remonter dans sa chambre et de méditer avant le concert. Une des filles lui demande quel genre de méditation il fait, il l'invite à venir avec lui afin qu'il puisse lui montrer. Elle le remercie et ils s'en vont ensemble.

Les autres filles, se retrouvant en compagnie de Léonard et de moi, s'en vont assez rapidement, inventant chacune une excuse différente. Quand la dernière est partie, Léonard me regarde, il parle.

Qu'est-ce t'en penses ?

De lui ou d'elles ?

D'elles.

Je les aime toutes.

Il rit.

Et lui ?

Il est chouette.

Léonard rit à nouveau.

C'est un con.

Je ris.

C'est vrai, c'est un con.

Pourquoi est-ce que tu traînes avec lui ?

Parce que c'est amusant. Je fais le *rock*, je fais le *roll*, je le vis, je l'adore. Et même si c'est un con, c'est un con rigolo.

Je ris.

Tu vas bien ?

Ouais.

Du nouveau ?

J'ai réussi à faire lire mon scénario à cette fille de Hollywood.

Léonard sourit.

Tu as juste continué à la harceler et elle a fini par céder ?

Je hoche la tête, souris.

Ouais.

Qu'est-ce qu'elle a dit ?

Elle a dit qu'il est vraiment bon, que je devrais sûrement arriver à le vendre, que je devrais déménager là-bas et essayer de continuer.

Léonard sourit, se frappe dans les mains.

Putain, c'est génial.

Et il y a autre chose.

Autre chose, comment ça autre chose ?

Quand on a eu fini de parler du scénario, on a continué de parler. La première nuit, on a discuté pendant cinq heures. La nuit suivante, pendant encore cinq heures. Les trois dernières nuits, on s'est couchés à l'aube après avoir bavardé.

De quoi est-ce que vous parlez ?

Je ne sais pas. De tout et de rien. On parle, c'est tout.

Vous parlez pendant des heures et des heures et des heures ?

Ouais.

Comment elle s'appelle ?

Liza.

C'est un beau prénom, un prénom frappant. T'es amoureux ?

Je ne l'ai jamais rencontrée.

T'es amoureux ?

Je ne sais pas.

Oh ! là ! là ! C'est merveilleux bordel. Tu es amoureux et tu déménages à L.A.

Je ne déménage pas.

Pourquoi ?

Parce que.

Mais tu es barjot ou quoi ?

Non.

Tu viens de trouver un nouveau boulot, c'est ça ?

Ouais.

Qu'est-ce que tu fais ?

Je travaille dans un magasin d'encadrement. Je suis à la caisse.

C'est un boulot de merde.

Ouais.

Tu préfères ça à être écrivain ?

Non.

Alors va à L.A., tu pourras gagner ta vie avec les films stupides en faisant ce que tu as envie de faire, et passer du temps avec la fille à qui tu parles toute la nuit.

Je ne veux pas partir d'ici.

Pourquoi ?

Parce que.

Tu dois la quitter.

Quoi ?

Tu m'as bien entendu. Tu dois la quitter.

Ça n'a aucun rapport avec ça.

Tu veux pas le reconnaître, mais ça en a un.

Non, ça n'en a pas.

Oublie cet endroit, oublie-la, oublie tes souvenirs et oublie tous les rêves qui sont derrière toi et elle finira par s'en aller.

Va te faire foutre, Leonard.

Elle t'a quitté, tu dois la quitter.

Va te faire foutre, Leonard.

Elle a fait ce qu'elle pensait être bien pour elle, tu dois faire ce qui est bien pour toi. Tu respectes son choix, et tu sais qu'elle respectera le tien.

Va te faire foutre, Leonard.

Et si tu ne pars pas, dans dix ans tu vas regarder en arrière et le regretter, tu vas te détester d'avoir été lâche, tu vas détester Lilly de t'avoir fait rester ici et tu sauras que tu as tout foiré et tout raté.

LAISSE TOMBER, LEONARD, BORDEL.

Je vais laisser tomber, mais tu devrais y réfléchir, et on en reparlera.

Je détourne les yeux. Leonard ne parle plus, il laisse l'idée germer. Je me retourne, parle.

C'est à quelle heure, le concert ?

La première partie commence à 19 heures, mais ils sont nuls. Ils ne font pas du *rock* comme devrait en faire un bon groupe, donc on s'en fout. On n'a qu'à se pointer vers 20 h 30.

Tu veux qu'on te retrouve ici ?

Tu viens avec qui ?

Mon amie Erin.

Super, je l'aime bien, Erin. Elle s'habille bien, parle bien, elle a un joli sourire et un joli rire. Je viendrai vous prendre à 19 h 30 chez toi.

Je me lève.

255

À tout à l'heure.

Réfléchis, mon fils.

Je rentre chez moi à pied et je prends une douche. Je passe un moment avec Julianne elle boit une bière et je bois du cola, je la laisse parler l'écoute parler même si je me suis habitué à son accent j'aime toujours l'entendre. Erin arrive un peu en avance. Elle prend une bière. On attend Leonard qui arrive pile à 19 h 30. On sort de l'appartement. Une grande limousine noire nous attend, garée le long du trottoir, un chauffeur en uniforme est debout devant la portière arrière ouverte je regarde Leonard, parle.

Noire ?

Il parle.

Ouais, noire.

Je croyais que tu ne montais que dans des voitures blanches ?

Il y a des exceptions à chaque règle et les exceptions à ces règles s'appliquent aux limousines, parce qu'une limousine blanche, c'est ridicule.

Je ris. On grimpe dans la limousine et le chauffeur referme les portières derrière nous. On découvre un frigo rempli de cola et de champagne, un téléviseur, une chaîne stéréo. Leonard et moi buvons du cola, Erin boit du champagne, et on écoute la musique du groupe que l'on va voir alors qu'on se dirige vers la salle de concerts. Une fois là-bas, on nous fait signe de nous garer dans un parking réservé et on nous conduit à nos sièges, devant et au milieu. Le concert commence et le chanteur, qui est peut-être un enfoiré dans la vie, casse la baraque une fois qu'il est sur scène avec son *rock'n'roll*. Je fais le *rock*, Erin fait le *rock*, Leonard fait le *rock*.

On fait le *rock and roll* toute la nuit.

Le vivre, l'adorer.

JE PENSE À PARTIR. JE PENSE À LILLY. Je pense à ma vie et à ce que j'en attends, je pense à toutes ces choses en marchant, en travaillant, en mangeant, en prenant ma douche, en lisant, quand je suis au téléphone, quand je suis avec mes amis. Mes dernières pensées quand je m'endors, mes premières pensées quand je me réveille, c'est partir d'ici.

JE M'ASSIEDS PRÈS D'ELLE. Je m'assieds et j'observe la tombe, son nom, ses dates de naissance et de mort, les mots, Avec tout notre amour, les mots Avec tout notre amour. Je m'assieds près d'elle et je me souviens que le jour où on s'est rencontrés, elle a souri et dit bonjour, on faisait la queue dans le service médical de la clinique, elle s'est tournée, elle a souri et dit bonjour. Je me souviens de notre première cigarette elle a dit tu veux fumer, dur à cuire et elle m'a ri au nez. Je me souviens de la première fois où on s'est retrouvés seuls elle est tombée sur moi par hasard dans les bois j'étais brisé et elle m'a pris dans ses bras et elle m'a dit ça va aller, ça va aller, et quand elle me tenait dans ses bras ça allait. Je me souviens de notre premier baiser, du goût qu'elle avait, son souffle, l'odeur de sa peau, la manière dont mon cœur battait, battait, battait. Je me souviens de chaque instant passé ensemble, de chaque minute passée à se cacher des gens qui nous disaient qu'on n'avait pas le droit d'être ensemble, de chaque conversation, de chaque baiser. Je me souviens de ses yeux ces magnifiques yeux bleus comme l'eau profonde, je me souviens d'avoir regardé dans ses yeux et d'avoir su. Je me souviens que sa main semblait petite et fragile et plus forte que je ne l'avais cru. Je me souviens de ses longs cheveux noirs, magnifiques et ébouriffés, qu'elle cachait aux autres avec une casquette de base-ball. Je me souviens de sa peau douce, froide, pâle comme le marbre la manière dont mes mains la touchaient quand elles la caressaient. Je me souviens des cicatrices sur ses poignets qui, me semblait-il alors, étaient de l'histoire ancienne. Je me souviens d'avoir pleuré avec elle, pour elle et à cause d'elle. Je me souviens d'avoir ri d'elle, avec elle et à cause d'elle. Je me souviens de la paix que j'ai connue avec elle, de la sécurité que j'ai connue avec elle, de la force que j'ai connue avec elle, de l'espoir que j'ai connu avec elle, de l'amour que j'ai connu avec elle. J'ai connu l'amour avec elle, l'amour comme jamais auparavant. On avait des rêves, des projets, on allait passer notre vie ensemble. On s'est soutenus l'un l'autre dans l'obscurité et contre la mort, m'a-t-il semblé, et j'avais tort. Elle a fait ce qu'elle a fait. Je ne la hais plus pour cela. Je vais faire ce que je vais faire. Je me mets à pleurer. Ce sont des larmes de tristesse et de chagrin, des larmes de douleur et de rage, des larmes de deuil, des larmes de repentance, et pour les meilleures, des larmes parce que j'ai eu la chance de la connaître un peu. Je me penche vers la tombe où elle repose, je pleure, je murmure je t'aime, Lilly, et je reviendrai te voir, je t'aime, tu vas me manquer et je reviendrai.

Je me lève, m'éloigne.

Il est temps de partir.

los angeles

MON DEUXIÈME AMI DU NOM DE KEVIN habite à Los Angeles. C'est un acteur qui vit dans un appartement à Holly-wood, prend des cours de comédie, passe des auditions, travaille comme serveur et se démène. On a été à la fac ensemble. Il a vingt-six ans, mais il en fait dix-huit, il a des cheveux foncés et ondulés, des yeux bleus et de bonnes joues roses. Il aime parler et la plupart du temps il est drôle, la plupart du temps il est facile à vivre et il a envie de faire le trajet en voiture avec moi de Chicago à Los Angeles. Ça serait chouette qu'il m'accompagne.

Il vient à Chicago, on remplit mon pick-up, on pré-pare notre itinéraire. On va passer par le Midwest, se diriger vers le Nouveau-Mexique, traverser l'Arizona, le Nevada et la Californie.

On part tôt le lendemain matin. Comme on s'en va, je m'arrête à un croisement quelconque dans un quartier à l'abandon. Je prends ma bouteille de rose, la bouteille que j'ai achetée quand je suis arrivé, la bouteille que j'ai conservée tout le temps que j'étais ici, la bouteille que j'ai toujours gardée comme recours, et je l'abandonne encore fermée au coin de la rue. J'espère que quelqu'un la trouvera, et j'espère qu'il l'appréciera.

On roule vers l'ouest pendant des heures et des heures, traversant des terres cultivées, des centaines de kilomètres se mélangent dans une mer verte et jaune qui ondule lentement, toutes les granges rouges les fermes blanches les silos gris se ressemblent. On s'arrête à Kansas City pour la nuit, on se lève tôt, on continue. Dans le Colorado, on prend vers le sud, on se dirige vers le Nouveau-Mexique. Kevin reçoit un message pour une audition importante, il faut qu'il rentre à L.A. plus tôt que prévu. On choisit de continuer d'aller directement en Californie, on s'arrêtera pour l'essence et la bouffe, on se relayera au volant, l'un dormant pendant que l'autre conduira. Kevin jette un œil à la voiture chaque fois qu'on s'arrête pour l'essence, il vérifie l'huile, le liquide de refroidissement, les essuie-glaces. Je lui dis de ne pas s'inquiéter, que la voiture a été rafistolée, elle est en très bon état. Il me répond qu'il est juste prudent. On traverse les montagnes du Nouveau-Mexique, on descend dans l'Arizona, il est 2 heures du matin, je me gare dans un relais routier. J'entre pour chercher du café et des cigarettes Kevin se remet à tout vérifier. Dix minutes plus tard, on s'en va.

C'est le milieu de la nuit. On est au milieu du désert. Kevin ne parle plus on est tous les deux crevés il me dit qu'il va dormir. J'allume la radio. J'écoute quelqu'un parler de troupes d'assaut qui se promènent dans des hélicoptères noirs pour kidnapper les gens qui critiquent le gouvernement et leur faire des lavages de cerveau. Ça fait partie d'une conspiration organisée par les francs-maçons et les Juifs. J'entends un étrange cliquetis qui vient du moteur. Je sens une odeur de plastique brûlé. Je ris, pense que c'est peut-être un coup des francs-maçons et des Juifs. Le cliquetis devient plus fort, l'odeur plus agressive. Il y a un grand BOUM, le moteur perd immédiatement de sa puissance, de la fumée s'échappe du capot, l'odeur est accablante. Kevin se réveille et demande qu'est-ce qui est arrivé, qu'est-ce qui se passe, je lui dis il y a un truc dans le moteur qu'a l'air de clocher, je pense que c'est à cause des francs-maçons et des Juifs, et je me gare sur le bas-côté de la voie rapide. On sort de voiture Kevin ne comprend toujours pas.

Qu'est-ce qui s'est passé ?

Je ne sais pas.

Il faut qu'on sorte. Je crois que la voiture va exploser.

Je pense que ça va.

Qu'est-ce qui cloche ?

Je regarde le pick-up. La fumée est moins importante, l'odeur toujours ignoble.

Je n'en ai aucune idée. Un sale truc est arrivé.

Comment ?

Est-ce que t'as remis tous les bouchons et les saloperies en place ?

Évidemment que oui, je suis pas débile.

Simple question.

On se tient devant le pick-up, à l'observer. La fumée s'est presque dissipée. On reste immobiles, à observer quelques minutes. C'est le milieu de la nuit. On est au milieu du désert. Je regarde Kevin.

On dirait qu'on est dans la merde.

Essaie de le démarrer.

Il démarrera pas.

Essaie, c'est tout.

Je vais dans le pick-up, essaie de démarrer. De gros cliquetis viennent de sous le capot, il ne démarre pas. Je sors.

Démarre pas.

· Peut-être que si on attend un peu.

On attend dix minutes. Pas une seule voiture, pas un camion ne passent. J'essaye de démarrer le moteur, même résultat. Kevin parle.

Qu'est-ce que tu veux faire ?

Rester ici.

On reste ici. Quelques voitures passent, aucune ne s'arrête. Au bout d'une demi-heure, une voiture de police se range sur le bas-côté. Un agent en sort, pour la première fois de ma vie je suis fou de joie de voir un représentant de la loi venir vers moi. Il demande ce qu'on fait on lui dit le pick-up est tombé en panne. Il demande d'où on est et où on va on lui dit. Il nous demande si on sait quelle est la panne du pick-up je dis aucune idée.

Il retourne à sa voiture, allume son émetteur, parle quelques minutes, revient.

J'ai appelé un mécano que je connais qui a une dépanneuse. Il peut venir vous chercher si vous voulez, mais c'est pas donné. Si vous ne voulez pas, vous pouvez attendre jusqu'au matin, la patrouille de l'autoroute remorquera la voiture.

Il peut venir ici rapidement, votre gars ?

On est en plein milieu de la nuit et il est pas tout près.

On ne peut pas attendre demain matin.

Je vais appeler mon type. Il sera ici dans une heure.

Le policier retourne dans sa voiture, parle dans la radio, il revient et nous dit que la dépanneuse arrive. Il remonte dans sa voiture et s'en va. On attend. Je m'assieds sur le bord de la route et fume des cigarettes. Kevin fait les cent pas, il s'inquiète à l'idée que nous ne soyons pas rentrés à temps pour son audition. Une heure passe, deux heures, il commence à faire jour quand on voit une dépanneuse s'approcher de nous. Elle se range sur le bas-côté, derrière nous, un petit homme maigrichon les bras couverts de tatouages, une cigarette pendue aux lèvres, sort de la camionnette s'avance tranquillement vers nous il parle.

On dirait que vous avez un petit problème.

Ouais.

Qu'est-ce qui s'est passé ?

Des drôles de bruits et de la fumée.

Ouvrez-moi ce putain de capot.

Je farfouille, ouvre le capot. Il le soulève, regarde le moteur. Kevin et moi restons derrière lui, nous l'observons tandis qu'il examine le moteur, il se tourne vers nous.

Vous êtes niqués, les mecs, complètement niqués.

Qu'est-ce qu'il y a ?

Le moteur a pété.

Pourquoi ?

Est-ce que quelqu'un y a touché ?

Je désigne Kevin de la main. L'homme parle.

Il a oublié de remettre le bouchon du radiateur et tout le liquide de refroidissement s'est évaporé, boum, ça a tout fait péter.

Kevin parle.

C'est pas possible.

Si, c'est ce qui s'est passé. J'ai vérifié.

J'ai remis le bouchon.

Il est pas là, et tant que je sache, y s'est pas envolé tout seul.

Kevin s'énerve, il est sur la défensive.

C'est pas drôle.

J'essaye pas d'être drôle, j'essaye seulement de vous dire ce qui s'est passé, et ce qui s'est passé c'est qu'il n'y avait pas de bouchon sur le radiateur et le putain de moteur a pété.

C'est pas ce qui s'est passé.

Je regarde le mécano, parle.

Combien de temps ça prendra pour le réparer ?

Il réfléchit un petit moment, parle.

Peut-être une semaine, dix jours. C'est long, ce genre de boulot.

Kevin parle.

Une semaine ?

Au minimum, vieux. Le moteur est foutu, complètement grillé.

Kevin se tourne vers moi.

Il faut que je rentre, il faut que je rentre vite.

Je regarde le mécano.

Y a un moyen d'aller plus vite ?

Nan.

On peut louer un pick-up dans le coin ?

À Flagstaff.

C'est loin d'ici ?

À cent quatre-vingts kilomètres ou quelque chose comme ça.

Vous pourriez nous remorquer jusqu'à là-bas ?

Je vous remorquerai jusqu'au Japon si vous me payez, les gars. Je vous remorquerai où vous voulez.

Combien ça va coûter ?

Eh bien, il est 4 h 30 du matin et putain je peux pas blairer Flagstaff et ma femme ne peut pas me sentir en ce moment et j'ai besoin d'argent pour la rendre heureuse, alors ça va douiller.

Combien ?

Sept cent cinquante dollars.

Pas question.

Cinq cents dollars.

Trois cent cinquante.

Ma femme est vraiment folle de rage, mec, cinquante de plus.

D'accord, allons-y.

Le mécano retourne à sa dépanneuse, la gare devant mon pick-up, commence à fixer mon pick-up sur le mécanisme de remorquage à l'arrière de sa dépanneuse. Kevin ne décolère pas, il n'arrive pas à réaliser ce qui se passe, est persuadé de ne rien avoir à faire dans cette histoire. Je grimpe à côté du mécano, Kevin à mes côtés, on part pour Flagstaff.

On regarde le lever du soleil sur les plaines désolées. Le mécano bavarde, il fume il parle de sa femme il dit qu'elle le déteste, de ses deux frères il dit qu'ils le détestent, de sa petite amie il dit qu'elle le déteste. Il parle de sa dépanneuse il la surnomme Wayne c'est son bien le plus précieux. Il parle de tirer des coups de feu dans le désert il espère trouver quelqu'un qui lui enverra un bazooka pour qu'il essaye de foutre, dit-il, un putain de beau merdier pas piqué des vers. J'écoute le mécano et je ris pendant presque tout le voyage. Kevin regarde par la fenêtre, serre les dents et secoue la tête.

On arrive à Flagstaff. Il est encore tôt. Presque tout est fermé on trouve une station-service, du café, des ciga-rettes, des bâtonnets de bœuf séché. Le mécano nous laisse, avec mon pick-up, sur le parking d'un loueur de voitures. Je lui fais un chèque, il dit merci et me conseille de quitter Flagstaff le plus vite possible. Je lui demande pourquoi il dit des drôles de choses arrivent dans le coin. Je lui demande quoi il secoue la tête et dit mec, crois-moi, y a des saloperies foutrement horribles, flippantes et délirantes dans le coin. Il monte dans sa dépanneuse et nous laisse.

Kevin et moi nous asseyons, on attend. On a deux heures à tuer avant que le bureau ouvre, Kevin passe presque tout son temps à injurier le mécano et son diagnostic erroné. Quand le bureau ouvre je loue une grande camionnette et une remorque et je mets mon pauvre pick-up déglingué dans la remorque. On va vers l'ouest. Je n'ai pas dormi depuis vingt-quatre heures. Le désert joue des tours à mon esprit et à mes yeux je vois des mirages, je vois des flashs argentés, des lumières bleues. Je bois du café, fume des cigarettes, mets la radio à fond, hallucine.

Une fois entrés dans le comté de Los Angeles il nous faut quatre heures pour faire une centaine de kilomètres. Quand on atteint West Hollywood je n'arrive plus à penser correctement, voir correctement, marcher correctement. Je laisse les camions, mon pick-up sur la remorque et la grande camionnette d'un côté de la rue ils occupent un demi-bloc.

J'APPELLE LEONARD JE LUI AI DIT QUE J'APPELLERAI dès mon arrivée. Il veut déjeuner avec moi. Il me donne le nom d'un restaurant, me dit qu'il y sera mercredi à 13 heures.

On me dépose devant le restaurant. J'arrive avec quelques minutes d'avance. Je rentre le maître d'hôtel se tient juste devant la porte d'entrée. Je lui donne le nom de Leonard il me dit que Leonard n'est pas arrivé je peux l'attendre au bar. Je vais au bar, qui se trouve quelques mètres derrière lui. Je m'assieds sur un tabouret, regarde autour de moi. C'est plein de monde, bruyant, je suis le plus jeune client du restaurant, et le plus mal fagoté. La plupart des clients sont des hommes d'âge moyen en costume, les costumes sont gris, noirs ou bleu marine ils ont l'air de coûter cher. La plupart des hommes ont les cheveux impeccables parfaits tirés à quatre épingles, un bronzage léger, des ongles manucurées, ceux qui ne sont pas ainsi ont l'air soigneusement décoiffés, comme s'ils passaient toutes leurs matinées devant leur miroir pour s'assurer que leurs cheveux sont négligés comme il faut. Les murs sont couverts de caricatures sur lesquelles sont dessinés les gens célèbres, presque tous des hommes, qui sont des clients réguliers, certains sont des stars de cinéma, d'autres des athlètes, d'autres des réalisateurs célèbres et des producteurs. Je demande un bon cola bien frais et j'attends Leonard.

Il arrive cinq minutes plus tard il porte un costume, il est accompagné par Barracuda qui porte lui aussi un costume. Il me voit je me lève on s'étreint.

Bienvenue en Californie, mon fils.

Merci, Leonard.

On se sépare, je serre la main de Barracuda.

Bienvenue, fiston.

Merci, Barra.

Le maître d'hôtel nous conduit à une table. On s'assied dans un box contre un mur Leonard et Barracuda d'un côté, moi de l'autre. Leonard parle.

Te voilà arrivé au pays du soleil et des rêves. Tu vas soit adorer, soit détester, et tu vas soit réussir, soit échouer.

Il me tarde d'être fixé.

Adore, mon fils, et réussis. RÉUSSIS.

Qu'est-ce que tu fais ici ?

Je vois un nutritionniste.

Pourquoi ?

Parce que je veux vivre éternellement.

Je ris.

Sérieusement ?

Oui, sérieusement. Un régime étudié peut être la clef de l'immortalité. J'aimerais être immortel.

Je ris à nouveau.

C'est dingue, Leonard.

Barracuda parle.

C'est ce que je lui ai dit.

Leonard parle.

Chacun son truc.

Tu penses vraiment qu'un régime spécial te rendra immortel ?

Non, mais je crois que ça me permettra de tenir un peu plus longtemps.

Peut-être.

C'est sûr. Alors, maintenant je consulte un nutritionniste une fois par semaine, le mercredi, pour un avenir prévisible.

Je regarde Barracuda.

Tu l'accompagnes ?

Barracuda.

Putain, non. J'aime les cheeseburgers, les pizzas, les frites, les glaces, tout ce qui est bon. Je m'en fous que ça me tue, je les bouffe.

Je suis comme toi.

J'irai danser sur vos tombes, tournoyer et crier et chanter de joyeuses chansons pour pierres tombales.

Je ris, Barracuda parle.

Si je meurs, ça sera pas à cause d'un putain de régime.

On éclate de rire en chœur. Un serveur vient à notre table dit bonjour Leonard dit content de vous revoir, monsieur il nous donne le menu on commande. Je prends une côte de bœuf et des épinards à la crème, Barracuda prend un chateaubriand, des frites, des beignets à l'oignon, des tomates et des oignons et une salade au roquefort, Leonard demande une salade mélangée. Comme on attend les plats Leonard me pose des questions sur Liza je lui dis qu'il est trop tôt pour en parler. Il me demande où je vais vivre je lui dis que je vais vivre chez Liza. Il me demande quel boulot j'ai en vue je lui réponds que je vais peut-être faire des petits boulots dans la production tout en essayant de vendre le scénario. Il me dit qu'il a des amis à Hollywood qui pourraient m'aider si je le désirais, je lui dis que je veux y arriver par moi-même. Le serveur apporte des couteaux à viande pour Barracuda et moi, remplit nos verres. Comme il s'éloigne, un autre homme vient dans notre direction, Barracuda le repère prévient Leonard de sa présence. L'homme doit avoir la cinquantaine, mais il a l'air plus vieux. Il a des cheveux foncés et ondulés, qui ont l'air d'être teints, il est extrêmement maigre et extrêmement bronzé sa peau ressemble à du cuir. Il porte un costume, une montre étincelante, une bague au petit doigt. Barracuda regarde Leonard parle.

Il t'est toujours redevable ?

Leonard parle.

Oui.

Comment tu veux t'y prendre ?

Je ne veux pas avoir affaire à lui. Ce n'est ni le lieu ni le moment.

L'homme arrive à notre table il a l'air nerveux tremble légèrement il transpire il parle.

Bonjour, Leonard.

Leonard le regarde, parle.

Ce n'est pas le moment.

Il faut que je te parle.

Ce n'est pas le moment.

Je suis désolé pour les remboursements, je suis vraiment désolé, je n'oublierai plus…

Barracuda l'interrompt.

On est en train de manger. Tu ferais mieux de t'en aller.

L'homme continue. Leonard détourne le regard.

Je suis désolé, Leonard. Si tu pouvais seulement me donner…

Barracuda l'interrompt de nouveau.

Tu ferais mieux de t'en aller.

Les gens aux tables les plus proches se tournent, observent la scène, Leonard secoue la tête, l'homme continue.

Je t'en prie, Leonard, je t'en prie…

Je vois Barracuda attraper son couteau à viande l'homme ne le voit pas il regarde Leonard qui regarde ailleurs. BOUM. Barracuda plante le couteau dans la table et retire sa main. Le couteau est enfoncé dans la table il oscille un peu l'homme a l'air choqué. Barracuda se lève, se dresse de toute sa hauteur, le toise, parle.

Ce n'est pas le moment.

Autour de nous tout le monde s'est tu, tous nous observent, les yeux de l'homme sont grands ouverts et remplis de peur, il fait demi-tour et sort du restaurant. Barracuda se rassied, retire le couteau de la table, l'essuie sur sa serviette. Leonard parle.

C'est une vraie tête de con.

Barracuda parle.

273

T'as qu'un mot à dire.

Laisse tomber. Profitons de notre repas.

Barracuda glousse.

Un jour tu me laisseras bien le faire.

Nos plats arrivent on mange Leonard lorgne sur mon steak je lui en propose un peu il dit non. Une fois qu'on a fini on commande les desserts Barracuda prend un cheesecake je prends un sundae au caramel chaud Leonard prend une assiette de fruits. Après le dessert Leonard dit on se voit mercredi prochain ?

Je réponds on se voit mercredi prochain.

JE SUIS LOGÉ CHEZ LIZA ON PARLE pendant des heures je m'entends mieux avec elle qu'avec aucune autre femme que j'aie jamais rencontrée on rit et on rit on parle pendant des heures. Bien que ce soit facile d'être ensemble et bien qu'on s'apprécie énormément il reste quelque chose qui nous manque. On le ressent tous les deux on le sait tous les deux il y a quelque chose qui manque entre nous, on le déplore tous les deux.

J'emmène mon pick-up déglingué pour qu'il soit réparé ça va prendre dix jours.

Je me balade en voiture avec Liza commence à éprouver quelque chose pour cette ville. C'est une drôle de ville, différente des villes traditionnelles. Il n'y a pas de centre-ville. Ce qu'on appelle le centre-ville est une ville morte, vide à part quelques gratte-ciel de bureaux occupés pendant la journée. Les seuls habitants du centre-ville de Los Angeles sont des gens qui vivent en autarcie dans une zone qui s'étend sur dix blocs pleine de maisons en carton et de tentes. Le reste de la ville est divisé en petits quartiers, bien qu'il n'y ait aucune vie de quartier dans ces coins. Les trottoirs sont vides, les gens s'ignorent. On a le sentiment que les gens vivent où ils sont en attendant de partir dans un endroit plus agréable, que leur rêve va bientôt se réaliser, et qu'alors ils s'installeront dans l'une des zones riches de la ville et deviendront enfin amis avec ceux qui les entourent.

Je trouve une maison. C'est une maison de style espagnol avec trois chambres, dans une rue animée. Elle est différente des autres maisons du bloc parce que la cour de devant est pleine d'ordures. Je fais le tour de la maison, la cour arrière est aussi pleine d'ordures. Je regarde par la fenêtre du garage, il est plein d'ordures, je regarde par la fenêtre de la maison, elle est pleine d'ordures. Je demande à une voisine ce qui s'est passé avec cette maison elle me dit personne n'y a vécu depuis trois ans, parfois une camionnette vient et jette des saloperies. Je vais en ville au centre des impôts pour trouver à qui appartient la maison je les appelle. Je leur demande si ça les intéresserait que je nettoie la maison et la répare, leur dis que je le ferai gratuitement s'ils me laissent y vivre. L'homme me dit de passer à la maison plus tard dans l'après-midi je le rencontre il s'appelle Al c'est un mécano il a hérité la maison de sa grand-mère. Il est d'accord pour me laisser y vivre il veut aussi un petit loyer ça me va.

Je nettoie toute la maison, la cour, le garage. J'enlève la moquette il y a un beau parquet en bois dessous. Je dégote un matelas, un bureau et une table, un endroit où dormir un endroit où travailler un endroit où manger. Je dégote un colocataire. Il s'appelle Jaylen. Je l'ai connu à Chicago, où il dealait de l'herbe en grosses quantités, ne revendait jamais moins qu'un demi-kilo à la fois. Il dit qu'il en a marre de vendre de l'herbe, qu'il veut devenir réalisateur de clips musicaux.

Je sors tous les soirs. Vais dans les bars avec mes amis, amis que j'avais dans le temps qui ont émigré ici, qui travaillent dans différents secteurs de l'industrie du divertissement. On fréquente le Three of Clubs, la Room, Smalls, DragonFly, Snakepit, Jones, El Coyote. Les bars sont pleins de beaux gens jeunes c'est comme si les trois plus beaux spécimens de chaque ville, dans tout le pays, étaient venus s'installer à Los Angeles. Tout le monde veut devenir célèbre, tout le monde a ses réseaux. Tout le monde y est presque attend sa chance ça y est presque ils le sentent ils le sentent putain.

Chicago me manque. Mes amis me manquent, marcher me manque, voir Lilly me manque, vivre sans ambition me manque. Los Angeles est une ville où l'on se sent seul. Tout le monde ne pense qu'aux promotions au succès à la gloire et à l'argent, c'est dur de s'accoutumer à une culture dont le fondement est d'en vouloir toujours plus, de ne jamais être satisfait. Je me sens seul, mon ancienne vie me manque.

Je déjeune avec Leonard tous les mercredis. Il a l'air plus mince et en meilleure forme chaque fois. Barracuda et moi mangeons tous les deux des steaks et des plats et des desserts, Leonard ne déroge pas à sa salade et ses fruits.

JE ME METS EN TÊTE D'AVOIR UN CHIEN. Je commence à être plus attentif aux chiens des gens, à leur caractère, leur comportement, leurs besoins, leur prix. Je vois un pitbull du nom de Grace 2000. Grace 2000 est petite et très musclée, blanche avec des taches brunes, elle a des yeux marron-noir et scintillants. Elle est très vive, tourne en rond autour de la maison d'un de mes amis, aime jouer à la balle. Parfois elle mord le bout d'un élastique attaché à l'épaisse branche d'un arbre et rebondit. Parfois elle pourchasse sa queue. Elle n'aboie jamais, elle adore faire des mamours. C'est une boule d'énergie et d'amour de vingt-cinq kilos. Je me mets en tête d'avoir un chien comme Grace. J'achète un journal, regarde les petites annonces, lis message après message après message, pitbull pitbull pitbull. Un des messages est signé Fils de Cholo. Je ne sais pas ce que Cholo veut dire ni qui est Cholo, mais j'aime bien les sonorités, donc je fais le numéro et obtiens une adresse. J'y vais en voiture.

L'adresse se trouve à l'est de Los Angeles, dans le quartier populaire hispanique. Je me gare me dirige vers la maison il y a deux hommes assis devant le porche ils boivent de la bière et fument des cigarettes leurs bras sont couverts de tatouages. Je m'arrête devant eux, ils m'observent, je dis bonjour ils hochent la tête. Je leur demande s'ils vendent des chiens, ils disent *no habla*

278

inglés. Comme je ne parle pas espagnol, je leur tends le journal, dis Fils de Cholo, ils sourient, hochent la tête, l'un d'eux se lève et me fait signe de le suivre.

On fait le tour de la maison. Dans la cour derrière il y a une petite zone clôturée. À l'intérieur de la clôture se trouve une petite niche. L'homme siffle, un pit énorme en sort en trombe et se met à aboyer.

Jamais de ma vie je n'ai vu un chien comme ça. Il est court sur pattes et gigantesque, on voit se dessiner ses muscles saillants, sa fourrure est couleur chocolat au lait et il a des yeux verts et brillants. Il a une grosse tête, épaisse, comme s'il avait été taillé dans un bloc de pierre, et elle est couverte de cicatrices. Il se tient devant la clôture et grogne dans ma direction, ses dents sont énormes et parfaitement blanches. Je le fixe du regard. Il aboie et grogne, on dirait qu'il veut me manger, il me fout une trouille bleue. L'homme me tape sur l'épaule et le désigne du doigt et sourit et di *Cholo*, *campeón* invaincu. Il me fait signe de le suivre.

On va vers le garage. Il ouvre la porte et des chiots en sortent à flots, d'adorables petits chiots chocolat, des Cholo en miniature, les cicatrices en moins, les aboiements en moins. Ils glapissent et se bousculent, sautent sur mes jambes, mordent le bas de mon pantalon. L'homme montre les chiots du doigt et dit Fils de Cholo.

Je souris, m'assieds sur le béton. Les chiots se ruent sur mes genoux, se mettent à me sauter sur la poitrine, me lèchent le visage. Une hiérarchie s'est établie entre eux et les plus grands chiots écartent les plus petits. Le plus petit d'entre eux tombe de mes genoux et entreprend immédiatement de remonter. Il se fait à nouveau repousser, se remet à grimper. Tout ce qu'il veut c'est se rapprocher assez pour me lécher le visage.

Je me lève, les chiots se remettent à me mordiller les pieds, je regarde l'homme et désigne le plus petit chiot. L'homme hoche la tête et lève trois doigts. Le prix était indiqué dans l'annonce, j'ai pris du liquide avec moi. Je le sors de ma poche le lui tends il ramasse le chiot et me le tend. On se serre la main il dit *gracias* je dis *gracias*.

Je retourne à ma voiture. Le chiot se met à gémir. Plus on s'éloigne du garage, plus les gémissements s'intensifient. Quand j'ouvre la portière conducteur, le chiot se met à pleurer, regardant vers le garage, où les autres Fils de Cholo continuent de courir dans tous les sens. Je m'assieds derrière le volant. J'ai apporté des jouets pour chiots pour le distraire, il se contente de regarder en direction du garage et de pleurnicher. Je renonce à essayer de le faire taire, je démarre la voiture et je m'en vais.

Il s'assied sur mes genoux sur le chemin du retour. Il pleure et il tremble. Il me fait pipi dessus, fait pipi sur le siège, pipi par terre. Le Fils de Cholo a une peur bleue, et il me pisse partout dessus.

J'APPELLE LE CHIOT CASSIUS. C'est un chiot malin il reconnaît son nom au bout de quelques jours. Je lui apprends à être propre en une semaine. Il s'assied, bouge, reste tranquille, se couche au bout de deux semaines. Il me suit partout, m'accompagne dans mon pick-up, dort dans mon lit.

Je vais dans des fêtes avec mes amis. On va dans des appartements dans les cours des immeubles dans des maisons sur les collines de Hollywood. Quand je rencontre des gens nouveaux la première question qu'en général on me pose c'est qu'est-ce que tu fais ? Je leur réponds que je suis un écrivain en herbe qui n'a pas de travail, ils comprennent que je ne peux les aider d'aucune manière, que je ne peux leur être utile d'aucune façon et s'en vont, en général.

J'envoie mon scénario partout à tous ceux que je rencontre que ça pourrait intéresser je les relance sans succès sans succès. Ça ne m'embête pas, ne me décourage pas d'entendre les gens me dire non. J'ai confiance en ce que je peux faire et je crois que, dans une certaine mesure, c'est comme à la loterie. Si je rencontre assez de gens et leur montre mon travail, tôt ou tard quelqu'un l'appréciera.

Je me remets à essayer d'écrire un livre je passe la majeure partie de mon temps à fixer l'écran vierge de l'ordinateur.

Jaylen et moi décidons de combler la troisième chambre de notre maison, on se dit que ce serait bien d'avoir quelqu'un pour partager les dépenses. Jaylen ramène dans la maison un vieil ami de Chicago, qui s'appelle Tommy. Tommy est Coréen, a grandi dans une petite ferme à une soixantaine de kilomètres à l'ouest de Chicago, son père et sa mère sont tous deux médecins. Tommy s'habille comme une racaille et parle comme une racaille, avec un fort accent des ghettos. Il veut devenir soit une star du rap, soit DJ ou réalisateur de clips de rap. Je lui demande s'il a déjà eu l'impression d'être un imposteur avec ses vêtements et son accent et il dit enculé, j'ai peut-être grandi à la campagne, mais mon cœur, sa mère, il vient de la rue. Je lui demande s'il s'est déjà battu, s'il a déjà été arrêté, s'il a possédé un flingue ou vendu de la drogue, il dit qu'il est naturel avec un style non violent.

Je vois Leonard le mercredi il ne cesse de mincir, d'avoir l'air en bonne forme.

LEONARD APPELLE DIT C'EST UN GRAND JOUR, un grand jour, ramène des amis je vous emmène au restaurant. Je lui demande pourquoi c'est un grand jour il dit je te le dirai quand je te verrai. Je demande le lieu et l'heure il dit qu'il passera me prendre chez moi, de ramener mes enfoirés de potes. J'appelle Liza, Mike, Jenny, Quinn, Mark, mon ami Andy de New York qui séjourne ici. Tout le monde se rejoint chez moi, Leonard arrive dans sa Mercedes blanche, Barracuda conduit. Il n'y a pas assez de place dans sa voiture alors mes amis prennent la leur et j'y vais avec Leonard. Aux pieds de Leonard se trouve un petit attaché-case. Je le regarde, parle.

C'est pas pour moi, hein ?

Leonard parle.

Tu as pris ta retraite.

Bien.

Et j'ai envie de faire ça moi-même.

Est-ce que ç'a un rapport avec le grand jour ?

En effet, ç'a un rapport.

Je n'ai pas besoin d'en savoir plus.

Tu peux demander.

C'est bon.

Vraiment, ça va. Demande.

Non merci.

Barracuda se tourne vers nous.

Putain, il veut que tu lui demandes, alors demande.

Je regarde Leonard, parle.

Qu'est-ce que cet attaché-case a à voir avec le grand jour ?

Leonard sourit.

C'est mon dernier acte vraiment illégal.

Je ris.

Félicitations.

Il hoche la tête.

C'est un putain de grand jour.

Pourquoi est-ce qu'on vient avec toi, mes amis et moi ?

Pour fêter ça.

Est-ce qu'on risque quelque chose ?

Bien sûr que non.

Qu'est-ce qui se passe ?

Les russkofs.

Les russkofs ?

Ouais, les russkofs ont débarqué.

Et alors ?

Leonard regarde Barracuda.

Tu lui expliques ?

Barracuda hoche la tête.

Ouais.

Leonard me regarde à nouveau.

Il va t'expliquer.

Je hoche la tête.

J'ai compris.

Barracuda parle.

Les Russes sont de vrais salauds, ont toujours été de vrais salauds. Ils ont dérouillé Napoléon, dérouillé Hitler, dérouillé tous ceux qu'ils ont croisés. Quand les gens comme nous ont commencé à arriver ici, les russ-kofs étaient en Russie et ils n'en avaient rien à battre. Et puis l'Union soviétique les a empêchés de sortir pendant soixante-dix ans. Aujourd'hui ils sont libres ces enculés, et ils voient ce qu'on a, et ils débarquent ici en masse les enculés, et comme j'ai dit, c'est des vrais putains de salauds. Si je suis à six sur l'échelle de la salo-perie, ils sont à douze. Ils sont cupides et agressifs, et maintenant qu'on est dans la légalité, je pense qu'on va pas tarder à leur laisser le champ libre. Mais, en fait, on peut pas se barrer comme ça, parce qu'alors on passerait pour des femmelettes, des trouillards, et on se ferait mettre la pâtée. Alors on va faire un marché. On va leur donner certains égards dont ils ont besoin, ils nous donnent un sac de bijoux russes en toc qu'on vend. Tout le monde sera gagnant, tout le monde sera content, il ne peut rien nous arriver de mal. On a fini de traficoter illégalement, on peut plus se faire attraper, à part peut-être pour fraude fiscale, ce qui pourrait arriver, vu que c'est la première fois que je remplis ma déclaration d'impôts, et le fisc, il remarque ce genre de conneries.

T'as un bon comptable ?

Il rit.

Oui, enfin je crois, et il vaudrait mieux, sinon il va avoir des ennuis.

Il rit de nouveau.

Une déclaration d'impôts. En fait ça m'excite.

Je ris, me tourne vers Leonard.

Qu'est-ce qu'il y a dans cette serviette ?

Rien. Elle est vide.

Et tu vas l'échanger contre une autre, qui est pareille, mais qui n'est pas vide ?

Tu apprends vite, mon fils. T'avais ça dans le sang.

Je ris. On tourne sur Sunset, on se dirige vers l'est, loin du glamour du Sunset Strip et vers la réalité de Hollywood. Les immeubles sont encadrés par des bâtiments décrépis. Comme c'est la nuit, il y a des putes, des femmes qui sont des femmes et des hommes qui sont des femmes et d'autres, indéterminés, faisant les cent pas dans la rue, rassemblées aux croisements en petits groupes, elles bougent et remuent leur cul et montrent leurs nichons et crient comme on passe devant elles en voiture. Les boutiques sont des prêteurs sur gages, les vitrines sont pleines de guitares et d'amplis et de batteries, pleines des rêves déchus de superstars du rock. Il y a un Space Burger leurs hamburgers sont à tomber à genoux,

285

il y a un resto plein de gens assis tout seuls qui regardent par la fenêtre. C'est un spectacle banal à Los Angeles, quelqu'un assis tout seul qui regarde par la fenêtre.

On quitte Sunset. On se gare à côté d'un voiturier devant ce qui ressemble à une mosquée. C'est un grand bâtiment blanc avec un dôme doré, il a des pointes sur le toit, des portes argentées ornées de mots gravés en arabe. On sort de voiture. Barracuda renvoie le voiturier emmène la voiture dans la rue je regarde Leonard, parle.

Qu'est-ce que c'est que ce truc ?

Leonard sourit.

La danse du ventre !

La danse du ventre ?

Ouais, la danse du ventre.

Mes amis arrivent, sortent de voiture. Ils ont l'air de connaître le lieu je leur demande si l'un d'entre eux est déjà venu ici ils disent non. Leonard nous conduit à l'intérieur. Il y a une grande salle principale, c'est une salle lumineuse, sans cloison. Il y a une fontaine au centre de la salle, un sol carrelé, décoré, des mosaïques couvrent les murs. De plus petites pièces se trouvent autour de la salle principale, de plus petites pièces de tous les côtés, ce sont des salles sombres, d'épais tapis d'Orient couvrent le sol, ils sont éclairés par des bougies des gens sont assis par terre sur des coussins. Leonard salue le maître d'hôtel qui nous mène dans l'une des plus petites pièces. On s'assied sur des coussins autour d'une table basse et ronde. Un serveur nous apporte de l'eau et des menus Leonard refuse les menus d'un geste de la main, commande pour la tablée. Barracuda nous rejoint pose l'attaché-case près de ses jambes.

Leonard se présente lui-même à mes amis, présente Barracuda. Il leur demande d'où ils viennent, pourquoi ils vivent à Los Angeles, comment ils me connaissent. Barracuda reste assis, ne parle pas, jette parfois un coup d'œil vers l'entrée de la pièce, jette parfois un coup d'œil à sa montre.

Les premiers plats arrivent. La nourriture est servie dans de grandes assiettes rondes. Les assiettes offrent différents compartiments pour la viande d'agneau et le bœuf, le pain large et plat, des sauces sombres et épaisses. Aucun d'entre nous ne sait ce que c'est ni comment ça se mange Leonard nous dit que c'est perse on mange avec les mains en trempant simplement le pain et la viande dans la sauce sans se soucier de se salir sans se soucier des bonnes manières. Les mets sont riches, forts, épicés, mes amis boivent de la bière je bois de l'eau. Lorsqu'on finit les assiettes, je vois Barracuda qui fait un signe de tête à Leonard ils se lèvent tous deux et récupèrent l'attaché-case.

Leonard présente ses excuses ils quittent la pièce.

Nos assiettes sont débarrassées on attend.

Nos verres sont remplis on attend.

Liza demande si je sais où est passé Leonard je dis que je n'en ai pas la moindre idée. Mark me demande si on doit commander la suite je réponds que je suis quasiment sûr que c'est déjà prévu. De nouveaux plats arrivent ça ne s'arrête jamais. On attend.

Je pense à sortir les retrouver pour m'assurer que tout va bien, je me trouve risible je sais que je ne tiendrais pas cinq secondes contre un salaud de Russkof. J'envisage d'aller parler au maître d'hôtel quand j'entends une clochette, plusieurs clochettes, qui proviennent de l'entrée de la pièce. Par-dessus les clochettes j'entends le rire de Leonard, qui dit houhou, houhou, qui dit remue-moi ça remue-moi ça remue-moi ça. Toute la tablée se tourne vers l'entrée. Une danseuse du ventre, en costume traditionnel de danseuse du ventre, roulant des hanches et remuant le ventre, agitant des cymbales à ses doigts clic clic clic pénètre dans la pièce en se déhanchant. Elle est suivie par une autre danseuse suivie par Leonard qui siffle et rit suivi par un homme qui gratte frénétiquement une guitare suivi par deux serveurs qui poussent d'énormes chariots de nourriture suivis par Barracuda qui porte un attaché-case identique à celui qu'il avait en quittant la pièce. Les danseuses du ventre se placent autour de la table. Les serveurs disposent les chariots près de la table, se mettent à servir des bols débordant de riz et des assiettes regorgeant de kebabs de bœuf, d'agneau et de poulet. Leonard suit les danseuses, fait semblant d'en être une, se ridiculise complètement, sachant pertinemment ce qu'il fait, mort de rire. Barracuda se rassied, sourit. Mes amis mangent, boivent, regardent le spectacle, rient. Leonard s'assied et choisit un kebab au poulet il dit je fais attention à mon poids et demande aux danseuses de danser à nouveau. Chaque fois que je regarde Barracuda il hoche la tête et sourit, deux ou trois fois il dit en remuant les lèvres les mots déclaration d'impôts, oh ouais, déclaration d'impôts, oh ouais. On reste des heures dans le restaurant à manger à boire à écouter de la musique à regarder les danseuses à rire rire rire.

Tout est légal désormais.

Barracuda va remplir sa déclaration d'impôts.

LE TÉLÉPHONE SONNE JE DÉCROCHE LEONARD PARLE.

MON FILS MON FILS MON FILS.

Je ris.

Salut, Leonard.

Comment ça va ?

Je vais bien. Et toi ?

Je m'en veux énormément.

Pourquoi ?

J'ai oublié de te donner le secret.

Quel secret ?

Le secret pour tout casser dans ce putain d'Hollywood de ringards.

Tu le connais ?

Bien sûr que je le connais.

Je ris de nouveau.

Qu'est-ce que c'est ?

Faut foncer.

Faut foncer.

Mais faut pas foncer, faut foncer COMME UN TARÉ.

D'accord.

D'accord.

Chaque fois que tu rencontres quelqu'un, faut lui en foutre plein la vue. Lui faire croire que t'es le mec le plus sensas du monde. Lui faire croire qu'il va se faire virer de son boulot s'il t'en file pas un. Regarde-le bien en face, et ne détourne jamais les yeux. Aie confiance en toi et reste calme, mais fonce comme un taré.

On dirait plutôt que c'est le secret pour tout casser dans la vie.

Ça l'est, mais j'attendais une autre occasion pour te dire ça.

LIZA ET SON AMI MITCH ont envie de faire un court métrage à partir d'une pièce de théâtre. Ils me demandent si je veux le réaliser je dis oui. Liza convainc le célèbre réalisateur pour lequel elle travaille d'en financer la moitié, son ami Mitch convainc le fameux producteur pour lequel il travaille de financer l'autre moitié. Je ne suis pas sûr d'être un réalisateur, je n'ai aucune expérience des acteurs et je ne sais pas vraiment comment fonctionne une caméra, mais je fais semblant d'en être un et faire semblant, c'est tout ce qui compte à Hollywood. Faites semblant d'être quelqu'un, soyez convaincant, et les gens vous traiteront différemment, comme si vous étiez effectivement ce que vous prétendez être. C'est un jeu, déplaisant et faux, mais c'est le moyen d'atteindre une fin, alors je joue le jeu, et je comprends vite que je le joue plutôt bien.

Tommy et Jaylen décident de travailler ensemble comme DJ. Ils mettent tout leur argent en commun et ils achètent deux platines, une sono et de nombreuses caisses de disques. Ils arrêtent de travailler, passent tout leur temps à fumer de l'herbe et à passer des disques.

Cassius ne cesse de grandir grandir grandir. À quatre mois il pèse quinze kilos à cinq il en pèse vingt et à six il en pèse vingt-cinq. Il est tout en muscles. Sa coordination est plus lente que sa croissance, il trébuche, il s'emmêle les pattes et semble gêné par sa taille.

Je recommence à dormir. J'ai pris l'habitude de me coucher sans les grondements et les tremblements du métro aérien.

Je vais rencontrer des directeurs de production. Je vais rencontrer des agents. Les directeurs de production sont les gens qui lisent des scénarios, embauchent des écrivains pour écrire ou réécrire des scénarios, les agents sont les gens qui cherchent du travail et négocient les contrats. Les réunions sont des réunions générales, ce qui signifie dire bonjour, ravi de vous rencontrer, ils disent qu'ils ont entendu le plus grand bien de moi, je leur dis la même chose, et on passe l'heure suivante à se lécher mutuellement le cul. J'essaie de faire bonne impression à chaque personne que je rencontre suis le conseil de Leonard parle simplement et directement et regarde tout le monde dans les yeux. D'un côté je déteste rencontrer ces gens ce n'est que du chiqué et c'est stupide et après, chaque fois, je me sens mal, à tous les coups, d'un côté je sais qu'il le faut que je dois le faire si je veux travailler et gagner de l'argent. D'un autre côté, je suis content de faire quelque chose d'autre que le livreur, un job de merde ou des promenades. Ça fait du bien de vraiment faire quelque chose.

Tommy et Jaylen se mettent à organiser des fêtes dans notre maison. Ils installent les platines dans le salon et font payer dix dollars pour passer la porte. Les fêtes commencent à minuit et finissent parfois avant l'aube. Les fêtes m'empêchent de dormir, impossible de fermer l'œil, putain.

ON TERMINE LE FILM. Liza et Mitch veulent faire une projection et une fête. Le studio dans lequel on travaille possède une salle de cinéma ils convainquent l'homme qui le dirige de nous le prêter.

Je le dis à mes parents, à qui je parle une fois par semaine ou plus, ils veulent venir à la projection. Je le dis à Leonard il veut venir à la projection. Liza et Mitch envoient des invitations ils disent qu'il va y avoir un tas de gens à la projection, acteurs et réalisateurs et écrivains et agents et managers et producteurs. La plupart d'entre eux, me dit Liza, vont venir pour voir s'ils aiment mon film et veulent travailler avec moi. Je lui demande comment ils me connaissent elle dit qu'elle et Mitch ont une grande gueule. Je la remercie, le remercie. Les jours précédant la projection je suis tendu. Si tout se passe bien j'aurai du travail, si ça se passe mal on m'oubliera. Je trouve le film bien, mais je sais aussi qu'il ne va pas changer le monde. Si ça rate, ça rate. J'ai connu pire.

Mes parents arrivent. Ils ont récemment déménagé de Tokyo à Singapour, le vol jusqu'à Los Angeles dure vingt-six heures. Je vais les chercher à l'aéroport ils sont fatigués. Je leur dis que je les mène à leur hôtel ils veulent voir ma maison. Je leur dis je les mène à leur hôtel. Sur le chemin on parle je leur demande s'ils se sont bien faits à Singapour, ma mère dit c'est un endroit plus facile à vivre que le Japon, tout le monde parle anglais et ils ne détestent pas les étrangers, mon père dit que ça ne fait pas de différence pour lui, qu'un bureau, c'est un bureau. Ils me posent des questions sur Los Angeles je leur dis ça va je m'y habitue, ils me questionnent sur mes amis, ils ne les connaissent pas, je leur dis qu'ils verront mes amis ce soir. Ça me fait du bien de voir mes parents, c'est plus facile que je ne m'y attendais. Nos relations ont été tendues et difficiles la majeure partie de ma vie, maintenant ça s'améliore, ça devient plus sain chaque fois que je les vois. Je sais qu'ils m'aiment ils m'ont toujours aimé ; je sais qu'ils veulent que tout aille pour le mieux pour moi ils ont toujours essayé. Ça me fait du bien qu'ils soient venus ici.

Je les dépose à l'hôtel. Je rentre chez moi fume des cigarettes écoute Tommy et Jaylen qui s'entraînent, c'est encore pire qu'à leurs débuts, aucun rythme n'est synchro, les transitions d'un morceau à l'autre sont flagrantes et chaotiques. Le temps passe lentement comme chaque fois que je veux qu'il passe vite je n'ai rien d'autre à faire qu'attendre. Je reste dans ma chambre n'arrive pas à réfléchir ni à parler au téléphone à cause du bruit, si je gagne de l'argent grâce au film je vais acheter une bombe et réduire ces putains de platines en miettes.

Je prends une douche passe de beaux vêtements, les vêtements que je mettais quand je travaillais pour Leonard et me faisais passer pour un banlieusard. Les vêtements me font rire ils sont pleins de poussière parce que je ne les mets pas assez je les brosse. Je quitte la maison vais à l'hôtel en voiture récupère mes parents. On va au studio, on s'arrête à l'entrée, nos noms sont sur la liste, le gardien nous fait signe d'y aller.

On se gare on se dirige vers le cinéma ma mère et mon père regardent autour d'eux en marchant. Les studios sont dans des bâtiments immenses, moches, glauques. Celui dans lequel on se trouve se compose d'une centaine d'hectares de terrains avec, çà et là, ce qui s'apparente à des hangars pour avions, quelques immeu-

294

bles de bureaux censés ressembler à des maisons, et une grande tour noire et lugubre. Le studio est associé à un parc d'attractions où les touristes payent pour avoir le privilège d'être trimbalés dans le studio dans de longs et drôles de bus qui ressemblent à des voitures de golf géantes. Il y a des camions et des remorques garés devant les hangars, de jeunes gens à l'allure décontractée marchent, font du vélo ou conduisent des voitures de golf, ils ont l'air pressés. Les touristes les observent, espérant que l'un d'entre eux est une star qu'ils reconnaîtront parce qu'il travaille pour la télé ou le cinéma, ma mère me demande où sont les stars, je lui dis je ne sais pas, je n'en ai jamais vu. Mon père me demande à quoi tout le monde s'affaire je réponds que la plupart d'entre eux font semblant d'être occupés pour ne pas se faire virer.

On se dirige vers le cinéma, Liza et Mitch sont devant. Je les présente à mes parents, je fais rentrer mes parents et les place dans la salle. Les gens commencent à arriver je suis trop tendu pour m'asseoir, je retrouve Liza on fait les cent pas derrière la salle et on fume des clopes. Cinq minutes avant que la projection soit censée débuter on retourne devant. Il y a un petit attroupement à l'entrée, quelques personnes que je connais, la plupart que je n'ai jamais vues. Liza va parler à Mitch, je reste derrière la foule et attends que tout le monde soit entré, puis j'entre à mon tour. Je reste à la porte, attends que la lumière s'éteigne. Je ne veux pas qu'on me voie je suis à cran, bien plus gêné que je ne m'y attendais. Quand les lumières s'éteignent et juste avant que le film ne commence j'entre furtivement vais vers la dernière rangée m'assieds.

Je ne regarde pas le film, je regarde les gens qui regardent le film. J'observe leurs réactions, espère qu'ils vont rire quand ils doivent rire, j'espère qu'ils seront émus quand ils doivent être émus, espère que je les rendrai heureux tristes curieux pleins d'espoir. Les réactions sont bonnes, ni sensationnelles ni mauvaises, bien qu'à part être porté en triomphe par la foule en délire je doute que quoi que ce soit aurait pu me rendre heureux.

Le film se termine le public applaudit. Je reste sur mon fauteuil dans la dernière rangée alors que les gens sortent de la salle. Quand ils sont partis et que je reste seul, je me lève et sors. Mes parents, Liza, Leonard et une femme blonde qui accompagne Leonard m'attendent. Ils me prennent dans leurs bras me félicitent me disent ça s'est formidablement bien passé, me disent qu'ils sont fiers de moi.

On va à la fête à pied, elle a lieu dans un restaurant du coin. En marchant, je bavarde avec la femme qui accompagne Leonard, elle s'appelle Betty. Elle est grande, mince, doit avoir dans les quarante ans mais fait plus jeune, elle porte un tailleur chic en soie blanche, de grosses boucles d'oreilles en diamants et une montre Cartier. Je lui serre la main elle est douce, elle sourit facilement et souvent.

On arrive à la fête. Il y a plein de monde Leonard trouve une table pour lui-même et Betty et mes parents. Je fais un tour remercie les gens d'être venus. Parfois je m'arrête près de la table j'entends des bribes et des bouts de conversations. J'entends Leonard parler à mes parents il dit je le vois une fois par semaine il va très bien. Je l'entends dire je suis réglo maintenant, plus de danger, plus rien d'illégal, je suis réglo à cent pour cent. Je l'entends dire à mon père c'est une bande d'imbéciles qui travaillent pour moi, des imbéciles de première. Je l'entends dire tout se passera bien, je vous paierai une fortune, une fortune, et vous pourrez vivre où vous voulez, dans n'importe quel coin de la planète. J'observe mes parents et Leonard et Betty de l'autre côté de la pièce. Leonard et mon père ont l'air lancés dans une conversation sérieuse, ma mère et Betty rient et sourient. Ça fait bizarre de voir ma mère, mon père, mon ami truand rencontré en cure de désintox et sa copine assis à la même table. Putain de bizarre.

À la fin de la soirée je me retrouve avec un tas de cartes de visite, des gens qui ont dit beau travail appelez-moi on peut faire des choses ensemble. Ma mâchoire me fait

296

mal je n'ai pas l'habitude de parler autant, je n'aime pas parler autant. Je suis content que ça soit fini on dirait que ça a marché. Je vois Liza et Mitch et je les remercie, les remercie, les remercie. Je vois mes parents et Leonard leur dis il est temps d'y aller on s'en va.

On se dirige vers les voitures on est tous garés au même endroit. Je remercie Leonard d'être venu il me dit qu'il est fier de moi. Je dis à Betty que j'ai été content de la rencontrer, que j'espère qu'on se reverra, elle me répond la même chose. Ils rentrent dans la voiture de Leonard et s'en vont. Mes parents et moi montons dans ma voiture, je les ramène à leur hôtel. Mon père parle.

Ton ami Leonard est un type intéressant.

Ouais, mais ça tu le savais déjà.

Tu sais de quoi il m'a parlé ?

J'aurais peur de le demander.

Ma mère se met à rire.

Qu'est-ce qu'il y a de drôle, maman ?

Elle secoue la tête, pouffe de rire.

Qu'est-ce qu'il a dit ?

Il veut que je travaille pour lui.

Je ris, parle.

Qu'est-ce qu'il veut que tu fasses ?

Que je bosse pour son entreprise de *téléphonie*.

Je ris de nouveau.

Tu vas le faire ?

À vrai dire, je suis tenté.

Sans déconner.

Ma mère parle.

Tu aurais dû entendre ce qu'il a proposé.

Une proposition qu'on ne peut pas refuser ?

Mon père rit, parle.

Il a dit qu'il a arrêté d'en faire, des comme ça.

Ouais. Alors qu'est-ce que c'est ?

Une énorme somme d'argent pour six mois à un an de boulot.

Vraiment ?

Ma mère parle.

C'était une somme folle.

Pourquoi seulement de six mois à un an ?

Mon père parle.

Il ne l'a pas dit.

Et tu ferais quoi ?

Il ne l'a pas dit non plus.

Qu'est-ce qu'il a dit ?

Qu'il avait besoin de quelqu'un en qui il aurait confiance, qui n'était pas impliqué dans son organisation et avait une grande expérience des affaires internationales.

C'est bizarre.

Ma mère parle.

Il n'est pas tout à fait normal, James.

Je glousse.

Ouais.

Je les laisse à leur hôtel. Leonard rappelle mon père le lendemain, dit qu'il aimerait beaucoup que mon père reconsidère sa proposition. Mon père dit non merci, Leonard, bien que j'apprécie le fait que vous ayez pensé à moi. Je passe les deux jours suivants avec mes parents. On va à la plage, on se balade à Beverly Hills, on mange dans de bons restaurants. Je les emmène chez moi lorsque Jaylen et Tommy n'y sont pas, ils pensent tous les deux que ça fait chier, quand ils le disent je ris. Je passe deux belles journées, c'est de mieux en mieux chaque fois qu'on se voit. Je les emmène à l'aéroport ma mère pleure me dit qu'elle est fière de moi, mon père me dit de continuer.

J'APPELLE LES GENS QUI M'ONT PASSÉ LEUR CARTE de visite. Certains me prennent au téléphone d'autres non, certains disent qu'ils ont aimé le film, d'autres évitent le sujet, ne disent rien sur le film.

Les finances de Tommy et Jaylen s'amenuisent ils ne peuvent plus acheter d'herbe alors ils commencent à en faire pousser dans notre jardin.

Leonard annule notre déjeuner du mercredi une deux trois fois d'affilée. Il ne me dit pas pourquoi, se contente de m'appeler pour dire qu'il ne va pas pouvoir.

J'envoie mon scénario à une dizaine de personnes une vingtaine de personnes. Je les appelle, les relance, quelques-unes aiment, d'autres pas, dans les deux cas rien ne se passe.

Cassius continue de grandir c'est effarant la vitesse à laquelle il grandit. Il me suit toujours partout m'accompagne en voiture dort dans mon lit. Bien qu'il ait désormais l'air d'être un énorme et dangereux pitbull c'est un bébé bébé bébé. Il aime faire des mamours, faire semblant de se bagarrer, jouer à la balle, il ferait n'importe quoi pour avoir une gâterie c'est un énorme bébé très musclé.

J'accepte un boulot d'assistant de production. C'est un job de merde je passe toute la journée en voiture, fais des courses pour un réalisateur à la con qui pense qu'il révolutionne le monde avec une pub pour une mousse à raser.

Leonard annule une quatrième fois, une cinquième fois, une sixième fois. Je me demande s'il se passe quelque chose de grave ou s'il est simplement occupé quand je lui pose la question il dit qu'il ne peut pas encore en parler, qu'il me dira dès qu'il peut.

Tommy et Jaylen se mettent à vendre l'herbe qu'ils font pousser ils pensent que c'est plus facile que de travailler. Le téléphone n'arrête pas de sonner il y a un flot continu de gens qui entrent et sortent de la maison des bouffeurs de chips aux yeux vides, à l'élocution ralentie.

Un producteur m'appelle il a lu mon scénario dit qu'il l'a adoré. J'ai déjà entendu ça, des producteurs qui disent qu'ils adorent et ne donnent plus jamais de nouvelles. Je lui demande s'il fait semblant de me cirer les pompes ou s'il veut vraiment faire quelque chose, il répond qu'il veut l'acheter et le faire. Je lui demande combien il me donne un chiffre je dis putain c'est vendu, mon ami, il est à toi.

Cassius et moi déménageons.

MA NOUVELLE MAISON SE TROUVE À LAUREL CANYON, un petit quartier sur la colline d'Hollywood. Une route traverse le canyon. Elle part de Sunset Boulevard, c'est une route à deux voies qui serpente tourne et est bordée de gigantesques arbres en surplomb et de murets en pierre. Des maisons sur pilotis apparaissent çà et là sur la roche, une fois au fond du canyon on découvre deux routes qui continuent plus loin. La première mène à une petite intersection, il y a un feu rouge, une petite épicerie, une pizzeria et une agence immobilière, la deuxième conduit à des centaines de mètres plus haut, il y a un feu rouge et les ruines d'un manoir en pierre. Le canyon est très boisé, des pins des chênes des érables et des cyprès. Ça ne ressemble pas au reste de Los Angeles, c'est tranquille sombre et calme, ça évoque davantage la forêt que la ville.

Je vis dans une petite maison en haut de la première route. Ma maison est en stuc rose elle abrite deux chambres une salle de bains une cuisine un salon. Elle est agrémentée d'un petit jardin creusé à flanc de coteau, trois murs en ciment retiennent la terre et délimitent l'espace. Je n'ai pas beaucoup de meubles un matelas et un bureau, j'achète un futon, une télé, une chaîne hi-fi. Mes voisins sont sympathiques ils me disent bonjour je connais l'un d'eux c'est le batteur d'un groupe de *heavy metal* il y a toujours du bruit qui vient de sa maison.

301

J'en connais une autre c'est une célèbre actrice porno il y a toujours du bruit qui vient de sa maison. Le couple de voisins d'à côté a une trentaine d'années, elle est actrice, il est compositeur. C'est le genre de hippies qu'on ne trouve qu'à L.A., ils roulent en Mercedes mais ils disent des choses du genre cool, mec, la classe, t'as pigé, faut que tu piges.

Cassius et moi sommes heureux ici on a une vie tranquille. Je recommence à essayer d'écrire un livre n'avance pas, il dort dans le jardin pourchasse les mouches essaye de les manger. On fait de longues balades dans les collines. On regarde la télé sur le futon. On achète à manger à l'épicerie en bas de la colline, j'aime les raviolis en boîte et les jus de fruits, Cassius aime les croquettes au bœuf.

C'est l'après-midi, je suis devant mon bureau à boire du café et à fumer des cigarettes en essayant de travailler, Cassius est sur le futon à regarder un feuilleton. On entend une voiture qui s'arrête devant la maison. Cassius me regarde je hausse les épaules lui dis je ne sais pas qui c'est on entend des voix. Cassius regarde la porte quelqu'un frappe. Je me lève vais à la porte, Cassius se lève va à la porte, je demande qui c'est, Cassius aboie. Leonard parle.

Ouvre la porte, mon fils.

J'ouvre la porte. Leonard et Barracuda se tiennent devant moi.

Leonard parle.

C'est un putain de palace, ta nouvelle maison.

Je ris.

Entrez.

Ils entrent. Cassius les salue en leur léchant la main il les connaît ils lui disent bonjour. Je parle.

Vous voulez boire quelque chose ?

Qu'est-ce que tu nous proposes ?

J'ai du café, et j'ai de la bière et du cola au frigo.

Leonard parle.

Un cola s'il te plaît.

Je regarde Barracuda. Il parle.

Pourquoi t'as de la bière ?

Au cas où quelqu'un viendrait et voudrait en boire une.

Ça te fait rien d'en avoir ici ?

J'en ai rien à foutre. Si je voulais me saouler, je boirais un truc beaucoup plus fort qu'une bière à la con.

Il rit.

Faut que je conduise. Je vais prendre un cola moi aussi.

Je sors les colas du frigo, les tends à Leonard et à Barracuda, parle.

Qu'est-ce que vous fabriquez dans le coin, les gars ?

Leonard parle.

Comme tu ne nous as jamais invités, on a décidé de faire un saut.

Barracuda parle.

Ça nous a fait un peu de peine, fiston, que tu nous invites pas.

Je parle.

Je me suis dit que vous saviez que vous étiez toujours les bienvenus, et j'ai pensé que vous feriez un saut, que vous soyez invités ou pas.

Leonard parle.

T'as raison, on l'aurait fait.

Barracuda parle.

Mais les invitations c'est quand même sympa, non ?

Je parle.

À partir de maintenant vous êtes toujours invités.

Leonard parle.

T'as des projets pour ce soir ?

Nan.

Cassius a des projets ?

Je regarde Cassius, qui est retourné sur le futon.

T'as des trucs prévus ce soir, Molosse ?

Cassius lève les yeux, ne dit rien. Je regarde de nouveau.

Leonard, parle.

Je crois qu'il est libre.

Leonard parle.

Bien, tu viens avec nous.

Où on va ?

À Las Vegas. Je me débarrasse de mon appart, là-bas. J'ai envie de passer une nuit avec toi dans cette ville avant de la quitter.

Tu déménages ?

Je vais vivre dans la maison près de la plage à plein temps.

Je regarde Barracuda.

Tu déménages aussi ?

J'ai une petite amie à Vegas. Je vais sûrement devoir partager mon temps entre les deux.

T'as une petite amie ?

Ça te surprend tant que ça ? Je plais à plein de femmes.

Leonard parle.

Elle est sympa, elle bosse comme comptable pour un casino.

Je parle.

Je peux la rencontrer ?

Barracuda parle.

Peut-être. Je vais voir ce qu'elle fait ce soir.

Leonard parle.

Si on y arrive pour ce soir. Allez, partons.

Et t'es sûr que Cassius peut venir ?

Est-ce qu'il veut venir ?

Je regarde Cassius, parle.

Tu veux venir à Vegas, Cassius ?

Il lève les yeux vers moi. Je regarde à nouveau Leonard.

Ce sont des mots qu'il ne connaît pas. Faut que je lui demande d'une autre manière.

Je me retourne vers Cassius.

Tu veux faire dodo dans la tuture, Molosse ?

Cassius bondit immédiatement du divan, se précipite vers moi, se met à haleter en décrivant des cercles. Je regarde de nouveau Leonard.

Faut que je prenne quelque chose ?

On s'occupe de tout.

Super.

Je mets une laisse à Cassius nous sortons de la maison grimpons dans la Mercedes démarrons. Le trajet est simple. Dès qu'on est sorti de Los Angeles, il faut suivre une longue route qui traverse un désert dégagé, désolé. Leonard dit qu'il veut mettre un peu d'ambiance alors on écoute Frank Sinatra. Cassius passe son museau par la vitre, parfois il le rentre dans la voiture, il grogne et il éternue, puis il le remet immédiatement dehors. Le trajet prend quatre heures et demie si on respecte la limitation de vitesse, au bout de trois on commence à apercevoir un rougeoiement sombre à l'horizon. Leonard le montre du doigt, parle.

La voilà, cette méchante et merveilleuse jeune fille. La plus merveilleuse et la pire ville d'Amérique, la ville où les rêves deviennent réalité, où les gens sont détruits, la ville qui se fiche du passé et représente l'avenir, où le capitalisme s'exhibe dans toute sa gloire et son horreur, où tout et n'importe quoi peut être acheté, vendu, trafiqué ou volé, où certaines personnes parmi les plus intelligentes et les plus ambitieuses du pays viennent faire fortune, où certaines personnes parmi les pires et les plus méprisables du pays viennent faire fortune. Elle est corrompue, sale et répugnante, et dans cinq cents ans ses énormes buildings, même les plus vulgaires et les plus ridicules, seront considérés comme des chefs-d'œuvre. C'est un carnaval géant dédié à la gloire de l'argent et à tout ce que l'argent peut faire, de bien comme de mal, et les deux abondent.

Le rougeoiement grandit et commence à prendre forme, devient un trait de lumière. On passe devant des casinos de seconde zone qui bordent la voie rapide, destinés aux gens trop impatients pour attendre d'atteindre les grands casinos ou désireux de jouer une dernière fois sur le trajet du retour, on passe devant des stations-service désertées, un magasin de souvenirs délabré, un ou deux fast-foods. La lumière s'élève devient plus brillante plus définie, et tout à coup, on passe une frontière qui sépare le désert vide de la ville survoltée.

On tourne, on prend le Strip. Les deux côtés du célèbre boulevard sont bordés d'énormes immeubles informes ornés de néons c'est la nuit il fait sombre mais on dirait qu'il fait jour. Leonard me jette un coup d'œil par-dessus son épaule.

Bienvenue sur le Strip.

Waouh !

Si tu vois un endroit où tu as envie de passer la nuit, dis-le-moi.

On va pas chez toi ?

Ma maison est en bordel, tout est emballé, y a des cartons partout. Je vis à l'hôtel, en ce moment.

Où ?

Partout. Je bouge tout le temps, je trouve que c'est bien de changer.

Qu'est-ce que tu me conseilles ?

Tout ce qui te tape à l'œil.

Je regarde par la vitre. Cassius grimpe sur mes genoux il regarde par la vitre je lui demande où il veut aller il me lèche le visage. On avance je vois une immense pyramide noire plus grande que celles d'Égypte des lumières scintillent derrière. Je vois une version ridicule du château du roi Arthur. Je vois une reproduction de New York City des montagnes russes se frayent un chemin entre les gratte-ciel. Je vois ce que Leonard me décrit comme étant le plus grand hôtel du monde cinq mille chambres dont chacune offre les équipements les plus raffinés. Je vois Monte Carlo, La Nouvelle-Orléans, un hôtel de pirates, un flamant rose et un palace construit à l'image de Rome, même s'il n'évoque pas la Rome que j'ai vue en Italie. Je vois des hôtels à l'ancienne, des hôtels modernes, de grands hôtels des hôtels géants des hôtels absolument énormes, des hôtels miteux des hôtels étincelants des hôtels de luxe des hôtels bas de gamme. Quand on arrive au bout du Strip on pénètre dans un quartier sombre aux rues crasseuses bordées d'épiceries, d'hôtels louant des chambres à l'heure, d'entrepôts et de putes. J'aperçois un autre quartier illuminé à deux kilomètres environ je demande à Leonard ce que c'est, il dit le centre-ville de Vegas. Je lui demande à quoi ça ressemble il dit fané, perdu et oublié. Je me retourne pour regarder le Strip c'est un sempiternel mur de lumière. Je regarde Leonard, parle.

Quel est l'endroit le plus kitsch ?

Leonard parle.

C'est une question difficile. Qu'est-ce que t'en penses, Barracuda ?

Barracuda parle.

Excalibur dispose d'un château magique du Moyen-Âge, un fossé et un dragon qui crache du feu. Circus Circus offre un numéro avec des animaux exotiques et l'Adventure Dome un parc à thème. Mirage est doté d'une jungle intérieure, Barbary Coast et Treasure Island sont tous deux remplis de pirates et de corsaires. Ils sont tous sacrément kitsch, putain.

Leonard me regarde à nouveau.

Ils sont tous sacrément kitsch, mon fils. Tous.

Où est-ce qu'on mange le mieux ?

Barracuda parle.

Au Grand.

Leonard parle.

Je suis d'accord. C'est au Grand qu'on mange le mieux. Allons-y.

Barracuda hoche la tête on s'éloigne on redescend le Strip. Je me remets à regarder par la vitre fais moins attention aux bâtiments et plus aux gens, les centaines de gens des milliers des dizaines de milliers de personnes, sur les trottoirs sur les passerelles qui permettent de traverser le Strip devant les casinos entrant et sortant. J'observe les gens certains regardent autour d'eux, l'air abasourdis, certains bavardent gaiement, certains semblent inquiets certains marchent vite quelques-uns pleurent. Je vois Elvis, je vois un couple qui vient de se marier il est en smoking elle est en blanc, je vois des putes qui racolent. Je vois une famille main dans la main mère père quatre petits enfants. Je vois une femme en fauteuil roulant un vieillard avec une canne un aveugle tâtonnant un prédicateur martelant et hurlant un arnaqueur jouant aux cartes les gens savent qu'ils vont perdre mais ils jouent quand même. Je vois des vieux des jeunes des Blancs des Noirs des Jaunes des Rouges des riches des pauvres ils en veulent toujours plus plus plus, ils sont tous pareils et ils en veulent plus.

On s'arrête devant le Grand son entrée est digne de son nom. À peine la voiture est-elle à l'arrêt qu'elle est prise d'assaut par les voituriers. Leonard leur fait signe de s'éloigner, Barracuda s'en va, gare la voiture. Au lieu d'aller vers la porte, Leonard se tourne et marche vers le trottoir. Cassius en laisse, je le suis. Il s'arrête, parle.

Il faut que je te dise quelque chose avant qu'on entre.

D'accord.

Tu vois tout ça.

Il désigne le Strip.

Ouais, je vois.

Tout ça, c'est une putain de comédie. Faite pour te séduire, te tenter, t'allumer, faire briller des étoiles dans tes yeux et t'abasourdir, te faire croire que tu n'auras qu'à te baisser pour ramasser si tu te donnes simplement la peine de jeter quelques dollars de plus.

Il se tourne vers moi.

À toi de faire comme tu veux, mais moi, ce que je fais, c'est que je fixe un chiffre, ce chiffre correspond à la somme d'argent que j'accepte de perdre. Je joue jusqu'à ce que je sois content de mes gains, ou que j'aie tout perdu. Je ne vais jamais plus loin, je ne dépense jamais plus. Et si je fais ça c'est parce que ça…

Il désigne de nouveau le Strip.

Ça n'a pas été construit sur des pertes, ça n'a pas été construit sur des pertes. Tu comprends ? C'est toujours le casino qui gagne.

Il hoche la tête.

Ouais, les casinos gagnent toujours. Satanés fils de putes. Alors qu'ils devraient toujours me laisser gagner.

Je ris, il sourit. Il se tourne vers l'entrée.

T'es prêt.

Ouais, je suis prêt.

Nous marchons vers l'entrée, passons par une énorme porte rotative le silence règne entre les portes qui tournent, pendant une seconde ou deux c'est beau, la lumière et le silence. Je quitte la porte pour le hall, pour les lumières qui clignotent pour le bruit des machines à sous pour la musique pour les rires et les acclamations pour le souffle de l'air conditionné pour la moquette somptueuse pour dix mètres de hauteur de plafond pour la folie. Cassius regarde autour de lui il a l'air un peu perdu, Leonard entre derrière nous se dirige vers l'accueil on le suit. Il arrive à la caisse demande quelqu'un. La femme demande son nom il le lui donne elle passe un coup de fil. Trente secondes plus tard un homme en costume sort d'un bureau derrière l'accueil salue Leonard, lui serre la main, l'homme dit content de vous revoir, puis-je vous aider ? Leonard lui dit qu'il aimerait passer une nuit ici l'homme demande si quelqu'un l'accompagne Leonard dit on sera trois. L'homme demande si on a des bagages Leonard dit non on achètera ce dont on aura besoin l'homme dit parfait, dites-moi si je peux vous aider de quelque manière que ce soit. Leonard dit pouvez-vous commander un énorme chateaubriand bien cuit et une bassine d'eau et les faire apporter tout de suite dans notre chambre s'il vous plaît. L'homme regarde Cassius et rit, dit bien sûr et retourne à l'accueil, parle à l'un de ses collègues. Barracuda nous rejoint, l'homme s'éloigne de l'accueil, nous dit suivez-moi.

On va vers l'ascenseur. On monte au dernier étage il faut une clef pour ouvrir la porte de l'ascenseur. On entre dans le vestibule, un long vestibule avec une moquette épaisse, des lumières tamisées, une peinture neutre et discrète et deux portes, de chaque côté du couloir, seulement deux portes. L'homme nous conduit à l'une des portes l'ouvre la tient on entre dans la chambre.

Ce n'est ni une chambre, ni une suite, ni un appartement. C'est un château dans le ciel une magnifique succession de pièces, chambres salle à manger salon salle multimédia cuisine bar salle de repos. Il y a des fenêtres dans chaque pièce avec vue sur le Strip sur Vegas sur le désert, les meubles ont l'air d'appartenir à un musée, la moquette est douce et épaisse, les rideaux longs et épais, les verres sur le bar en cristal, le frigo plein. L'homme nous fait faire une brève visite nous donne une carte nous dit de ne pas hésiter à l'appeler si on a besoin de quoi que ce soit il s'en va. J'enlève sa laisse à Cassius il se met à fureter partout à renifler les objets. Je regarde Leonard.

C'est incroyable.

C'est pas mal.

Combien est-ce que peut valoir un truc comme ça ?

Ça ne vaut rien.

C'est gratuit ?

Ouaips.

Tu n'as rien payé ?

Je ne pense pas que quiconque a séjourné ici a payé.

C'est une suite pour flambeurs ?

Des flambeurs, des VIP ou des gens comme moi.

Tu n'es pas un flambeur ou un VIP ?

Je suis quelque chose d'autre, quelque chose qui existe ici mais dont on nie le plus souvent l'existence.

Une superstar internationale ?

Il rit.

Plutôt quelqu'un avec qui on ne veut pas se fâcher.

Je ris.

Est-ce qu'on est censés dépenser un paquet d'argent au casino ?

Ils prendront soin de nous, et nous fourniront tout ce qu'on veut, sans se soucier de ce qu'on dépense au casino.

Tout ce qu'on veut ?

Ouais, et tes demandes peuvent être aussi farfelues que tu le souhaites.

Jusqu'à quel point ?

Aussi farfelues que ton imagination.

Je ris de nouveau. Barracuda entre dans la pièce annonce qu'il a faim. Leonard demande si j'ai faim je dis oui il demande si j'ai envie de manger dans la chambre ou au restaurant. On décide d'aller au restaurant. On attend le steak de Cassius. Quand il arrive je le découpe en petits morceaux il l'avale en deux secondes environ. Je lui donne l'os il l'attrape le trimbale un peu partout dans la pièce à deux reprises saute sur le divan se met à mâcher, il a l'air content, comme s'il allait s'y atteler pendant des heures. On quitte la pièce, on prend l'ascenseur jusqu'au rez-de-chaussée, on se promène, on essaie de choisir où on va manger, il y a environ vingt restaurants différents. On va dans un grill. Barracuda et moi prenons deux énormes côtes de bœuf avec des épinards et des pommes de terre sautées, Leonard prend une salade. Après le repas on va au casino Leonard a envie de jouer aux dés. Je n'ai aucune idée des règles Leonard essaie de m'expliquer je dis t'inquiète pas, contente-toi de me passer les dés et laisse-moi les lancer. Il rit me tend les dés je commence à les lancer oh ! là ! là ! qu'est-ce que je peux les lancer, putain. Leonard continue la partie et on gagne encore et encore on commence à accumuler une grosse pile de jetons, les gens s'agglutinent autour de notre table. On lance chacun à son tour la foule applaudit ou gronde, on reçoit beaucoup plus d'encouragements je continue de lancer lancer on continue d'amasser je n'ai aucune idée de combien on a au moins dix fois plus qu'au début. On regarde la pile et on rit. Leonard dit tu es mon porte-bonheur, mon fils, arrêtons tant qu'on a de l'avance.

On s'en va, on échange nos jetons contre du liquide, on a plus de dix mille dollars en billets de cinquante et de cent. Leonard me demande si je ne suis pas à court d'argent en ce moment je lui dis que non, tout va bien il dit si t'en as pas besoin, on peut le distribuer. On quitte le casino pour aller sur le Strip.

On marche, on cherche, on donne mille dollars à un couple de personnes âgées, on en donne mille à un couple qui vient de se marier. On voit quelques clochards ils sont saouls on leur donne quelques centaines de dollars chacun. On voit une famille leur voiture est en panne on leur en donne deux mille. On distribue de l'argent à tous ceux qu'on rencontre et qui ont l'air abattus, déprimés, qui n'ont pas une tête à cracher sur quelques dollars. Certains sont transportés de joie nous remercient n'en croient pas leurs oreilles, certains refusent l'argent pensent qu'on attend quelque chose en retour, certains le prennent et s'en vont d'un pas tranquille. Quand il ne nous en reste plus qu'un millier Leonard dit on garde le reste pour plus tard on va avoir besoin d'un peu d'argent à claquer. Je lui demande pourquoi il dit on va s'en payer une bonne tranche, mon fils, on va s'en payer une putain de bonne tranche.

On retourne à l'hôtel, Barracuda boit un verre avec sa petite amie, Leonard veut les rejoindre. Je dis laissons-les un peu tranquilles, il dit non, ils nous attendent. On va dans un petit bar calme. Hormis les chambres c'est sûrement le seul endroit calme de tout le complexe. Barracuda est installé à une table de quatre avec une petite femme blonde. Ils se lèvent en nous voyant arriver.

Leonard parle.

Voici Olivia, la fille la plus magnifique de la Terre.

La femme blonde sourit c'est un sourire timide. Leonard l'embrasse ils se séparent.

Olivia, voici mon fils James. James, voici Olivia, James, voici Olivia, la plus belle fille de la Terre.

Elle sourit encore le même sourire. Elle est petite mince a des yeux marron foncé des cheveux blond vénitien. Ses mains sont douces, ses ongles immaculés, elle porte une jupe noire et un corsage noir, elle est belle d'un façon simple et naturelle comme si sa beauté était une chose à laquelle elle ne pensait pas ou dont elle ne se préoccupait pas. On se serre la main, on dit bonjour, on s'assied. Elle me regarde parle.

Dominic m'a beaucoup parlé de vous.

Dominic ?

Barracuda parle.

Elle n'aime pas mon nom de boulot.

Je ris.

On ne peut pas le lui reprocher.

Elle sourit.

Vous vous amusez bien à Vegas ?

Oui, carrément.

Vous avez de bons accompagnateurs.

Je ris de nouveau.

Oui, c'est vrai.

On reste assis on parle on rit. Olivia vient d'Albuquerque, où ses parents, des immigrés italiens, ont ouvert une petite pizzeria. Quand elle était jeune, elle travaillait dans la pizzeria, elle a financé ses études elle-même, a accepté un job dans un casino quand elle a eu son bac, y travaille depuis six ans. Je lui demande comment elle a rencontré Dominic elle dit qu'elle a un chien, un terre-neuve gros, mignon, con comme un panier, qui un jour s'est échappé et s'est mis à errer dans son quartier. Dominic l'a trouvé et l'a ramené chez elle. Elle dit qu'il avait l'air timide et anxieux et gentil, et elle a pensé qu'il était beau alors elle lui a proposé de sortir un soir. Ils sont allés au restaurant et ils ont vu un film. Elle l'a emmené voir un film de fille pour voir s'il pouvait supporter, il a ri quand il était censé rire et a applaudi à la fin. Ensuite ils ont pris un café, et quand il l'a ramenée chez elle à la fin de la soirée, Dominic n'a pas essayé de l'embrasser. Elle espérait qu'il lui proposerait de sortir à nouveau ou lui demanderait son numéro, mais il ne l'a pas fait, et elle est allée se coucher déçue. Le lendemain, quand elle est rentrée du travail, il y avait une enveloppe sur sa porte. Dans cette enveloppe, sur du papier fait main, quelqu'un avait soigneusement recopié un poème d'Emily Dickinson intitulé *It's all I have to bring to-day*, et sous le poème se trouvait un numéro de téléphone. Elle a fait le numéro, Dominic a répondu et, dit-elle en souriant, depuis ce moment-là on ne s'est plus quittés.

Leonard rit en entendant sa chute, regarde Barracuda, parle.

Tu te rappelles toujours le poème, Dominic ?

Bien sûr que oui.

Récite-le pour James.

Hors de question.

Allez.

C'est seulement pour Olivia.

Depuis quand c'est un principe ?

Olivia regarde Leonard, parle.

Quand je le dis.

Leonard rit.

Depuis quand es-tu son patron ?

Quand il est avec toi, c'est toi le patron. Quand il est avec moi, c'est moi le patron.

Et quand on est tous les deux avec lui ?

Olivia sourit.

On connaît tous les deux la réponse à ta question, Leonard.

Tout le monde rit, Olivia sourit et hoche la tête, lève les mains au-dessus de sa tête comme si c'était une championne. On finit nos verres. Olivia dit qu'elle doit rentrer, Barracuda demande à Leonard si ça va s'il ne passe pas la soirée avec nous. Leonard dit ouais, tout va bien, tout le monde se lève Olivia serre Leonard dans ses bras et moi aussi, Barracuda et elle s'en vont. Leonard me regarde, parle.

Tu es fatigué ?

Quelle heure est-il ?

Le temps ne compte pas ici. Tu dors quand t'es fatigué, pas quand une horloge te dit que tu devrais dormir.

Y a d'autres choses à faire ?

Un ami à moi est propriétaire d'un club de strip-tease. J'ai gardé le pognon pour que tu puisses vivre au paradis du strip-tease pendant quelques heures.

Tu viens avec moi ?

Je ne suis pas fan des strip-teases.

J'aurais cru que tu aimais ça.

Nan.

Dans ce cas, rien à foutre.

T'es sûr ?

Les strip-teases ça t'amuse quand ton pote est assis à côté de toi et que tout le monde rigole. C'est triste et sinistre quand tu y vas tout seul en espérant quelque chose que tu n'obtiendras pas.

Leonard rit.

Je pourrais t'arranger le coup.

Ça aussi, c'est triste et sinistre.

Il rit à nouveau.

Alors qu'est-ce que tu veux faire ?

Est-ce qu'on a oublié quelque chose ?

Y aurait-il quelque chose que tu n'as pas vu et que tu aimerais voir ?

Non.

On pourrait voir un imitateur de Sinatra, ou on pourrait aller dans un buffet à volonté, ouvert toute la nuit.

Non, c'est bon.

Qu'est-ce que tu veux faire avec les derniers mille ?

Je m'en fiche.

Misons-les sur le rouge ou le noir et allons nous coucher.

Rouge.

Ça me va.

On retourne au casino on parie sur le rouge on gagne on parie sur le rouge on gagne on part avec quatre mille dollars. On retourne dans la suite. Cassius dort sur le divan l'os repose près de sa grosse tête. Je le réveille on remercie Leonard pour cette superbe soirée, cette soirée ridicule, on le remercie. On va dans notre chambre le lit est immense les draps sont doux on se couche.

CASSIUS ET MOI RENTRONS À LA MAISON rentrons dans notre petite maison dans la colline. Je passe mon temps devant l'ordinateur, il passe son temps devant la télé. On fait des promenades trois fois par jour, une fois dans la matinée, une fois dans l'après-midi, une fois le soir. Je prends la plupart de mes repas à la maison, je sors rarement avec mes amis. Je lis trois ou quatre heures avant d'aller me coucher.

J'ai une vie agréable, simple, pour la première fois de ma vie je suis heureux, tranquille, équilibré. Ma Fureur, qui a modelé la majeure partie des vingt-cinq premières années de ma vie, s'est évanouie, privée du carburant de la drogue et de l'alcool, elle s'est évanouie quand j'ai appris à ne pas me détester. D'un côté j'ai appris à rester humble devant la vie, cette belle vie. D'un autre côté je me sens incroyablement chanceux. J'attends en partie une occasion de tout foutre en l'air, d'une manière ou d'une autre, j'attends de prendre des décisions débiles qui la détruiront, j'attends qu'elle finisse. Je ressens en partie comme un vide sans Lilly, ce qu'elle et moi avions rêvé de vivre ensemble. Parfois je fais comme si elle était ici avec moi. Je parle à la chaise vide de l'autre côté de la table, j'enroule mes bras autour du néant et lui dis que je l'aime. Je lui dis je reviens vite quand je m'en vais, je lui dis je suis fatigué et j'ai envie d'aller me coucher à la fin d'une dure journée. Même sans elle j'ai tout ce dont j'ai besoin, ma petite maison, mon gros chien rigolo, mon argent gagné honnêtement, mon temps, mon temps à moi, mon temps précieux pour faire tout ce que j'ai envie de faire. J'ai des choses simples, une vie simple, tout ce dont j'ai besoin.

LEONARD VA SUR LA CÔTE EST pour, comme toutes les années, tenter le coup afin de jouer sur le terrain de golf où son père travaillait.

Je vois un acteur ivre percuter un arbre avec sa Porsche en roulant à 20 km/h. Il sort de la voiture et donne des coups de pied sur la portière en criant personne ne comprend, personne ne comprend.

Cassius devient ami avec un écureuil qui habite dans un arbre au-dessus du jardin. Il reste assis à observer l'écureuil sauter de branche en branche, l'observe accumuler des glands, l'observe jacasser et couiner, il passe des heures à observer l'écureuil. Je crois que Cassius se sent seul.

Je vois une jeune actrice célèbre, une jeune actrice scandaleusement belle, se gaver dans un fast-food, elle s'éclipse aux toilettes après avoir mangé six cheeseburgers.

Je termine un autre scénario je l'aime bien.

Je vois un célèbre réalisateur jeter une omelette sur une serveuse en hurlant que les oignons c'est pas des champignons, les oignons c'est pas des champignons, merde. La serveuse s'éloigne avec de l'œuf dans les cheveux, sur la nuque, sur sa chemise, des larmes dans les yeux ses mains tremblent. Une ou deux minutes plus tard le gérant du restaurant vient s'excuser auprès du réalisateur dit le repas est offert par la maison dites-moi quel autre plat je pourrais vous apporter s'il vous plaît.

Mon ami Danny m'appelle de Chicago me dit qu'il déteste son travail, qu'il a envie d'en changer. Je lui dis de venir à Los Angeles, c'est le pays de la deuxième chance. Il dit qu'est-ce que je pourrais faire, je dis trouvons de l'argent pour faire un film. Il dit c'est dingue, je dis c'est encore plus dingue de continuer de faire un travail que tu détestes, il dit t'as raison, je viens à Los Angeles.

Cassius et moi allons chez une vétérinaire. Cassius passe une visite tous les six mois. La véto me demande si j'ai déjà pensé à prendre un autre chien, je regarde Cassius, lui pose la question il remue la queue dit oui, papa, oui, papa, prenons un autre chien, s'il te plaît papa, oui. La véto dit qu'elle a une jeune femelle pitbull qu'elle a trouvée dans un carton derrière une épicerie. Je dis amenez-la, la véto s'en va revient deux minutes plus tard avec un petit pitbull moucheté ses oreilles sont décollées sa queue frétille. Cassius la lèche, ils sautent dans tous les sens en aboyant et en gémissant. Je demande à la véto si elle a un nom la véto me dit qu'elle a appelé la petite chienne Bella. Je dis bienvenue dans la famille, Bella, je suis ton nouveau papa, le molosse est ton nouveau frérot.

UNE FILLE QUE J'AI CONNUE À LA FAC me téléphone me demande si je veux dîner avec elle je dis ouais, bien sûr, faisons-nous un resto. Elle s'appelle Conner elle fait un mètre quatre-vingt-sept elle aime bien boire des bons cocktails, bien forts, et elle aime rire. Je lui demande où on va elle me dit c'est un bar qui sert de la nourriture correcte dans une cour, en plein air. Je lui demande si quelqu'un doit nous rejoindre elle me demande si je me souviens de son amie Allison. Je demande si c'est Allison, Allison la maigrelette, et elle rit et dit oui, c'est elle et je dis ouais, je me souviens d'Allison. Je lui demande à quelle heure elle dit 20 heures.

Je travaille toute la journée prends une douche m'habille. Je pense à Allison la Maigrelette par intermittences. Elle était grande, aussi grande que moi. Elle avait de longs cheveux blond foncé, une peau basanée. La première fois que je l'ai vue elle avait dix-huit ans, mais elle en faisait quatorze, et pendant les deux années qu'on a passées ensemble à la fac, elle n'a pas vieilli. Elle était mince, mince et longiligne, mince et délicate, mince et fragile, mince comme un top model, mince comme si la nourriture n'avait aucun effet sur elle, mince comme si d'une certaine manière c'était tout à fait naturel pour elle, comme si son corps ne pouvait prendre du poids qu'en vieillissant. Je l'ai vue de temps à autre elle traînait souvent avec Conner on ne se parlait jamais. Je n'ai jamais essayé de lui parler parce que je savais qu'elle ne voulait pas avoir affaire à moi. Elle venait d'une famille sudiste sympathique et traditionnelle, ses études se déroulaient bien. Je me disais qu'elle rencontrerait un homme beau, brillant, équilibré, vivrait dans une grande maison et aurait une belle famille.

Cassius et Bella sont sur le canapé. Je m'arrête pour leur dire au revoir ils remuent la queue et lèvent les yeux vers moi. S'ils pouvaient parler ils diraient vas-y papa va-t'en, on va bien s'amuser sans toi ce soir, peut-être qu'on va manger un oreiller ou grignoter nos os ou essayer d'attraper des écureuils ou regarder la télé, vas-y, papa, va-t'en. Je leur fais des câlins vais à mon pick-up descends la colline pour aller au bar.

J'entre dans le bar regarde autour de moi. J'aperçois Conner assise à une table. Je m'avance vers la table Allison est assise à côté de Conner elle se lève comme je m'approche d'elles. Je marche d'un pas hésitant, cligne des yeux une ou deux fois, essaie d'empêcher ma mâchoire de tomber, mes genoux de flancher, mes yeux de sortir de mes orbites. Allison n'est plus Allison la maigrelette. Elle est toujours mince mais son corps s'est remplumé, elle a des courbes des courbes magnifiques. Ses cheveux sont plus longs, plus blonds. Elle porte un pantalon de cuir bleu clair un T-shirt blanc. Ce n'est plus une fille elle est devenue femme, une femme splendide, voluptueuse. Tous les hommes dans le bar la regardent. Je la regarde. Je m'arrête devant la table parle.

Salut.

Conner parle.

Salut. Tu te souviens d'Allison ?

Je regarde Allison.

Salut.

Elle parle.

Salut.

Ça fait longtemps.

Ouais.

Comment tu vas ?

Très bien. Et toi ?

Je ris.

Je viens de passer deux années difficiles.

Elle hoche la tête.

C'est ce que j'ai entendu dire.

On s'assied, elles boivent toutes les deux du vin blanc, je commande un bon cola bien frais. Je parle à Allison lui pose des questions sur elle. Elle a passé les deux dernières années à Vail, donnant des cours de ski et travaillant dans une galerie d'art. Elle adore Vail, mais a envie de déménager, elle a l'impression que deux ans dans une station de ski ça suffit, qu'il est temps de devenir adulte. Je lui demande où elle a envie d'aller, elle dit qu'elle ne sait pas trop, peut-être San Francisco peut-être Santa Fe peut-être Washington DC. Je lui demande ce qu'elle a envie de faire, elle dit qu'elle a besoin de réfléchir, peut-être prof, peut-être essayer d'être peintre, peut-être reprendre des cours pour être architecte paysagiste. Elle me pose des questions sur moi je dis que ça va, je n'ai jamais été aussi bien. Elle demande si c'est vrai que j'ai fait de la prison je lui dis que oui. Elle demande ce que je fais à Los Angeles je lui raconte, elle demande si j'aime Los Angeles je dis chaque jour un peu plus. Je lui demande pourquoi cette ville n'est pas sur sa liste de ses choix éventuels, elle dit qu'elle ne peut tout simplement pas s'imaginer vivre ici.

On commande elles prennent des salades je prends un bon gros cheeseburger. On continue de parler je la questionne sur la peinture pourquoi elle en fait, elle dit qu'elle en fait parce que lorsqu'elle est en train de peindre elle oublie le monde qui l'entoure, elle oublie les problèmes et l'insécurité, elle oublie les échecs et l'avenir incertain, elle oublie tout elle se perd et elle peint. Je demande à quel peintre ça ressemble, elle dit qu'elle n'essaye de peindre que comme elle-même. Je lui demande qui elle aime, elle dit Matisse et Van Gogh. Je lui demande pourquoi elle dit parce que Matisse peint superbement et que Van Gogh peint douloureusement.

Quand les plats arrivent, je n'arrive pas à manger. Allison m'intimide, me rend nerveux, me coupe l'appétit. Je prends quelques bouchées de mon hamburger, essaie de ne pas la regarder, essaie de me concentrer sur Conner, essaie de sembler cool, sûr de moi, distant bien que je ne me sente ni cool ni sûr de moi, même si je ne veux pas être distant. Ce que je veux c'est être près d'elle, la serrer dans mes bras, être à l'intérieur d'elle, la dévorer, disparaître en elle, me débrouiller pour devenir une partie d'elle-même, devenir une partie d'elle-même. Ce que je ressens est en partie uniquement physique, un désir une pulsion un besoin désespéré qui me déchire, ce que je ressens est en partie autre chose, quelque chose qui me fait sourire, me donne l'impression d'être vide et plein, me fait mal au cœur. On termine le repas. Je paye la note elles me remercient, on se lève, on sort. On attend nos voitures près du voiturier, Conner me demande à quoi je vais consacrer le restant de la soirée, je lui dis je vais rentrer à la maison me mettre au lit et bouquiner. Allison me demande ce que je lis je lui dis Paul Bowles, elle me demande quel livre je lui dis *Un thé au Sahara*. Elle sourit dit qu'elle aime Paul Bowles, qu'elle aime ce livre. Je lui dis que je lui ferai un compte-rendu quand j'aurai fini elle sourit dit j'attends ça avec impatience.

Nos voitures arrivent. Je leur demande ce qu'elles font demain, Conner dit qu'elle ne sait pas. Je lui dis de m'appeler, que j'irai peut-être promener mes chiens dans les collines, qu'elles peuvent venir si elles le veulent, elle dit super. On grimpe dans nos voitures on s'en va.

Je rentre chez moi, pendant le trajet je ne cesse de penser à Allison comme elle m'est apparue à l'instant où je l'ai vue, comme elle a ri elle a un rire calme et timide, à son sourire elle sourit comme si elle cachait quelque chose, à son pantalon de cuir ses courbes à la peinture j'ai envie de la regarder peindre à ses lectures j'ai envie de la regarder lire je pense à la fille maigrelette qui n'est plus maigre à l'allure qu'elle aurait près de moi avec moi sous moi sur moi, à sa façon de me faire peur elle me file une putain de trouille.

Je rentre à la maison les chiens dorment déjà à la tête du lit. Je me glisse sous les couvertures je fixe le plafond je pense à Allison. Je ferme les yeux je pense à Allison. Je m'endors en pensant à Allison.

JE ME LÈVE EN PENSANT À ELLE. J'essaie de travailler n'arrive pas à travailler. Je sors les chiens j'ai envie de rentrer à la maison je m'angoisse à l'idée que Conner puisse appeler je ne veux pas manquer le coup de fil. Je prépare du café ma main tremblote quand je le bois. J'essaie de lire, les mots n'ont aucun sens. Je fume des cigarettes, fixe le mur, pense à elle. J'espère que Conner va appeler je veux revoir Allison.

Conner appelle on tombe d'accord pour faire une randonnée dans les collines. Je demande aux chiens s'ils veulent sortir, ils sautent dans tous les sens remuent la queue tournent en rond. Je leur demande s'ils veulent rencontrer une fille que papa aime bien ils s'en fichent. Je leur demande s'ils veulent m'accompagner dans la voiture ils se mettent à aboyer.

On se retrouve on part pour la randonnée. J'enlève leur laisse aux chiens ils courent. Il fait chaud j'enlève ma chemise. Allison me questionne sur mes tatouages. Je lui dis qu'ils sont comme des cicatrices qui me rappellent des choses que j'ai faites, la façon dont je veux vivre et celle dont je ne veux pas vivre. Allison dit que j'ai beaucoup de cicatrices. Elle sourit, tend le bras et passe le doigt en haut de mon bras gauche, le long d'un trait noir décoloré, elle ne parle pas passe simplement le doigt le long de mon bras, le long de mon bras, le long de mon bras.

On se met d'accord pour dîner ensemble. Elles vont venir chez moi je les amènerai dans un restaurant du coin. Elles arrivent on va chez un Italien on mange, Conner et Allison boivent du vin je bois du cola. On y passe trois ou quatre heures. Je ne veux pas quitter Allison je veux rester avec elle jusqu'au bout de la nuit, jusqu'à demain, toutes les semaines à venir, tous les mois à venir, les années. La note arrive je paie on va chez moi j'ai quelques bouteilles de vin dans la maison pour les gens qui ont envie de boire. Conner et Allison en ouvrent une. On s'installe dans le jardin la nuit californienne est magnifique, chaude encore calme claire. Elles boivent, on fume, on parle de nos amis de fac où ils vivent ce qu'ils font comment ils vont, certains vont bien certains sont de vraies calamités certains ont disparu. Je demande à Allison pourquoi on n'est pas devenus amis à la fac elle rit dit parce que tu étais psychopathe et que tu me faisais peur. Je lui demande si elle a toujours peur de moi, elle dit t'es comme tes chiens, tu as l'air d'être doux et tendre et gentil, mais je ne crois pas que j'aimerais te foutre en rogne. Je lui demande si ça veut dire qu'elle a toujours peur de moi elle dit qu'elle ne sait pas trop encore. Je lui dis de me dire si je peux faire quelque chose pour qu'elle ait moins peur, elle sourit et dit d'accord.

Il se fait tard deux ou trois heures. Conner a envie de rentrer. Elle est saoule je lui dis qu'elle ne devrait pas conduire qu'elles devraient rester ici qu'elles peuvent prendre ma chambre je dormirai sur le divan. Conner a envie de s'en aller elle sort Allison la suit. Je les entends se disputer. J'entends des portières s'ouvrir je les entends se refermer. J'entends la voiture de Conner démarrer, s'éloigner. J'entends qu'on frappe je vais à la porte l'ouvre.

Allison se tient devant moi elle parle.

Tu dois pouvoir faire quelque chose.

Qu'est-ce que tu veux dire ?

Pour que j'aie moins peur de toi.

Et c'est quoi ?

Elle sourit.

Invite-moi à entrer, je te montrerai.

ON PREND LE PETIT-DÉJEUNER, LE DÉJEUNER, le dîner elle reste encore pour la nuit, on passe toute la journée du lendemain ensemble elle reste encore pour la nuit. Elle change son vol pour rester plus longtemps elle récupère ses bagages chez Conner on passe trois jours de plus ensemble. On va promener les chiens dans les collines. On va dans une épicerie gastronomique Allison prépare un dîner chic. On va au cinéma on s'assied au dernier rang on se tient la main on partage des pop-corn en chuchotant. On passe des heures au lit à parler à s'embrasser à s'explorer on reste au lit et on s'observe, ses yeux sont du même vert pâle que les miens on reste au lit et on s'examine l'un l'autre.

Je la convaincs de rester trois jours de plus. On descend sur la côte en voiture. On prend une chambre dans un hôtel en bord de plage pour projets on a marcher sur le sable, nager dans l'océan, rester au soleil, prendre chaque repas à l'extérieur. On ne quitte pas la chambre. On passe trois jours à s'embrasser se toucher s'explorer se découvrir on passe trois jours à parler chuchoter rire. On passe trois jours à tomber amoureux et je tombe sincèrement, profondément et complètement amoureux d'elle. Je tombe amoureux de tout en elle. J'aime son esprit son corps son sourire, j'aime sa démarche longiligne et gracile sa voix douce et timide. J'aime sa façon de fumer, manger, j'aime son accent certains mots ont un léger nasillement sudiste. J'aime les livres qu'elle lit Paul Bowles et Jack Kerouac, les peintres qu'elle admire Matisse, Van Gogh et Michel-Ange. J'aime qu'elle soit partie toute seule vivre à l'étranger ait vécu à Florence et ait été à la fac. J'aime qu'elle aime mes chiens, qu'elle n'ait plus peur de moi, qu'elle se moque de moi et de mon passé, dise que je ne suis pas du tout comme elle m'avait imaginé, que je suis doux et gentil que je n'ai rien du monstre dont elle avait entendu parler. J'aime que je n'aie jamais rien ressenti de pareil à ce que je ressens quand je suis en elle, c'est calme force paix épanouissement intrépidité abandon satisfaction c'est quelque chose que je n'ai jamais connu avec Lilly que je n'ai jamais connu avec personne. J'adore le fait que quand je suis près d'elle j'ai besoin de la toucher, de l'embrasser, de la prendre dans mes bras, de la serrer contre moi près de moi qu'elle me touche. J'aime le fait que quand je suis avec elle tout le reste disparaît, je ne pense ne me soucie ne m'interroge ne m'inquiète plus de rien à part elle.

On retourne à Los Angeles. Allison dit qu'il faut qu'elle rentre chez elle. Je lui demande de rester lui dis que je veux qu'elle reste s'il te plaît Allison reste avec moi. Il faut qu'elle rentre chez elle. Elle ne sait pas quand elle reviendra.

Je l'emmène à l'aéroport.

Je l'accompagne jusqu'à l'embarquement.

Je l'embrasse pour lui dire au revoir.

Je suis amoureux d'elle.

S'il te plaît, Allison.

Reste.

Allô.

Mon fils, MON FILS, **MON FILS !**

Quoi de neuf, Leonard ?

Où est-ce que t'étais, bordel ?

Dans le coin.

Dans le coin mon cul. J'ai dû te laisser une dizaine de messages.

Je ne les ai pas écoutés. Tout va bien ?

Ouais, mais t'as manqué notre déjeuner.

Je ne savais pas que tu étais rentré, je ne savais pas qu'on devait déjeuner.

Parce que tu n'as pas écouté tes putains de messages.

Je ris.

Excuse-moi. Comment ça s'est passé sur la côte Est ?

Pas bien.

Ça fait chier.

J'ai décidé que j'allais faire cramer ce putain de golf. Brûler ce putain de terrain.

Vraiment ?

Non. Bordel, non. Mais je n'ai pas réussi et ça m'emmerde.

Je suis désolé.

Qu'est-ce que t'as fait ?

J'ai rencontré une fille.

Qui ?

Elle s'appelle Allison.

Joli nom. Comment tu l'as rencontrée ?

J'étais à la fac avec elle, je l'avais repérée, à l'époque. Elle est venue en vacances chez une de ses amies et on est tous allés au restaurant.

Et ?

Et on est allés au restaurant le lendemain, puis elle est restée chez moi pendant cinq jours, puis on est allés passer trois jours à Santa Barbara, puis elle est rentrée chez elle.

Mon fils, oh mon fils. On dirait que c'est du sérieux.

Peut-être.

Est-ce que t'es amoureux d'elle ?

Comme un fou.

Tu lui as dit ?

Non.

Pourquoi tu ne lui as pas dit ?

Je ne sais pas.

Pourquoi tu l'as laissée rentrer chez elle ?

Je ne sais pas.

Tu te sens prêt à vivre un truc comme ça ?

Je crois que oui.

Tu as suffisamment fait ton deuil de Lilly pour être avec quelqu'un d'autre ?

Je crois que oui.

Je crois que oui, ça ne va pas suffire. Si tu veux dire à Allison que tu l'aimes, il va falloir que tu en sois sûr.

Est-ce que j'ai dit que je voulais lui dire que je l'aimais ?

T'en es certain ?

Pourquoi t'as besoin de le savoir ?

Je n'ai pas besoin de le savoir, c'est toi qui en as besoin. Est-ce que t'es prêt à aimer quelqu'un, et est-ce que tu as confiance en elle ?

Ouais, je suis prêt, et ouais, j'ai confiance.

J'imagine que tu dois avoir le numéro d'Allison.

Ouais.

On va raccrocher. Tu vas l'appeler. Tu vas lui dire que tu l'aimes, que tu veux qu'elle emménage à Los Angeles, que tu ne peux pas vivre sans elle. Après on ira dîner.

Je ris.

Et si elle ne m'aime pas, ou si elle ne veut pas venir habiter ici.

Dans ce cas notre dîner sera minable.

Je ris de nouveau.

Maintenant, on raccroche, mon fils.

D'accord.

Et tu vas l'appeler.

D'accord.

Et après tu vas me rappeler et on verra ce qu'on fait pour le dîner.

Ça m'a l'air bien.

J'APPELLE ALLISON MES MAINS TREMBLENT je sens mon cœur qui bat j'ai du mal à parler je l'appelle elle répond. On parle quelques minutes. Je me demande si elle se rend compte que je suis anxieux terrorisé je me demande si elle se rend compte que je tremble j'espère que non. Je lui dis que je l'aime. Je lui dis que j'ai envie qu'elle vienne habiter à Los Angeles. Je lui dis que je ne veux pas vivre sans elle. Je lui dis que je l'aime, je l'aime, je l'aime.

JE PRENDS UN AVION POUR LA VIRGINIE. Je vais passer une semaine dans la famille d'Allison, l'aider à faire ses cartons, traverser le pays avec elle en voiture. Elle vient me chercher à l'aéroport je la vois la prends dans mes bras la serre l'embrasse lui dis qu'elle m'a manqué je suis tellement heureux de la voir je l'aime.

Ses parents vivent à Virginia Beach. Ils vivent dans une grande et belle maison sudiste avec des colonnes blanches et une immense véranda, d'un côté il y a un terrain de golf et de l'autre une crique tranquille devant l'océan Atlantique. Ce sont des sudistes conservateurs, des gens qui croient en Dieu, la famille, la tradition. Je les apprécie, ils semblent m'apprécier. Je ne jure pas quand ils sont là, leur cache mes tatouages, évite de parler de mon passé. J'occupe une chambre dans une section de la maison opposée à celle d'Allison. Dès que j'en ai l'occasion je l'entraîne dans les toilettes dans les salles de bains dans le grenier, on sort furtivement de nos chambres la nuit on se retrouve dans la cuisine le salon dehors dans l'herbe. Je joue au golf avec son père, vais faire des courses avec sa mère et elle, on va dîner dans leur club de loisirs, Allison et moi faisons du vélo de grandes promenades le long de la plage. C'est une belle semaine, une semaine de douceur, ça ressemble à la vie que nous pourrions mener dans quelques années si on se mariait et qu'on vivait ailleurs qu'à Los Angeles. C'est une image que j'aime ça ressemble au bonheur, quelque chose d'agréable. Ça semble bien, mieux que la vie que j'aurais pu imaginer.

À la fin de la semaine on remplit la voiture, on prend un dernier petit-déjeuner avec ses parents, ils pleurent et nous font au revoir lorsqu'on s'éloigne. On a étudié notre itinéraire dans un atlas on prend une route serpentine qui traverse le sud des États-Unis. On va prendre notre temps au moins une semaine, peut-être deux. Notre première étape est à Richmond. On va chez le frère d'Allison, qui est l'avocat d'une grande entreprise de tabac. Je l'avais vu à Paris il y a plusieurs années on avait bu quelques coups ensemble quand j'ai quitté Paris j'ai atterri en cure de désintoxication et en prison il a fait son droit. Il est grand, blond, beau, il porte un pantalon repassé, une chemise amidonnée, habite dans un appartement neuf, j'imagine qu'il tient le compte de ses chèques et paie ses impôts à temps. Il nous emmène au restaurant dit qu'il en a marre de Richmond en a marre de vivre dans un milieu conservateur pense à déménager. Je lui demande où il veut aller il dit je ne sais pas trop peut-être Los Angeles. Je lui propose de balancer ses trucs dans la remorque d'Allison il peut venir avec nous. Il refuse.

De Richmond on va à Washington DC. On se promène vers Georgetown on va à la National Gallery. Allison m'emmène dans un magasin de maillots de bain elle veut m'acheter un Speedo léopard, je lui demande pourquoi elle dit parce que c'est drôle. J'en essaie un marche dans le magasin demande aux autres clients ce qu'ils en pensent. La plupart m'ignorent, deux homos me disent que ça me va à ravir, une vieille dame me dit de m'ôter de sa vue avant qu'elle appelle la police. Je porte le Speedo dans la voiture lorsqu'on sort de la ville.

On décide d'aller à Memphis. À mi-chemin on s'arrête dans un hôtel pas cher. On prend une grande chambre avec un grand lit c'est la première fois qu'on est vraiment seuls depuis mon arrivée on en profite. On arrive à Memphis on visite Graceland on mange des grillades on écoute du blues sur Beale Street. Je me sens triste à cause d'Elvis qui est mort dans les toilettes de sa grande maison stupide et déserte. Je mange des grillades jusqu'à ce que je n'arrive pratiquement plus à marcher. Je connais le blues et parfois j'ai eu le blues mais pas maintenant, pas maintenant.

On va dans le Sud on traverse le Tennessee et le Mississippi. J'entre dans le relais routier d'un bled alors que je porte le Speedo, les camionneurs veulent me péter la gueule, le vendeur rit et me demande si je vais à la plage. Plus au sud vers La Nouvelle Orléans on voit mon ami Miles Davis, pas Miles Davis le trompettiste, mon ami de la clinique l'honorable Miles Davis, juge fédéral. Miles était mon compagnon de chambre à la clinique. On a passé des nuits d'insomnie à parler, écouter de la musique, il joue de la clarinette et jouait quand je n'arrivais pas à dormir. Il m'a aidé à démêler mes problèmes judiciaires, a parlé à des gens en ma faveur, a passé des coups de téléphone pour moi et m'a aidé à éviter une longue peine de prison.

À part Leonard c'est la seule personne que j'ai connue là-bas qui a décroché, le reste de nos amis sont soit en prison, soit morts. On passe trois jours à La Nouvelle-Orléans. Je rencontre la femme de Miles elle est médecin on fait un somptueux repas cajun avec elle et Miles. On va dans un bar du quartier français dans lequel les serveuses ont l'air d'être de belles femmes mais sont des hommes. On boit du café fort on mange des beignets on regarde des magiciens déguenillés faire leur numéro, des guitaristes saouls faire de la musique, des diseurs de bonne aventure spéculer et mentir. On écoute du jazz toute la soirée dans des bars sombres et enfumés où les meilleurs musiciens du monde jouent avec leurs tripes, sans la moindre reconnaissance. On se promène dans les jardins d'anciennes plantations les propriétaires sont toujours blancs le personnel est toujours noir on ne dirait pas que les choses ont beaucoup changé. On mange des glaces dans le ghetto on se balade dans le zoo, quoi de neuf orang-outang, ça me plaît tous ces poils fous. Je suis triste de partir, triste de dire au revoir à Miles. Je pourrais vivre à La Nouvelle-Orléans, la chaleur et le bruit et la saleté ne me gênent pas, c'est un magnifique paradis, décati débauché décomposé. On remonte vers le nord on traverse le Texas on décide de tenter de le traverser d'une traite. Allison achète des livres on éteint la radio elle me fait la lecture. Quatorze heures plus tard on a terminé deux livres de Paul Bowles quatre litres de café trois paquets de cigarettes et je vois trouble. Quatre heures plus tard on arrive à Santa Fe on voit un ami d'Allison on fait une balade en montagne on passe plusieurs jours dans une station thermale on se fait masser on se baigne dans des sources d'eau chaude Allison fait des soins je n'ai pas la moindre idée de ce que c'est je me contente de bouquiner.

On va à Vegas. On est tous les deux crevés on ne sort pas de la chambre.

On va de Vegas à Los Angeles. On se gare devant la maison. Cassius et Bella sont restés chez un ami il les a ramenés à la maison plus tôt dans la journée. Comme je m'approche de la porte je les entends aboyer je ne sais pas s'ils ont senti mon odeur ou s'ils m'ont entendu mais ils savent que je suis là. J'ouvre la porte ils sautent dans tous les sens et courent en décrivant des cercles, Cassius fait pipi ils me font des mamours. Je leur dis papa est rentré maintenant il ne va pas repartir. Je leur dis papa est avec maman elle ne va pas repartir. Allison sourit je la regarde l'enlace, l'embrasse dans le cou, parle.

Je t'aime et je suis heureux que tu sois là et je ne veux plus que tu t'en ailles.

LES PARENTS D'ALLISON NE VEULENT PAS qu'elle vive avec moi avant qu'on soit fiancés on n'est pas prêts à se fiancer elle déménage chez Conner. Leur appartement se situe au pied de la colline à environ cinq minutes de chez moi. Danny et moi essayons de récolter de l'argent pour le film. On appelle tous les gens riches que l'on connaît on leur dit qu'on offre une superbe occasion d'investissement, certains nous signent des chèques.

Allison se met à travailler comme assistante pour un producteur dans un studio. Le producteur est le fils du patron du studio, et n'a jamais réellement produit quoi que ce soit, mais il a un grand bureau et d'énormes frais de représentation.

Je continue d'essayer d'écrire un livre je passe la plupart de mon temps à fumer, à boire du café, à jouer avec les chiens et à jurer.

Allison et moi entrons dans un café. On voit une ancienne petite amie à moi assise à une table, l'ex-petite amie nous voit. On était tous à la fac ensemble, l'ex-petite amie, Allison et moi nous connaissons. Je n'ai pas vu l'ex depuis trois ans, on s'est séparés en très mauvais termes. La dernière fois qu'on s'est vus je saignais, je m'étais fait tabasser, avais des menottes, j'étais sur le chemin de la prison. Je la regarde elle n'a pas changé, des yeux bleus comme l'Arctique, des longs cheveux blonds et épais. Je dis bonjour elle dit bonjour, Allison dit bonjour elle dit bonjour à Allison. Je me demandais ce qu'elle était devenue, où elle était, ce que ça me ferait de la voir. Je n'éprouve rien. Je n'en ai absolument rien à battre d'elle. Allison et moi commandons des cafés, on s'assied dehors et on fume et on rit et on se regarde et quand l'ex s'en va pas l'un de nous ne se donne la peine de lui dire au revoir.

Un petit beagle qui n'arrête pas d'aboyer mord le cul de Cassius alors que je les promène, lui et Bella, en bas de la rue. Le beagle gronde et jappe et saute sur Cassius, il a l'air de vouloir le mordre à nouveau. Cassius tente d'ignorer le beagle mais le beagle continue jusqu'à ce que Cassius riposte, mette toute la tête du petit chien dans sa gueule, le secoue une ou deux fois et le jette quelques mètres plus loin. Le beagle se secoue, a l'air de bien aller, et s'en va.

Allison et moi passons toutes nos nuits ensemble. La plupart du temps on est chez moi, de temps en temps on va dans son appartement. C'est la première personne que j'aime totalement. Je l'aime physiquement, affectivement, j'aime tout en elle je l'aime davantage chaque jour, davantage chaque jour. Parfois je me demande si c'est ainsi qu'aurait été mon existence si Lilly était restée en vie. Parfois je me sens coupable parce que je suis heureux. Parfois je me déteste parce que quand je suis avec Allison, je cesse de penser à Lilly, et elle cesse de me manquer.

LEONARD VEUT RENCONTRER ALLISON. Je l'invite à dîner, lui dis qu'on lui fera à manger. Il rit, me traite d'enfoiré domestiqué, me demande comment j'ai appris à cuisiner, je lui dis que je n'y connais rien, c'est Allison qui s'en occupe. Il rit de nouveau dit qu'il sera heureux de venir je lui demande si demain c'est bien il dit ouais.

Allison et moi allons dans l'épicerie chic. Elle a une liste elle me dit ce dont elle a besoin elle vérifie pour être sûre que j'ai pris les bons ingrédients elle vérifie une deuxième fois on fait la queue.

On commence à préparer le repas dans l'après-midi. Elle fait une salade, de la purée, une tarte aux pommes. Pendant qu'elle est dans la cuisine, je nettoie la maison. Je balaie, passe la serpillière, récure le moindre centimètre carré dans la salle de bains, lave les draps lave la housse du futon, enlève toutes les merdes de chien dans le jardin et les jette dans la forêt. L'odeur qui vient de la cuisine me donne faim me donne envie de manger je fais de nombreuses pauses pour aller dans la cuisine et essaye de grignoter. Allison me jette dehors je tente à nouveau ma chance elle me jette à nouveau dehors. On prend une douche on met de beaux vêtements on inspecte la maison pour s'assurer que tout est en ordre on inspecte la cuisine pour s'assurer qu'on est dans les temps. Allison en sait long sur Leonard sait ce qu'il fait et qui il est connaît ma relation avec lui sait combien il compte pour moi. On veut tous les deux que ça se passe bien ce soir elle est anxieuse. Je sais que Leonard va l'apprécier, je sais qu'elle va l'apprécier même s'il risque un peu de l'intimider. On entend une voiture se garer les chiens se mettent à japper une portière de voiture s'ouvre toc toc toc. J'ouvre la porte, Leonard est là avec un énorme bouquet de fleurs, deux bouteilles de vin une de blanc une de rouge. Il parle.

Mon fils.

Entre, Leonard.

Leonard pénètre dans la maison. Allison est dans la chambre. Leonard regarde autour de lui, parle assez fort pour qu'Allison l'entende.

Je le savais, je le savais. Cette femme magnifique et parfaite n'était qu'un délire, une invention, elle n'existe pas.

Je ris.

Je me suis toujours méfié. Cette Allison avait l'air trop bien pour être vraie. Personne ne peut être tout ce que tu dis qu'elle est, splendide, intelligente, cultivée, connaissant l'histoire de l'art, et capable de te supporter. C'est impossible, impossible.

Allison sort de la chambre. Leonard la voit.

Oh ! là ! là !

Allison sourit.

Bonjour, Leonard. Je suis Allison. J'ai beaucoup entendu parler de vous, je suis contente de vous rencontrer.

Leonard pose un genou à terre.

Ma dame, vous êtes une apparition. Puis-je vous offrir ces fleurs, et puis-je vous offrir ce vin, rouge s'il vous agrée, blanc s'il vous agrée.

Allison rit. Prend les fleurs et le vin.

Merci.

Puis-je me relever ?

Elle rit de nouveau.

Bien sûr.

Leonard se relève, Allison se rend à la cuisine met les fleurs dans un vase. Je la suis lui demande quel vin elle préfère elle dit rouge j'ouvre la bouteille demande à Leonard s'il veut du cola il dit non, j'ai arrêté de boire du cola, seulement de l'eau pour moi. Je sers à Allison un verre de vin, à Leonard un verre d'eau, et un verre de cola pour moi. Allison met le dîner au four, Leonard s'assied sur le divan. Il regarde Allison, parle.

Jolie dame. Venez vous asseoir à mes côtés.

Allison sourit, me regarde.

Tu vas réussir à te débrouiller tout seul ?

Ouais.

Allison s'assied à côté de Leonard. Je mets la table, réchauffe les pommes de terre, prépare la sauce de salade. J'entends des bribes de conversation je les entends parler de la ville natale d'Allison de fringues de filles, domaine dans lequel, pour une raison quelconque, Leonard a l'air de s'y connaître. Je les entends parler d'art de vin je les entends rire je les entends parler de moi j'essaie de ne pas écouter. Je termine ce que j'ai à faire dans la cuisine mets la salade sur la table leur dis que le dîner est servi.

Ils viennent, Leonard présente sa chaise à Allison, on s'assied. Leonard lève son verre, parle.

À mon fils, et à la belle, charmante et intelligente jeune femme qu'il a réussi, pour une raison obscure, à convaincre de passer du temps avec lui.

Allison et moi rions on trinque on boit une gorgée. On mange la salade, on mange le dîner Allison a fait un filet de bœuf, on mange le dessert. Leonard demande à Allison de quoi j'avais l'air avant la clinique, elle rit et dit qu'elle ne sait pas vraiment parce qu'elle essayait de m'éviter autant que possible. Allison demande à Leonard comment c'était la clinique, il rit et dit c'était à la fois génial et affreux. Elle demande en quoi c'était génial, il dit aussi ridicule que ça puisse sembler, c'était amusant de se retrouver dans la même clinique qu'une bande de toxicomanes et d'alcooliques tarés, on a beaucoup ri, on s'est raconté toutes sortes d'histoires complètement dingues, on s'est fait de grands amis. Elle demande pourquoi c'était affreux il dit parce que personne n'atterrit là parce qu'il est en bonne santé ou sain ou équilibré, personne n'atterrit là parce que ça va bien dans la vie, et c'est assez désagréable d'affronter toutes les conneries que l'on inflige à soi et aux autres et c'est assez désagréable d'essayer de comprendre comment éviter de recommencer. Elle pose des questions sur nos amis Leonard lui parle d'Ed et Ted, Ed est mort dans une bagarre et Ted est en prison, condamné à perpétuité, Matty le boxeur s'est fait flinguer devant une *crackhouse*, Michael s'est mis une balle dans la tête, Hohn est lui aussi en prison, condamné à perpétuité. Allison demande si Leonard connaît Miles, Leonard dit bien sûr, c'est un homme raffiné, raffiné, j'aurais aimé pouvoir être ami avec lui. Allison demande pourquoi il ne peut pas, Leonard dit notre situation aux deux pôles de l'éventail de la légalité interdit une telle amitié. Allison pose des questions sur son travail, Leonard rit, dit si tu demandes, c'est que tu sais, et c'est tout ce que je vais te dire.

Tandis que je débarrasse la table, Allison se lève va aux toilettes. Leonard se lève, m'aide, parle.

Si elle était mon type j'essaierais de te la voler.

Ça serait embêtant.

Heureusement elle n'est pas mon type.

Est-ce que j'ai ton approbation ?

Achète la bague demain.

Je pense que ça veut dire oui.

Ça veut dire oui oui oui oui oui, t'es complètement taré si tu la laisses partir.

Je ne veux pas, mais qui sait.

Qu'est-ce qui pourrait t'en empêcher ?

Je ne sais pas.

Lilly ?

Non.

Est-ce qu'elle est au courant ?

Si on veut.

Tu peux préciser ?

Elle en a entendu parler, mais elle ne connaît pas les détails.

Pourquoi ?

Je n'aime pas parler de Lilly, et je n'en parle à personne à part toi, et je ne veux pas qu'Allison ait l'impression de devoir se montrer à la hauteur des souvenirs que je garde de ma petite amie décédée.

Ça pourrait l'accabler.

Ça serait chiant pour elle.

Oui, en effet.

Je l'aime et je veux qu'elle se sente bien.

Ce que tu dis est sensé.

Merci.

Allison revient, Leonard fait demi-tour.

Ah, jolie dame, nous étions justement en train de parler de vous.

Allison sourit.

Qu'est-ce que vous racontiez ?

James me disait combien il vous aimait.

Elle sourit de nouveau.

Je l'aime.

Et je lui disais que si vous étiez mon type, j'aurais essayé de vous voler.

Ah ouais ?

Ouais.

Vous êtes charmant, Leonard, mais vous ne m'auriez pas eue.

Et je suis beau, aussi. N'oubliez pas ma beauté.

Allison rit.

Ouais, vous êtes beau, Leonard, mais c'est lui que j'aime.

Leonard me regarde.

T'es un chanceux, mon fils, un enfoireux de chanceux.

Je ris.

Un enfoireux ?

Leonard hoche la tête.

Ouais.

C'est quoi, un enfoireux ?

C'est toi. T'es un enfoireux de chanceux.

T'as déjà utilisé ce mot ?

Nan, je viens de l'inventer, pour toi, enfoireux de chanceux.

Je ris de nouveau, regarde la belle Allison, regarde mon ami Leonard, regarde mes chienchiens endormis par terre, tous se trouvent dans ma maison de Laurel Canyon sur les collines qui dominent Los Angeles. J'ai fait un bon repas. Je suis amoureux. Je sais que demain je vais me réveiller. Je suis chanceux. Chanceux.

Un enfoireux de chanceux.

ALLISON, KEVIN ET MOI PROMENONS LES CHIENS sur la colline au-dessus de chez moi. C'est samedi matin il est tôt, le ciel est clair, le soleil brille. Allison tient Bella je tiens Cassius Kevin nous parle de son boulot, il travaille pour une ancienne vedette de la télévision qui passe désormais la plupart du temps à faire de la gym au téléphone devant son miroir. En marchant on entend une voiture qui gravit la colline derrière nous, on l'entend foncer, on marche vers le trottoir on continue d'avancer. Une petite décapotable bleue nous dépasse en rugissant, freine brutalement une quinzaine de mètres devant nous. On continue d'avancer on aperçoit un homme un Noir à la peau claire assis derrière son volant il nous fixe des yeux. On continue d'avancer lorsqu'on est à quelques mètres l'homme avance d'une dizaine de mètres, s'arrête, continue de nous fixer. Comme on se rapproche, il recommence. On se rapproche il recommence. Allison et Kevin sont perplexes se demandent ce qui se passe, mon instinct me dit que quelque chose de déplaisant est sur le point d'arriver. Je passe la laisse de Cassius à Kevin me dirige vers la voiture l'homme me fixe des yeux je parle.

Il y a un problème ?

L'homme met le frein à main, ouvre la porte, sort. Il est plus grand et plus costaud que moi il a l'air excédé.

Allison et Kevin s'arrêtent à environ un mètre de moi. L'homme parle.

Ouais, y a un problème.

Quoi ?

C'est votre chien ?

Il désigne Cassius du doigt.

Ouais.

Votre chien a mordu le mien. Il l'a sacrément amoché. Quel genre de chien avez-vous ?

J'ai un petit beagle qui s'appelle Elron.

Je hoche la tête.

Ouais, mon chien a mordu votre chien après que votre chien l'a mordu.

C'est pas ce qui s'est passé.

Si.

Non.

J'étais là. Votre chien est arrivé en courant, s'est mis à grogner et à japper, a mordu mon chien, puis a continué de le suivre, et mon chien l'a mordu à son tour.

J'ai reçu une facture du vétérinaire de deux cent cinquante dollars. Qu'est-ce que vous comptez faire pour ça ?

Montrez-moi la facture et on peut essayer de s'arranger.

Qu'est-ce que ça veut dire ?

Ça veut dire que je vais vous donner mon adresse et mon numéro de téléphone, vous pourrez me montrer la facture et on va essayer de s'arranger.

L'homme me regarde fixement, je soutiens son regard. Il ne me fait pas peur, mais je n'ai aucun intérêt à me battre avec lui, ni à faire quoi que ce soit susceptible d'empirer les choses. On est voisins. Son chien, un beagle de dix kilos, a mordu mon chien, un pitbull de quarante kilos. Mon chien a rendu sa morsure à son chien, et je ne doute pas qu'il lui ait fait mal, et ce qu'il faut, c'est essayer de résoudre ça à l'amiable. L'homme fait demi-tour, ouvre la portière de sa voiture. Il s'assied sur le siège passager, sort un stylo et un bloc-notes d'un sac à dos posé sur le siège, me les tend. J'inscris mes nom, adresse, téléphone, lui tends le bloc-notes. Il me regarde, parle.

Je suis content que vous ayez réagi comme ça.

Y a pas de problème.

Il remet le bloc-notes et le stylo dans le sac à dos, sort un pistolet, lève les yeux vers moi.

J'ai dit que j'étais content que vous ayez réagi comme ça parce que je n'ai pas envie de flinguer quiconque, ni de tuer personne.

Quoi ?

Il referme la portière.

Vous m'avez compris.

Je suis sous le choc. L'arme est posée sur le siège, l'homme me fixe des yeux, je parle.

Montrez-moi simplement la facture et on s'arrangera.

Il me fixe encore pendant quelques instants, démarre la voiture, s'éloigne à toute vitesse. Je me retourne, regarde Allison et Kevin. Allison est pâle, a l'air terrorisée.

Kevin regarde la route.

Ça va ?

Kevin secoue la tête, parle.

Qu'est-ce que c'était ?

Ce type ne tourne manifestement pas rond.

C'est une litote.

Je regarde Allison.

Ça va ?

Elle secoue la tête, je m'avance, prends sa main, elle tremble.

Il allait nous tirer dessus.

Non, il n'allait pas nous tirer dessus.

Je veux qu'on appelle la police.

On n'a pas besoin d'appeler la police.

Je veux rentrer à la maison et appeler la police.

On va rentrer à la maison. On va pas appeler la police.

On remonte la colline. Je sais où l'homme habite j'ai vu sa voiture dans l'allée. On va devoir passer devant sa maison pour se rendre à la mienne, j'espère que sa voiture n'y est pas. Elle n'y est pas on va chez moi Allison devient de plus en plus bouleversée presque hystérique. Elle parle.

Appelle la police.

La police ne fera rien, Allison.

Il a menacé de nous tuer.

Et s'ils vont le voir il niera et ça ne changera rien.

S'il te plaît, appelle.

C'est une perte de temps.

Kevin parle.

Je crois que tu devrais appeler.

Je vais appeler quelqu'un, mais ça ne sera pas la police.

Allison parle.

Qui vas-tu appeler ?

Leonard.

Qu'est-ce qu'il va faire ?

Je ne sais pas. On verra.

Je décroche le téléphone, compose le numéro, attends, Leonard répond.

Allô ?

Leonard.

Mon fils. Bonne journée.

Pas vraiment.

Qu'est-ce qui va pas ?

Un enculé vient tout juste de me menacer de me flinguer, et éventuellement Allison, et éventuellement mon ami Kevin.

Quoi ?

Je raconte à Leonard ce qui est arrivé. Je lui parle de la voiture, de l'homme, du flingue, de la menace. Une fois que j'ai terminé, il rit.

Ce n'est pas drôle, Leonard.

C'est assez drôle.

L'enfoiré avait un flingue. Ce n'était pas drôle.

L'enfoiré avait peut-être un flingue, mais c'est pas une raison pour t'inquiéter. C'est pas un truand.

M'avait l'air assez truand comme ça.

Il avait peut-être l'air d'un truand, mais c'en est pas un.

C'est quoi la différence ?

Un vrai truand t'aurait refroidi, il ne t'aurait pas menacé de te refroidir. Et en plus il n'a pas respecté la première règle du truand.

Qu'est-ce que c'est ?

Ne jamais montrer son flingue, seulement le décharger.

C'est très bon à savoir, Leonard.

Effectivement. Le type n'est probablement pas dangereux, c'est juste une brute.

Comment est-ce que tu penses que je devrais me comporter avec lui ?

Tu as eu du flair. Paye la facture, arrange la situation à l'amiable, débarrasse-t'en.

Et si ça marche pas ?

Leonard rit.

S'il y a le moindre problème, appelle-moi.

Merci, Leonard.

Dis à Allison de ne pas s'inquiéter.

D'accord.

Je raccroche le téléphone, me tourne vers Allison et Kevin. Allison parle.

Qu'est-ce qu'il a dit ?

Il m'a dit de te dire de ne pas t'inquiéter.

Qu'est-ce qu'il va faire ?

Rien.

Qu'est-ce que tu vas faire ?

Quand le type m'apportera la facture, je m'arrangerai avec lui.

Tu ferais mieux de la payer.

C'est sûrement ce que je vais faire.

Il m'a fait peur, James. Je persiste à croire qu'on devrait appeler la police.

Leonard est mieux que la police.

Tu me le jures ?

Ça va aller. Je le jure.

JE N'AI PAS DE NOUVELLES DU TYPE. Pas de facture, pas de coup de fil, rien. Je m'arrête chez lui plusieurs fois quand je vois la voiture dans l'allée. Je frappe à la porte pas de réponse.

Leonard annule trois déjeuners d'affilée, transforme notre rendez-vous hebdomadaire en rendez-vous bi-mensuel, vient sans Barracuda.

Danny et moi trouvons assez d'argent pour tourner notre film. On embauche une équipe, un casting, on commence la pré-production, on commence à tourner. Personne d'entre nous n'a la moindre idée de ce que nous faisons, et comme nous n'avons pas beaucoup d'argent, par rapport aux critères hollywoodiens, quasi-ment personne dans notre équipe ne comprend ce qu'on fabrique.

Allison déteste son travail elle veut démissionner. Je lui dis qu'elle devrait démissionner, lui dis qu'elle devrait prendre le temps de réfléchir à ce qu'elle veut faire, lui dis qu'elle n'a pas à s'inquiéter pour l'argent je peux lui en donner. Elle dit qu'elle ne veut pas ou n'a pas besoin de mon argent qu'elle se débrouillera avec le sien elle peut se prendre en charge. Je lui dis qu'elle peut prendre tout ce que j'ai, me demander tout ce dont elle a besoin, je tiens beaucoup plus à son bonheur qu'à l'argent, que je ne considère pas que c'est lui donner de l'argent, je considère que c'est donner à quelqu'un que j'aime une chance de changer de vie. Elle s'entête ne veut rien de moi elle veut s'en sortir toute seule.

On continue le tournage on bosse vingt-quatre heures sur vingt-quatre tout va de travers on ne respecte pas le planning on dépasse le budget. Allison s'énerve parce qu'on ne peut jamais se voir et quand on arrive à se voir je suis trop fatigué pour parler manger sortir je suis trop fatigué pour faire autre chose que dormir.

Je visionne les rushs du film comprends que le film n'est pas très bon comprends que je ne suis pas réalisateur pense que si je travaille plus dur je parviendrai à sauver mon film des eaux je travaille plus dur plus dur plus dur chaque minute de chaque jour rongé par l'envie de réussir à sauver ce que j'ai essayé de créer ce pour quoi Danny et moi avons dépensé l'argent des autres.

Je passe de moins en moins de temps avec Allison elle est de plus en plus furieuse.

Je ne vois plus du tout Leonard.

Travaille de plus en plus.

Dors de moins en moins.

On termine le tournage du film Dieu soit loué c'est fini bordel.

LES PARENTS D'ALLISON VIENNENT À LOS ANGELES ils veulent voir où elle habite comment elle va. On va les chercher à l'aéroport on leur fait visiter l'appartement d'Allison on les emmène dans un restaurant chic. Le lendemain on va à la plage on leur montre Beverly Hills on les emmène chez moi je leur fais du poulet ce n'est pas fameux. Ils sont sympas, ce sont des gens polis ils jouent avec Cassius et Bella, qui sont tous les deux passés dans la baignoire avant que les parents n'arrivent, ils font comme si le repas que j'ai préparé était mangeable.

Le lendemain on va à Newport Beach, un coin friqué du comté d'Orange. Des amis proches des parents d'Allison habitent sur une île non loin, on passe la journée avec eux. On se promène dans la petite ville de l'île, on s'assied sur le sable, on nage dans l'océan, on fait un tour de bateau. Je n'enlève pas ma chemise en leur présence, ne veux pas qu'ils voient mes tatouages. Je ne jure pas et essaie de ne pas fumer.

Le soir arrive on peut soit rentrer à Los Angeles soit rester dîner. Les parents d'Allison ont envie de rester on décide d'aller dans un restaurant de Laguna, là où Leonard habite. J'ai envie de l'appeler, de le voir, je pose la question à Allison, elle ne pense pas que ce serait opportun, ses parents veulent passer du temps avec elle et moi et leurs amis.

On roule vers le Sud on entre dans Laguna on passe devant la pointe où j'aperçois la maison de Leonard on passe devant un panneau d'affichage pour le *Pageant of the Masters* c'est la photo d'un tableau vivant de Seurat je ris en pensant à Leonard et Barracuda assis dans la foule, poussant des ohh et des ahh. On longe un restaurant dont ils ont parlé je les imagine assis sur la terrasse. Je scrute le trottoir en espérant les apercevoir, le trottoir est plein de monde je n'ai pas de chance.

On se gare devant un restaurant, un voiturier prend mon pick-up, on attend les parents d'Allison et leurs amis. Ils arrivent, on entre dans le restaurant. La décoration est tropicale, c'est comme ça que j'imaginerais un restaurant en Thaïlande, des sièges en osier avec des coussins sombres et confortables, des éventails au plafond, des palmiers et de grandes fleurs exotiques, des bougies partout. On est conduits à une table dans un coin c'est une grande table avec assez de place pour quelques chaises supplémentaires. À peine s'est-on assis que j'entends Leonard. Je ne le vois pas je l'entends.

MON FILS, MON FILS.

Je regarde autour de moi, ne l'aperçois pas.

JE SUIS ICI, BON SANG. JE SUIS ICI, MON FILS.

Je ris, continue de regarder autour de moi.

ICI ICI ICI ICI ICI.

Je regarde en direction de la voix, aperçois Leonard et Barracuda avancer vers notre table. Ils portent des T-shirts hawaïens, des bermudas, des mocassins. Barracuda a mis des chaussettes noires avec ses mocassins. Ils sourient tous les deux, Leonard agite les bras.

Mon fils, qu'est-ce que tu fais ici ?

Je me lève. Allison sourit, secoue la tête elle n'est pas en colère simplement surprise, ses parents et leurs amis ont l'air gênés. Je parle.

Quoi de neuf, Leonard ?

Quoi de neuf ? Quoi de neuf ? Ce qu'il y a de neuf, c'est que te voilà planté devant moi, dans ma ville. Quelle surprise.

Je ris, l'embrasse, embrasse Barracuda. Leonard regarde Allison, incline la tête.

Belle dame, c'est toujours un plaisir de vous voir.

Allison sourit.

Vous aussi, Leonard.

Leonard regarde les parents d'Allison et leurs amis, parle.

Et qui est donc ici avec vous ?

Allison fait les présentations, Leonard salue les femmes d'un mouvement de tête, serre la main des hommes, Barracuda sourit et dit bonjour. Leonard regarde les hommes, parle.

Verriez-vous un inconvénient à ce que nous nous asseyons en votre compagnie quelques instants ?

Le père d'Allison dit aucun, Leonard fait signe au serveur, crie.

Garçon. Deux autres chaises. Tout de suite.

Le serveur rapporte deux chaises, Leonard et Barracuda s'asseyent. Les parents d'Allison ont l'air troublés sa mère regarde Leonard parle.

Vous vous appelez Leonard ?

Oui, en effet.

Elle regarde Barracuda.

Et vous Barracuda ?

Oui, m'dame.

D'où vient ce nom ?

C'est un surnom, m'dame.

Comment l'avez-vous eu ?

J'aime pêcher. Je suis un pro de la pêche au barracuda. D'où le surnom.

Elle hoche la tête et regarde Leonard.

Et comment avez-vous connu James ?

On s'est rencontrés il y a plusieurs années. On était tous les deux en vacances dans une station balnéaire de luxe. Un jour on a déjeuné ensemble, et depuis on est devenus très bons amis.

Je tente de ne pas rire, je regarde Allison, elle semble être à la fois amusée et horrifiée. Ses parents continuent de parler avec Leonard on reste là à les écouter.

Sa mère demande.

Pourquoi appelez-vous James votre fils ?

Si j'avais un fils j'aurais aimé qu'il soit comme James. Et comme je n'ai pas de fils, j'ai fait de James une sorte de fils, et j'aime l'appeler mon fils.

Pourquoi n'avez-vous pas d'enfants ?

Je n'ai jamais été marié, et je ne voulais pas avoir un enfant illégitime.

Pourquoi ne vous êtes-vous pas marié ?

J'aurais aimé, et j'aurais aimé avoir des enfants, c'est seulement que ça ne s'est pas présenté à moi, et je ne suis probablement pas fait pour le mariage. Heureusement j'ai rencontré James et j'ai fait l'expérience d'une forme de paternité qui me rend très heureux.

Le père d'Allison parle.

Qu'est-ce que vous faites, Leonard ?

Je suis un cadre d'affaires en semi-retraite.

Dans quelle branche ?

Je suis directeur pour la côte Ouest d'une grande entreprise italienne de placements financiers.

Quels genres de placements ?

Nous avons des intérêts dans le divertissement, les télécommunications, nous travaillons avec des syndicats, nous faisons des investissements à court terme, des prêts à des taux d'intérêt élevés.

Il regarde Barracuda.

Qu'est-ce que vous faites, Barracuda ?

J'étais agent de sécurité, je suis devenu chargé de l'encaissement, maintenant je suis assistant de direction.

Quelles tâches vous incombent ?

Ce qu'il faut faire.

Sa mère demande.

Vous voyez souvent James ?

Tout le temps, le plus possible.

Connaissez-vous ses parents ?

Des gens merveilleux. Il n'y a pas mieux. J'ai essayé de persuader son père de travailler avec moi mais il n'a pas voulu. Ils sont formidables, vous allez les adorer.

Son père demande.

Vous est-il possible de parler d'une des affaires que vous avez conclues ?

Je pourrais, évidemment, mais la politique de notre entreprise est de rester le plus discret possible. Nous n'aimons pas la publicité.

Les amis des parents d'Allison ont l'air troublés et fascinés. Leonard essaie de changer de conversation, entreprend de commenter les coiffures des femmes, leurs vêtements, leurs bijoux, se met à les couvrir de compliments. Il demande aux amis s'ils sont déjà venus dans ce restaurant avant qu'ils puissent dire non, il sourit et dit c'est génial vous allez adorer. Après quelques minutes il jette un coup d'œil à Barracuda, hoche la tête, ils se lèvent. Leonard me regarde, parle.

Quelle merveilleuse surprise, mon fils.

Je souris.

Ouais, c'est vrai.

On mange ensemble cette semaine ?

Ouais.

Il se tourne vers Allison.

Chaque fois que je vous vois, ça me brise le cœur.

Elle sourit.

Ravie de vous avoir vu, Leonard.

Il se tourne vers les parents d'Allison.

Il faut vous féliciter d'avoir une fille aussi belle, intelligente, et bien élevée.

Ils sourient tous les deux. La mère d'Allison parle.

Merci.

J'espère vous revoir, à l'occasion d'un mariage peut-être.

Ils rient en chœur. Allison parle.

On se calme, Leonard.

Il rit, recule.

J'espère que vous ferez un merveilleux repas.

Barracuda parle.

Content de vous avoir rencontrés, tous autant que vous êtes.

Ils font demi-tour et s'en vont. Je les regarde s'en aller tout le monde à la table se tourne et les regarde s'en aller, et quand ils ne sont plus à portée de vue, la mère d'Allison dit je ne suis pas sûre de savoir comment je dois le prendre, et on éclate tous de rire avec elle.

On regarde le menu. Avant que le serveur arrive, le gérant vient à notre table avec une bouteille de vin. Il parle.

Votre repas, ainsi que le vin, a déjà été commandé.

Il débouche la bouteille, remplit le verre du père d'Allison, qui le sent, le goûte, hoche la tête, dit il est excellent. Le gérant remplit le verre de tout le monde sauf le mien.

Quand il a fini il me regarde, parle.

Votre cola arrivera dans quelques instants.

Je ris, dis merci. L'ami des parents d'Allison prend la bouteille de vin, la regarde, dit waouh c'est du bon. Il tend la bouteille au père d'Allison, la nourriture arrive. Il y a des brochettes de bœuf de poulet et de crevettes, des huîtres avec de la sauce piquante, de la salade d'algues, de la salade d'épinards avec du thon à queue jaune, une marinade de poissons. On partage tout on se fait passer les plats. Sitôt qu'on a terminé, de nouveaux plats arrivent encore plus grands avec de plus grosses portions du tempura de crevettes, du tempura de homard, du lieu noir à la sauce miso, un barracuda entier frit ce qui me fait rire, du saumon teriyaki, du filet de bœuf avec une sauce aux poivrons. Dès qu'une bouteille de vin se vide une autre apparaît, dès que mon verre de cola est vide, on me le remplit. Un serveur se tient près de notre table pour s'occuper de tout ce que nous voulons, tout ce dont on a besoin. Les parents d'Allison et leurs amis sont subjugués par la nourriture le vin le service. J'ai déjà parlé à Allison de repas comme celui-ci avec Leonard c'est sa première expérience elle trouve ça merveilleux. Quand les plats principaux sont enlevés et la table nettoyée on nous apporte les desserts, gâteau au chocolat, glace à la mangue à la banane au gingembre à la noix de coco, riz au lait, fruits frais espressos et thé fin. Après le dessert le père d'Allison demande la note. Le serveur va chercher le gérant. Le gérant vient à notre table, parle.

Comment était votre repas ?

Autour de la table il entend génial, merveilleux, incroyable. Il reprend la parole.

Désireriez-vous autre chose ?

Le père d'Allison parle.

L'addition, s'il vous plait.

Tout est déjà réglé, monsieur.

J'aimerais régler, s'il vous plait.

Je regrette, monsieur, mais c'est impossible.

Je regarde le gérant, parle.

Merci.

Tout le plaisir est pour moi. N'hésitez pas à me faire savoir si vous désirez quoi que ce soit avant de partir.

Le gérant s'en va, on se lève et on part. On dit au revoir aux amis ils montent dans leur voiture et s'en vont, on grimpe dans mon pick-up et on part. Allison et sa mère sont sur les sièges arrière, son père sur le siège passager. Lorsque nous sommes environ à mi-chemin de Los Angeles, Allison et sa mère dorment toutes les deux. Son père me regarde, parle.

James.

Ouais.

Il faut que je vous parle de quelque chose.

D'accord.

Et il faut que vous soyez franc avec moi.

Bien sûr.

Votre ami Leonard.

Ouais.

Vous ne vous êtes pas rencontrés dans une station balnéaire de luxe, n'est-ce pas ?

Non.

L'avez-vous rencontré en prison ou en cure de désintoxication ?

Je l'ai rencontré en cure de désintoxication.

Pourquoi y était-il ?

La cocaïne.

Est-ce qu'il en prend toujours ?

Non, il ne prend plus rien. Moi non plus.

Et est-ce que directeur pour la côte Ouest d'une grande entreprise italienne de placements financiers signifie ce que je pense ?

Sûrement.

Est-ce que c'est une bonne ou une mauvaise chose ?

C'est ce que c'est.

Et son assistant de direction ?

Un homme merveilleux mais sans doute aussi ce que vous pensez qu'il est.

Le surnom Barracuda n'a rien à voir avec le poisson, n'est-ce pas ?

Non, ce n'est pas à cause de la pêche.

Est-ce que ma fille est en danger ?

Absolument pas.

Vous en êtes sûr ?

À la limite, votre fille bénéficie de sa protection. Leonard l'aime, il ne permettra jamais qu'il lui arrive quelque chose.

Et vous êtes impliqué dans ses affaires ?

Non.

Est-ce qu'il connaît réellement vos parents ?

Ouais, ils l'adorent.

Le père d'Allison regarde par la vitre. Il fait noir, la voie rapide est déserte. Il prend une grande inspiration, parle.

On vit dans un drôle de monde.

Ouais, en effet.

Il regarde par la vitre. Je conduis. Il se tourne vers moi.

Pourriez-vous remercier votre ami Leonard pour le repas, et lui dire ainsi qu'à son ami Barracuda que ç'a été un plaisir de les rencontrer.

Je souris.

Ouais, je lui dirai.

ON TERMINE NOTRE FILM IL N'EST PAS TRÈS BON. On fait une grosse avant-première mes parents viennent mon frère vient Leonard vient il y a beaucoup de monde. Lors de la fête après la projection des gens me serrent la main me donnent des tapes dans le dos me passent leur carte de visite me disent que le film était étonnant, incroyable, super. Je souris dis merci mais je sais qu'il n'était pas très bon. C'est dur à admettre, et c'est dur à accepter, mon film n'était pas très bon.

Allison déteste son boulot davantage chaque jour et est davantage malheureuse chaque jour elle rentre à la maison en colère tous les soirs.

Leonard repart sur la côte Est essaye de faire le parcours de golf. Il dit que cette fois il prend une mallette pleine d'argent avec lui. Comme chaque fois avant qu'il parte faire son pèlerinage, je lui souhaite bonne chance, bonne chance Leonard bonne chance. Le scénario que j'ai vendu est en production, un acteur d'une série télé à succès mettant en scène une bande d'amis à New York en est la tête d'affiche. Il embauche son meilleur ami pour qu'il réécrive mon scénario je lis la nouvelle version et la déteste. J'appelle un avocat et lui demande si je peux faire quelque chose, il lit mon contrat dit non et me dit que quand on accepte l'argent d'Hollywood il faut s'attendre à bouffer la

merde d'Hollywood. Je n'aime pas bouffer de la merde
mais je sais que je vais devoir le faire cette fois-ci, alors
je vais à la cuisine et je prends une serviette.

JE DORS. J'ENTENDS SONNER LE TÉLÉPHONE je dors j'entends sonner le téléphone. Allison dort à côté de moi c'est samedi tôt dans la matinée on est rentrés tard la nuit dernière. Je l'entends décrocher le téléphone dire allô. J'ouvre les yeux me tourne. Le combiné est contre son oreille je la vois pâlir je vois la peur s'emparer de son visage je vois ses lèvres se mettre à frémir elle me passe le téléphone sa main tremble. Je pose ma main sur la sienne, parle.

Qu'est-ce qui ne va pas ?

Elle secoue la tête.

Qu'est-ce qui ne va pas ?

Elle désigne le téléphone.

Prends-le.

Je porte le téléphone à mon oreille, parle.

Allô.

T'as jamais payé ma putain de facture.

J'ai déjà entendu la voix il est tôt je ne suis pas encore bien réveillé.

Quoi ?

T'as jamais payé ma putain de facture.

Je m'assieds. Je connais cette voix c'est celle du voisin qui a le beagle, la voiture bleue, le flingue.

De quoi est-ce que vous parlez ?

T'as jamais payé ma putain de facture.

Vous ne me l'avez jamais montrée.

365

Tu savais combien c'était, tu sais où j'habite, tu aurais dû la payer, bordel.

J'ai dit que si vous me la montriez, on s'arrangerait. Je vous le répète.

C'est trop tard, maintenant, putain.

Qu'est-ce que vous insinuez ?

J'insinue que mon cousin du gang de la 68e Rue s'apprête à venir chez toi pour tuer tes saloperies de clebs et te foutre une dérouillée.

Quoi ?

Tu m'as entendu.

C'est une réaction complètement exagérée, bordel.

Pas de mon point de vue.

Montrez-moi simplement la facture, et on va s'arranger.

C'est trop tard.

Il raccroche. Je raccroche. Je regarde Allison, elle a toujours l'air terrorisée.

Qu'est-ce qu'il t'a dit ?

Il a dit passe-moi ton mec, pétasse.

Elle prend une longue inspiration.

Et j'ai dit quoi et il a hurlé passe-moi ton putain de mec espèce de connasse.

Ça va ?

Elle secoue la tête.

Non.

Inspire lentement, calme-toi, tout va bien se passer.

Qu'est-ce qu'il t'a dit ?

Ça n'a pas d'importance.

Je compose un numéro.

Tu appelles la police ?

Non.

Appelle la police.

Non.

Ça sonne. Allison a l'air paniquée.

Appelle la police, s'il te plaît.

Sonnerie. Je lui prends la main.

Non.

Sonnerie. Elle se met à pleurer.

S'il te plaît.

Leonard décroche.

Qui ose m'appeler à cette heure ?

C'est moi. Est-ce que je te réveille ?

Je viens de faire une heure de vélo d'appartement. Qu'est-ce qui se passe ?

J'ai un problème, Leonard.

Qu'est-ce qui va pas ?

Je lui raconte ma conversation avec le voisin. Quand j'ai terminé il rit. Je parle.

Putain, c'est pas drôle, Leonard.

C'est un tissu de conneries, mon fils. C'est à mourir de rire tellement c'est énorme comme tissu de conneries.

En tout cas ça n'avait pas l'air d'un tissu de conneries.

J'ai jamais entendu parler du gang de la 68ᵉ Rue. Mais ça veut pas dire qu'il n'existe pas, mais s'il existe, je peux te garantir qu'aucun de ses membres ne va risquer un putain de séjour en prison pour monter à Laurel Canyon, cet endroit mignon, sûr, bucolique, bourré de Blancs et de stars de cinéma pour entrer par effraction chez toi, descendre tes chiens, te foutre une raclée et s'occuper de ta petite amie. Les membres de gangs sont tarés et dangereux, mais putain, ils ne sont pas débiles. Ils se douteraient que ta première réaction serait d'appeler la police, qui rappliquerait séance tenante dans ton salon pour attendre que ledit présumé tueur de clebs se pointe, avant de le coffrer. Les membres de gangs savent ça, et aucun voyou ne voudrait courir un tel risque.

Alors qu'est-ce que je fais ?

Eh bien, manifestement ce type est sévèrement secoué. Et il peut tout à fait s'en prendre à toi ou à tes chiens, et si Allison est dans le coin, il peut s'attaquer à elle. Je ne peux pas laisser faire. Je veux que toi et Allison et les chiens vous grimpiez dans ton vieux pick-up pourri et que vous descendiez au Four Seasons. Je crois que le Four Seasons accepte les chiens, et si ce n'est pas le cas, ils le feront. Le temps que tu y sois, j'aurai appelé et vous aurai pris une chambre. J'essayerai de prendre une grande chambre si c'est possible. Restez-y jusqu'à lundi. Ne sortez pas. Prenez vos repas là-bas, et si vous avez besoin de quelque chose, de fringues ou de livres ou je ne sais quoi, demandez au concierge d'aller vous les chercher et mettez-les sur la note. Profitez-en bien. Voyez ça comme des petites vacances. Prenez des bains, allez à la piscine, faites-vous masser et mangez dans votre chambre. Ne pensez pas à votre connard de voisin. Quand vous rentrerez à la maison lundi, vous n'aurez plus de problème avec lui, je vous le garantis.

Merci, Leonard.

J'aurais besoin d'un petit service.

D'accord.

Trouve-moi son adresse.

D'accord.

Et appelle-moi quand vous serez à l'hôtel, comme ça je saurai que vous êtes en sécurité.

D'accord.

Je raccroche. Allison est restée plantée là à me regarder, à m'écouter elle est toujours terrifiée je me tourne vers elle parle.

On s'en va.

Où on va ?

Au Four Seasons.

L'hôtel ?

Ouais.

Pourquoi est-ce qu'on va là-bas ?

On va y passer le week-end.

Pourquoi ?

Leonard dit qu'on y sera en sécurité.

Et qu'est-ce qu'on va faire quand on va en partir ?

Le problème sera résolu.

Qu'est-ce que ça veut dire ?

Je n'ai pas demandé, et je ne vais pas le faire.

Ce type est un putain de cinglé, James.

Tu veux rester ici, et voir ce qui va se passer ?

Non.

Alors partons.

On se lève on se dépêche on se brosse les dents on s'habille. Allison a laissé quelques vêtements chez moi elle les prend elle les met dans un petit sac avec une brosse à dents, du dentifrice. Je passe leur laisse aux chiens on grimpe dans le pick-up on descend la colline. La voiture bleue est garée dans l'allée de la maison Allison ne peut pas la regarder je note l'adresse. On va au Four Seasons, on s'arrête devant l'hôtel. Le voiturier s'approche de la voiture. Il me sourit comme la plupart des voituriers le font devant moi et mon pick-up, je ne sais pas s'ils pensent que le pick-up est chouette ou s'ils ont pitié de me voir au volant de cet engin. Dans les deux cas, je m'en fiche.

On entre dans le vestibule. Les chiens sont tout excités, Cassius tente de pisser dans un pot de fleurs. Je l'éloigne m'approche de l'accueil. Une femme séduisante, une petite trentaine d'années, nous sourit et parle.

M. Frey.

Bonjour.

Votre chambre est prête.

Je ris.

Merci.

Elle me tend une petite enveloppe avec une carte magnétique et une clef de minibar.

Si nous pouvons faire quoi que ce soit pour rendre votre séjour agréable, n'hésitez pas à nous le faire savoir.

Merci.

Nous faisons demi-tour nous dirigeons vers les ascenseurs, en prenons un, trouvons notre chambre, y entrons. C'est une petite suite, avec une chambre à coucher un salon avec un divan et deux chaises et un bureau et une grande salle de bains équipée d'une baignoire en marbre d'une douche et de deux lavabos, il y a du savon et des lotions et de grosses et grandes serviettes et des peignoirs épais. J'enlève leur laisse aux chiens ils se mettent à courir dans tous les sens à renifler partout. Je m'assieds sur le divan, regarde Allison, parle.

Ça va ?

Elle hoche la tête.

Ouais.

Je regarde autour de moi.

Pas mal.

Elle rit.

Ouais, pas mal.

Je me lève passe mes bras autour d'elle l'embrasse doucement dans le cou lui dis que je l'aime, elle m'entoure de ses bras me dit qu'elle m'aime et on reste au milieu de la pièce en silence nous tenant l'un l'autre.

On passe tout le week-end à se relaxer à manger dans la chambre à traîner près de la piscine à regarder des films à prendre des bains à se prélasser en peignoir. Je nourris les chiens avec des steaks que je coupe en petits morceaux, je les promène dans le parking souterrain. Ils dorment dans le lit avec nous on dort bien, facilement, sans se faire de souci.

Lundi matin Allison et moi prenons un petit-déjeuner ensemble, je l'accompagne au travail. Comme je gravis la colline qui mène à la maison, je me sens angoissé. J'approche de la maison du type. Je vois un camion de déménageurs garé sur le bas-côté. Des hommes transportent des meubles de la maison au camion. La voiture décapotable est pleine de cartons. L'homme se tient devant sa porte il parle dans son téléphone portable. Il a l'air nerveux, effrayé. Il voit mon pick-up il se détourne immédiatement rentre chez lui.

Deux jours plus tard il y a une pancarte À vendre devant la maison.

JE NE VOIS PAS LEONARD PENDANT DEUX MOIS. Il m'appelle deux fois il n'a pas l'air bien je lui demande s'il va bien il dit oui, seulement débordé, j'ai des conneries à régler. Je lui demande si je peux l'aider d'une manière ou d'une autre il dit non.

Le film que j'ai tourné ne se vend pas l'argent des investisseurs est intégralement perdu.

Allison et moi commençons à nous disputer. On se dispute pour un rien. Il n'y a aucune raison à ces disputes, et aucun de nous ne veut se disputer, mais c'est comme si on ne pouvait s'en empêcher, et chaque jour mon cœur se brise un peu plus, à chaque dispute mon cœur se brise un peu plus.

Je suis embauché pour écrire le scénario d'un film pour enfants. C'est un boulot stupide et je ne le fais que pour l'argent. Je n'en ai rien à foutre, après avoir rendu une première version, je suis viré.

Cassius et Bella se bagarrent et sont salement amochés. Je dois les emmener tous les deux chez le véto ils se font tous les deux faire des points de suture, ils chopent tous les deux une infection, ils finissent tous les deux sous antibiotiques, ils finissent tous les deux avec des cicatrices. Je n'ai aucune idée de la raison de leur bagarre, et cinq minutes après les avoir interrompus, ils se lèchent mutuellement leurs plaies. Hormis Leonard et Allison, ce sont les meilleurs amis que j'aie, et quand ils ont mal j'ai mal, et je n'arrive pas à m'imaginer vivre sans eux, et cet incident me fout une putain de trouille.

Il y a une énorme tempête avec un vent énorme un arbre énorme s'effondre dans mon jardin il s'effondre sur mon putain de toit. Je suis en train de dormir quand ça se produit, on dirait qu'une putain de bombe a explosé dans mon salon. Je saute du lit me précipite dans le salon il y a des branches d'arbres et des brindilles et des feuilles partout je lève les yeux et je vois le ciel noir, noir. Je reste là les yeux levés, la pluie tombe sur moi, je fixe le ciel noir, noir.

JUSTE AVANT MIDI. JE SUIS ASSIS DANS MON SALON. Il m'a fallu deux semaines pour réparer le toit je suis resté chez Allison on n'a pas arrêté de se disputer. Je suis assis devant la télévision. Je fume une cigarette je bois un cola les chiens m'entourent. On regarde un talk-show. Deux sœurs qui sont toutes les deux mariées avec leur cousin, le même cousin, se disputent. Elles s'envoient des coups de poing, hurlent, griffent, se tirent les cheveux. C'est malsain, mais ça m'amuse de regarder ça. Le téléphone sonne je décroche. Leonard parle.

Mon fils.

Quoi de neuf, Leonard ?

Il faut que je te voie.

D'accord.

Il faut que je te voie tout de suite.

Où tu es ?

Dans un petit resto à Hollywood.

Qu'est-ce que tu fais là-bas ?

C'est pas important, il faut juste que je te voie.

D'accord.

Tu peux venir maintenant ?

Bien sûr.

Il me donne le nom du resto je sais où il se trouve, je grimpe dans le pick-up, descends la colline, me gare dans la rue, ce qui est risqué, le quartier n'est pas sûr. Je rentre dans le resto aperçois Leonard assis dans un coin

373

en direction de la porte. Il se lève comme je m'approche de lui. Il a l'air nerveux, angoissé.

Il parle.

Merci d'être venu.

De rien.

Il se lève et fait le tour de la table, me serre dans ses bras. On se sépare. Je parle.

Qu'est-ce qui ne va pas ?

Asseyons-nous.

On s'assied. Il parle.

Tu veux prendre quelque chose ?

Non.

Tout va bien de ton côté ?

Ouais.

Allison ?

Elle va bien.

Les chiens ?

Ils vont bien.

Le travail ?

Ça va, Leonard, tout va bien.

C'est bien.

Qu'est-ce qui ne va pas ?

Qu'est-ce qui te fait penser que quelque chose ne va pas ?

Tu avais disparu, tu ne m'as pas donné de nouvelles. On se retrouve dans un resto merdique dans un quartier merdique. Tu as l'air nerveux et tu sembles angoissé et je vois tes mains qui tremblent, alors que je ne t'ai jamais vu comme ça.

Il hoche la tête.

Tu as raison, mon fils, tout à fait raison.

Je ris.

Qu'est-ce qui ne va pas, Leonard ? Tu reprends de la coke ?

Non, putain. Jamais. Tu devrais savoir que j'en ai fini avec ça.

Alors qu'est-ce qui ne va pas ?

Je vais devoir m'absenter un moment.

Où tu vas ?

Je ne peux pas te le dire.

Pourquoi ?

Je ne peux pas, c'est tout.

Est-ce que c'est pour ça qu'on ne se voit plus, pour ça qu'on ne se parle plus, que t'as l'air foutrement bizarre ?

Oui.

Où tu vas ?

Je ne peux pas te le dire.

Est-ce que quelqu'un veut te tuer ?

Non.

Est-ce que tu vas en prison ?

Non.

Alors qu'est-ce qui se passe, bordel, Leonard ?

Je suis désolé.

Je ne comprends rien.

Le moment venu, tu comprendras.

Quand ?

Dès que je pourrai, et je ne sais quand ça sera, je te contacterai.

Et c'est tout ?

Crois-moi, je dois agir comme ça, et quand je pourrai, je te recontacterai.

Je détourne les yeux, secoue la tête, me mords la lèvre. Je suis confus, je suis en colère et blessé, je ne comprends pas ce qui se passe. J'ai peur parce que Leonard a peur, je me sens nerveux parce qu'il est nerveux. Je ne l'ai jamais vu avoir peur ou être nerveux, quelque chose d'ignoble se trame, quelque chose d'ignoble se trame. Il parle.

Tu as confiance en moi ?

Bien sûr que oui.

Je dois y aller.

Je ne veux pas que tu te fasses tuer, Leonard. Et si on te boucle je veux venir te voir.

Tu as dit que tu avais confiance en moi.

J'ai confiance.

Alors dis-toi que ce n'est pas de ça qu'il s'agit, crois-moi quand je te dis que je te recontacterai.

Je le regarde, hoche la tête. Il se lève.

Embrasse-moi, mon fils.

Je me lève, l'embrasse. Je ne veux pas pleurer je lutte pour ne pas pleurer. On se sépare, il recule, parle.

Fais pas l'abruti à la con.

Je ris.

Pas d'alcool, pas de drogues, pas de conneries.

Je ris encore.

D'accord.

Embrasse Allison de ma part, et caresse la tête de tes saletés de toutous de ma part.

Je n'y manquerai pas.

Au revoir, mon fils.

Il fait demi-tour et sort du resto.

UN MOIS DEUX MOIS JE FAIS comme s'il était parti pour un de ses voyages, comme s'il était occupé, comme si notre conversation au resto n'avait pas eu lieu. Comme si la vie suivait le même cours que ces trois dernières années, comme s'il allait appeler ou frapper à ma porte ou simplement apparaître dans mon salon. Je fais comme si la vie restait telle qu'elle était avant.

JE TOMBE VERS LE HAUT, IL N'Y A QU'À HOLLYWOOD que les échecs sont récompensés. Souvent, plus l'échec est énorme, plus la récompense est énorme. Dans mon cas, j'ai écrit un film horrible, massacré par une star de télé minable et son meilleur ami, un réalisateur à la con, qu'un gros studio a produit et distribué dans plusieurs milliers de salles dans toute l'Amérique pour obtenir des critiques horribles et retentissantes et un nombre considérable de places vides. J'ai écrit, produit et réalisé un deuxième film qui était tellement mauvais qu'il a été jugé impossible à distribuer par tous les distributeurs américains. J'ai écrit un film pour enfants pour un studio et le premier jet était si mauvais que je me suis immédiatement fait virer. Malgré tout, je continue de travailler, et je continue d'obtenir des boulots qui me rapportent de plus en plus d'argent.

Je réécris le scénario d'un thriller. Le scénario est affreux quand je m'y mets, il l'est à peine moins quand j'ai fini. Je suis de nouveau viré.

Danny rencontre un type incroyablement riche, d'à peu près nos âges, il vient d'une famille incroyablement riche. Le type veut investir dans l'industrie du cinéma. Danny le convainc de monter une entreprise pour nous. On ouvre un bureau, on embauche une équipe. Je rigole chaque fois que je passe la porte d'entrée.

TROIS MOIS RIEN, QUATRE MOIS RIEN. Je me demande où il est ce qu'il fait, s'il veut échapper à quelqu'un, s'il est en prison, s'il est en vie. Je me demande s'il est heureux et s'il rit j'en doute, s'il est en rogne peut-être, s'il a peur oui, je crois qu'il a peur. Je me demande s'il est en sécurité je ne sais pas, j'en doute. D'un côté je me raccroche à l'idée que c'est une espèce de blague qu'il va débouler d'une minute à l'autre et crier mon fils, Mon Fils, MON FILS, qu'on va rire, rire, rire parce qu'il se sera bien foutu de moi. D'un autre côté je sais que c'est un mécanisme de défense, que j'ai perdu Lilly et bien que j'aie fait du chemin, je ne m'en suis jamais remis, et je ne m'en remettrai peut-être jamais. Je ne veux pas perdre mon ami Leonard. Je ne veux pas le perdre.

JE DÉCIDE D'ACHETER UNE MAISON j'ai envie de vivre près de l'océan. Ma mère vient pour m'aider à en chercher une, Allison m'aide à en chercher une. On trouve un vieux pavillon à Venice à quelques rues de la plage. J'emmène Cassius et Bella voir la maison ils approuvent, Cassius demande s'il peut prendre des cours de surf, Bella veut un bikini. J'achète la maison m'y installe. Je n'ai que quelques meubles si bien que la maison est presque complètement vide.

Allison et moi continuons de nous disputer chaque putain de jour nous avons une nouvelle putain de dispute. Elle est furieuse parce qu'elle a envie de s'installer dans ma maison et j'ai envie qu'elle s'installe dans ma maison mais ses parents ne sont pas d'accord pour qu'elle emménage avant qu'on soit fiancés et je ne me sens pas prêt à me fiancer. On ne fait que se bouffer le nez. Je déteste les disputes. Je me déteste de me laisser entraîner. J'essaie d'arrêter, essaie de la faire arrêter, et pour une raison inconnue, on n'y arrive pas.

Cassius et Bella ont encore deux altercations. Ils se font salement mal chaque fois. Je demande au véto de m'aider, je paye un dresseur pour qu'il m'aide, je paye un spécialiste du comportement animalier pour qu'il m'aide. J'aime mes chiens et je veux qu'ils soient heureux, je fais tout ce que je peux pour résoudre le problème. Je parle à tous ceux qui pourraient m'aider.

CINQ SIX SEPT HUIT. NEUF MOIS. Rien. Absolument rien. Je regarde mon courrier rien, mon répondeur rien. Je prends la voiture pour me rendre à sa maison de Laguna quelqu'un d'autre y habite. J'appelle le service clientèle sur le verso d'une de ses cartes de téléphone. Je demande s'il est disponible ou s'il y a un numéro de téléphone où je pourrais le joindre, ils disent qu'ils n'ont jamais entendu parler de lui, je parle à l'un des chefs, il dit qu'il n'a jamais entendu parler de lui. Je n'ai aucun moyen de contacter Barracuda. Je sais qu'il s'appelle Dominic, je ne connais pas son nom de famille. Je n'ai aucun moyen de contacter Olivia, je sais qu'elle travaille dans un casino, je ne sais pas lequel. Je vais dans un grill où on avait l'habitude de déjeuner, le maître d'hôtel m'accueille, dit bonjour ça faisait un petit moment que je ne vous avais pas vu, je lui demande s'il a vu Leonard, il dit non.

ALLISON ET MOI ROMPONS. Ce n'est pas sa faute, ce n'est pas ma faute. On s'aime toujours mais on n'arrive pas à s'entendre et on en a marre des disputes et on en a marre de se faire du mal, il faut qu'on se sépare. Elle me manque. Tout chez elle me manque Ma vie mon cœur ma maison mon lit sont vides sans elle, je suis vide sans elle. Le soir je m'endors en pleurant. Elle est de l'autre côté de la ville ça pourrait aussi bien être l'autre côté de la Terre. Le soir je m'endors en pleurant.

DIX MOIS, ONZE MOIS, UN AN que je n'ai pas de nouvelles de lui. Je commence à me demander si j'en aurai un jour. Je commence à me demander s'il est mort. S'il l'est, je présume qu'on l'a tué. Si on l'a tué, j'espère que ça a été rapide.

JE VEUX QUITTER LOS ANGELES. Je pense que ça serait mieux pour moi de partir, m'éloigner des souvenirs d'Allison et de Leonard, de ma tristesse, du vide que je ressens. Danny et moi décidons de faire un film à Seattle. Suite à mes précédents échecs en tant que scénariste et réalisateur, je décide que je me contenterai d'être le producteur de ce film. Je monte là-bas, prends les chiens avec moi, on habite dans un hôtel.

Deux jours après notre arrivée il se met à pleuvoir. Il pleut soixante-trois jours durant. Je déteste ça. Les chiens détestent ça. On se promène il fait froid et gris on est tout de suite trempés ça fait chier putain. J'ai fait une erreur en venant ici. Je n'aurais pas dû fuir mon sentiment de perte, j'aurais dû savoir qu'il me suivrait. Si je pouvais, je rentrerais. Rentrerais à Los Angeles à Venice vers ma maison vers ma vie vers tout ce que j'ai d'autre et que je dois affronter, que cela soit bien, que cela soit mal. Je dois rester ici à cause de ce film, trop d'argent qui n'est pas à moi a été investi pour que je parte, je dois rester ici cinq ou six mois.

Le film est une vraie catastrophe. Les acteurs sont impossibles, l'équipe se déteste, l'un des cameramen est renversé par un camion et se casse un bras, une jambe, la mâchoire et une pommette, un de nos camping-cars se fait voler, on bousille une voiture de la police de Seattle, et, au bout d'une semaine, on a dépassé le budget et on ne tient pas le planning.

TREIZE QUATORZE, QUINZE SEIZE. Je me dis qu'il est parti, qu'il ne reviendra pas, qu'il est mort, assassiné à cause de son passé. J'aurais eu des nouvelles à l'heure qu'il est. J'aurais eu des nouvelles.

CASSIUS ET BELLA SE BAGARRENT UNE NOUVELLE FOIS. Ça se passe dans la chambre d'hôtel sans rime ni raison ils se bagarrent c'est tout. Bella se fait déchirer la gorge je me fais mordre les doigts. Bella atterrit dans une clinique vétérinaire mes doigts gonflent on dirait des saucisses j'atterris à l'hôpital. Quand je sors j'emmène Cassius voir un autre véto qui est lui aussi comportementaliste et éleveur de pitbulls. Je veux juste que mon petit gars, mon monsieur molosse, mon meilleur pote aille mieux et soit heureux.

Le véto me pose des questions sur l'histoire de Cassius, son pedigree, sa vie. Il examine Cassius, le prend chez lui pendant deux jours, me le rend, on se voit dans son cabinet.

Cassius a trois ans. Il me dit que c'est l'âge où les chiens mâles atteignent toute leur maturité. Cassius, le Fils de Cholo, vient d'une lignée de chiens de combat. Tous les pitbulls ne sont pas des chiens de combat mais Cassius est un chien de combat par excellence. Il est génétiquement programmé pour être agressif, pour avoir envie de se battre, pour chercher la bagarre. Il ne changera pas, et il n'y a aucun moyen de le changer, et plus il vieillira, plus il deviendra agressif. Cassius atteint presque les cinquante kilos. Il est tout en muscles, il est incroyablement fort. Le véto me dit je peux essayer de régenter sa vie, de le préserver des situations où il voudra exprimer son agressivité, mais il sera malheureux et frustré parce qu'il ne lui sera pas permis de faire ce que ses instincts lui dictent de faire. Je regarde Cassius, qui est assis à mes pieds, remuant la queue levant les yeux vers moi.

Je demande au véto ce qu'il me conseille de faire, il me dit qu'il me conseille de faire piquer Cassius, que ça serait le mieux pour lui, pour moi, pour Bella. Je refuse de me rendre à ses arguments, mais je sais qu'il a raison. Je baisse les yeux vers Cassius il est toujours assis à mes pieds, je me mets à pleurer. Il sent que quelque chose ne va pas il veut que je me sente mieux il me saute dessus se met à me lécher le visage. Je passe mes bras autour de lui et je pleure et je lui dis que je l'aime, je l'aime tellement, je lui dis que je suis désolé, je suis désolé, je suis désolé.

Le véto me dit qu'il ne sentira rien, que je peux rester avec lui. On pénètre dans la salle d'opération Cassius saute sur une table en métal. Le véto prépare la piqûre. Je tiens Cassius et je lui dis encore et encore que je l'aime, que je suis désolé, qu'il va me manquer et il me lèche, me lèche, me lèche, il veut que je me sente mieux il ne comprend pas. Le véto enfonce l'aiguille, vide la seringue. Cassius gémit comme un petit chiot, mon grand et robuste pitbull sent la piqûre, je le serre tandis que le sang court dans ses veines je le serre tandis qu'il perd l'équilibre, tandis qu'il s'effondre, je le serre tandis qu'il meurt. Je le regarde dans les yeux et je lui dis que je l'aime et qu'il va me manquer, je suis tellement tellement tellement désolé. Il meurt dans mes bras et je le serre et je pleure, je pleure, je pleure.

JE ME SENS SEUL, JE SUIS PAUMÉ, je déteste ce que je fais et je déteste ma vie. Lilly me manque Lilly me manque encore. Leonard me manque je m'autorise à le pleurer. Allison me manque j'aurais aimé que ça puisse marcher entre nous je l'aime encore. Cassius me manque et je me déteste pour ce qu'il lui est arrivé. Je me sens seul et je suis paumé et je veux rentrer chez moi. J'ai passé toute ma vie à bouger, courir, tenter de m'enfuir, ça ne marche pas putain. Je veux rentrer à Los Angeles, je veux rentrer chez moi.

ON TERMINE LE TOURNAGE DU FILM. J'ai encore une ou deux semaines de travail avant de pouvoir partir, on doit tout boucler, renvoyer le matériel, payer les salaires, honorer les factures. Après une autre journée de merde je rentre à l'hôtel pour me coucher. Bella et moi entrons dans la chambre il y a une pile de lettres, la plupart me sont réexpédiés de Los Angeles. Je commence à les dépouiller, offre pour une carte de crédit, facture, nouvelle offre pour une nouvelle carte de crédit. Il y a une carte portale. C'est une photo de la Golden Gate, à San Francisco. Je l'observe, je ne connais personne à San Francisco susceptible de m'envoyer une carte postale, je l'observe.

J'ai l'impression que peut-être qu'il est en vie, peut-être il est en vie. Je souris, espèce d'enfoiré de Leonard, pourquoi t'as mis si longtemps, je souris.

Je la retourne. Je vois mon nom, l'adresse de l'hôtel où j'habite, il n'y a pas de mot, rien qu'une adresse à l'endroit où il devrait y avoir un mot, une adresse à San Francisco.

Je souris.

Espèce d'enfoiré.

Pourquoi t'as mis si longtemps.

Je souris.

san francisco

JE PRÉPARE MON BORDEL IL N'Y A PAS GRAND-CHOSE. Je quitte Seattle dès que possible. Danny peut s'occuper de ce qu'il reste à faire sans moi.

Je descends vers le sud, traversant l'État de Washington, l'Oregon, la Californie du Nord. Bella m'accompagne, on s'arrête pour manger, acheter des cigarettes, boire des cafés, une promenade toutes les deux ou trois heures, une pause aux toilettes toutes les deux ou trois heures.

Je traverse le pont de la baie de San Francisco. Je dors chez une amie que j'ai connue à Paris, une femme appelée Colleen. Colleen a des cheveux noirs, des yeux noirs, porte toujours des vêtements noirs, ressemble à une star de cinéma des années 1940. Elle a sept ans de plus que moi, travaille dans une entreprise Internet la journée, fait de la peinture et du collage la nuit. À Paris elle faisait des chapeaux, des chaussures, des vêtements, travaillait dans une agence de publicité, et elle était ma seule amie à ne pas être tarée.

Je trouve sa maison, située dans l'une des vallées de San Francisco. Elle me serre dans ses bras, me fait un gros bisou, s'écrie James est à San Francisco, je suis tellement contente de te voir. Je ris la prends dans mes bras, lui fais un gros bisou. Je laisse mes affaires chez elle, elle veut m'emmener déjeuner je lui dis qu'il faut d'abord que j'aille quelque part, je lui donne l'adresse. On prend mon pick-up je prends Bella avec moi elle sera contente de voir Leonard il sera content de la voir. L'adresse se trouve de l'autre côté de la ville, Colleen connaît grosso modo le quartier. On monte et on descend les collines, on monte et on descend une colline. On est dans la bonne rue je regarde les numéros sur les portes. On est à deux blocs, un bloc. J'aperçois une Mercedes blanche garée contre le trottoir je ris. C'est une vieille Mercedes, des années 1950 ou 1960, une petite décapotable en parfait état. Colleen me demande pourquoi je ris je lui réponds par un sourire.

Je me gare. Je dis à Colleen qu'on va peut-être devoir reporter notre déjeuner, ou au moins changer d'endroit, je lui dis que j'en saurai plus dans une minute. Je sors de la voiture, Bella me suit.

On approche de la porte d'entrée. C'est une petite maison, de deux étages, une maison blanche avec des volets noirs. La pelouse est bien entretenue, il y a des parterres de fleurs des deux côtés de la porte d'entrée. C'est une belle maison, propre, c'est discret, il n'y a aucune raison de l'observer plus longtemps.

J'avance vers la porte, sonne. Je suis tout excité à l'idée de voir mon ami, mon vieil ami Leonard. J'attends que quelqu'un réponde, je sonne une seconde fois. J'attends, j'attends, personne ne vient ouvrir la porte. Je me demande si la sonnette est cassée. Je referme mon poing et frappe. J'attends, rien, frappe encore, rien. Je songe à laisser un mot, me ravise, je ne sais pas quelle est exactement sa situation. Bella et moi retournons à la voiture. Je ne suis pas déçu, je sais qu'il est là à cause de la Mercedes. Je reviendrai jusqu'à ce que quelqu'un réponde. Je reviendrai.

On va déjeuner. J'essaie de nouveau après le déjeuner, il n'y a personne dans la maison.

J'essaie encore avant le dîner, il n'y a personne dans la maison.

J'essaie encore après le dîner.

Personne dans la maison.

JE QUITTE LA MAISON DE COLLEEN je lui dis que je rentre à Los Angeles. Si je n'arrive pas à retrouver Leonard, je rentrerai, attendrai quelques jours, reviendrai ici.

Je me gare devant la maison. C'est une belle journée, claire, chaude, ensoleillée. La décapotable est devant le trottoir la capote est baissée.

Il est vivant.

Je regarde en direction de la porte elle est entrouverte. Par l'embrasure de la porte j'aperçois l'intérieur de la maison.

Mon ami Leonard est vivant.

Les fenêtres sont grandes ouvertes.

L'enfoiré a disparu depuis dix-huit mois, n'a pas dit où il était ni ce qu'il foutait, j'ai cru qu'il était mort.

Les rideaux volettent.

Il est vivant.

J'entends en sourdine de la musique classique. Bella est en laisse on s'approche de la porte j'appuie sur la sonnette. J'attends. Je vois un mouvement.

Je souris, mon ami Leonard est vivant.

Un homme vient à la porte. Ce n'est pas Leonard. Il doit avoir dans les trente ans. Il est grand, mince, a des cheveux blonds et courts avec une raie au milieu. Il porte un treillis, des sandales de cuir noir, une chemise blanche. Il a l'air propret. Il se tient derrière la porte, parle avec une voix efféminée, maniérée.

Puis-je vous aider ?

Leonard est ici ?

Que puis-je faire pour vous ?

La carte postale est dans ma poche arrière, je la sors, la lui tends.

J'ai reçu cette carte par la poste. Votre adresse est au dos, j'ai pensé que ça pouvait venir de mon ami Leonard.

Puis-je la voir ?

Bien sûr.

Il ouvre la porte pour que je puisse lui passer la carte. Il la regarde, me regarde, parle.

Comment vous appelez-vous ?

James.

Il désigne Bella du doigt.

Et qui est-ce ?

Bella.

Il regarde Bella, parle.

Salut, Bella.

Elle remue la queue.

Est-ce qu'il n'y en a pas un autre ? Cassius ?

Il est mort.

Je suis désolé.

Ça m'a fait chier.

Je comprends. Je sais que vous l'aimiez.

Qui êtes-vous ?

Il ouvre la porte.

Je m'appelle Freddie. C'est moi qui vous ai envoyé cette carte. On vous attendait.

Est-ce que Leonard est ici ?

Oui.

Je pénètre dans la maison. Le parquet clair en bois est immaculé. Tous les meubles sont blancs, il y a des chaises et des divans épais, moelleux, blancs. Il y a des reproductions de tableaux impressionnistes sur les murs, il y a des fleurs partout. Freddie me conduit dans le vestibule, le salon, je vois une véranda. Je vois Leonard, ou ce qui apparaît comme une version défraîchie de Leonard, assis dans une chaise longue sous la véranda, il est emmitouflé dans une couverture blanche en coton. Comme je m'approche de lui il se tourne vers moi. Il sourit, lève la main, parle, sa voix est faible et éraillée.

Mon fils. Mon fils est là.

Je m'avance sous la véranda. Freddie reste derrière, nous laisse seuls. Je regarde Leonard je suis abasourdi, sans voix. Il a perdu quinze ou vingt kilos. Il a des plaques violacées sur les bras et sur le cou. Ses cheveux ont l'air secs et cassants, sa peau est grise et cireuse. On dirait qu'il n'a rien avalé depuis un mois, il a l'air d'un squelette, d'un homme mort. La seule chose qui n'a pas changé, ce sont ses yeux, qui sont clairs et attentifs, marron foncé, vivants.

Mon fils, tu m'as retrouvé.

Je suis content de le voir mais sous le choc. Je souris.

Tu m'as fait venir.

Je me penche vers lui pour le prendre dans mes bras.

Tu n'es pas obligé de me toucher si tu n'en as pas envie.

Arrête tes conneries, Leonard.

Il rit, je le serre dans mes bras, le serre fort. Il semble petit et fragile dans mes bras, comme un enfant. Il n'a que la peau sur les os, sent les médicaments, la maladie, la déchéance. Il me serre dans ses bras, ses bras sont faibles, terriblement faibles.

Ça me fait du bien de te voir, Leonard.

Mon fils. Moi aussi, ça me fait du bien de te voir.

Je m'écarte. Bella pose ses pattes de devant sur le bord de la chaise longue, lèche la main de Leonard. Il baisse les yeux vers elle, sourit.

Ooh, Bella, mon petit ange.

Il se penche, elle lui lèche le visage.

Où qu'il est ton frère ? Où qu'il est Molosse ?

Il est mort.

Leonard lève les yeux. Ça a l'air de lui faire de la peine.

Qu'est-ce qui s'est passé ?

Je secoue la tête. Leonard parle.

Ça s'est mal passé ?

Ouais.

Et comment va Allison ?

Je ris.

Ça s'est mal passé aussi.

Elle va bien, n'est-ce pas ?

Je pense que oui, même si je ne lui ai pas parlé depuis un moment.

Que de bouleversements, mon fils.

J'ai connu pire, mais c'était pas drôle.

Les bouleversements ne le sont jamais.

On dirait que toi aussi ton existence a été bouleversée.

Il rit.

On peut le dire comme ça.

Qu'est-ce qui t'arrive, Leonard ?

Il rit.

Qu'est-ce qui m'arrive ? Si c'est pas ma putain de question.

T'as l'air foutrement mal en point.

Il rit, tousse, parle.

Prends une chaise.

Je jette un coup d'œil autour de moi dans la véranda il y a deux autres chaises j'en prends une m'assieds.

Tu veux entendre la version longue ou la version courte ?

Je ne suis pas attendu.

Il rit, tousse, la toux empire. Je le regarde et j'ai peur, je passe mes bras autour de lui lui tapote le dos. Il arrête de tousser, je m'éloigne, il crache et projette quelque chose de désagréable hors de la véranda, dans la cour. Il rit, parle.

Pas mal, hein ?

Qu'est-ce qui ne va pas ?

T'es prêt ?

Oui, je suis prêt.

Il me regarde, prend une grande inspiration.

Je suis homo, et je suis en train de mourir du sida.

Je le regarde. Je ne sais pas quoi dire. Il parle.

Ça va ?

Je hoche la tête.

Ouais.

Je suis homo, mon fils, et je suis en train de mourir du sida.

J'ai entendu.

T'es surpris ?

On peut le dire comme ça.

Tu peux t'en aller si tu veux.

Pourquoi est-ce que je m'en irais ?

Je ne sais pas ce que tu penses des homos, et je ne sais pas ce que tu penses du sida.

Je pense que tu es mon ami, et que si tu es homo, tu es homo, ça ne change rien pour moi, et si tu as le sida, je suis désolé, je vais faire tout ce que je peux pour t'aider.

Il sourit.

Merci, mon fils.

Tu vas me raconter la version longue ou la version courte ?

Il sourit de nouveau, regarde au loin, de l'autre côté de la véranda. Il ferme les yeux, respire à fond, comme s'il voulait reprendre des forces, se retourne vers moi.

Je l'ai toujours su. D'aussi longtemps que je m'en souvienne, je l'ai su. Quand j'étais gamin, je préférais jouer avec les filles qu'avec les garçons et je préférais regarder les garçons plutôt que les filles. À l'époque je ne savais pas ce que ça voulait dire, même si je savais effectivement que dans une famille italienne catholique, ce n'est pas bien vu. En grandissant, en vieillissant, j'ai senti que ça devenait plus fort, et je devais faire encore plus d'efforts pour l'ignorer. Je suis sorti avec des filles. Quand j'ai été assez vieux, j'ai couché avec des femmes, j'ai été fiancé deux fois, et je n'ai cessé de repousser les mariages. Même si j'aime les femmes, j'aime leur compagnie et leur beauté, et même si j'y arrivais avec elles, je ne pouvais tout bonnement pas aller jusqu'au bout parce que ce n'était pas ce que je recherchais. Pendant tout ce temps j'ai compensé ce que j'éprouvais, c'est-à-dire de l'amour pour les hommes, en étant l'enfoiré le plus mesquin, le plus taré, le plus violent que tout le monde connaissait, comme ça personne ne pouvait se poser des questions sur moi ni douter de moi ni même me soupçonner, parce qu'un homme qui faisait ce que je faisais ne pouvait être une tapette, même si j'en étais une, si j'en suis une. Ce qui s'est passé, à cause du milieu dans lequel j'étais, c'est que ma violence m'a apporté encore plus de respect, et finalement, plus de réussite. Celle-ci m'a encore plus enfermé dans mon rôle, parce que j'étais entouré de plus de monde encore, et qu'ils m'observaient avec encore plus d'attention.

J'avais une vingtaine d'années la première fois que j'ai couché avec un homme. C'était un chauffeur de taxi à New York. On était en voiture, on parlait, il a compris je ne sais comment, et il m'a fait des avances et j'ai accepté, et on l'a fait à l'arrière de son taxi, qu'il avait garé dans une ruelle. Je me suis détesté d'avoir fait ça, putain ce que j'ai pu me détester, et je l'ai détesté d'avoir couché avec moi. Je savais, pourtant, que je le referais, et c'est ce que j'ai fait, encore et encore et encore, jusqu'à la fin de ma vie, toujours avec des inconnus dans des lieux inconnus, toujours avec des hommes qui n'avaient aucune idée de qui j'étais et n'avaient rien à voir avec moi. J'ai continué de me détester pendant un moment, puis j'ai simplement accepté ce que j'étais, et j'ai aussi accepté l'idée que je ne pourrais jamais l'être ouvertement. Si jamais je l'avais été ouvertement, ou si j'avais été attrapé la main dans le sac, je me serais fait tuer, parce que mes affaires m'interdisaient toute faiblesse. Même si être homo ça ne veuille pas dire être faible, ç'aurait été perçu comme tel. Les gens violents, les criminels, ceux de mon espèce, ne l'auraient jamais permis ou toléré, ils n'auraient jamais eu confiance en moi, ils ne m'auraient pas respecté, et à la première occasion, ils m'auraient envoyé six pieds sous terre.

À un moment je suis devenu séropositif. Je ne sais pas avec qui ni quand j'ai attrapé le virus. Il y a environ six ans je me suis levé un matin et j'ai senti que quelque chose n'allait pas, alors j'ai fait un test et il était positif. Quand j'ai appris le résultat, je suis sorti du cabinet du médecin et n'y suis jamais retourné. Je sais qu'avec un médecin j'aurais pu essayer de faire quelque chose et que j'aurais pu prendre des médicaments ou des combinaisons médicamenteuses pour atténuer les effets du virus, et à ce stade ils disent qu'on peut presque l'arrêter, mais si j'étais allé chez un médecin, et si j'avais suivi un traitement, les gens l'auraient su. Et là encore, si mes associés l'avaient su, ils m'auraient tué.

Je me suis mis à réfléchir à ce que j'avais fait, et je t'expliquerai plus tard ce que j'ai fait, quelques mois après t'avoir rencontré et après ta rencontre avec Lilly. Je me rappelle très bien les fois où tu me parlais du désir de Lilly d'échapper à ses dépendances et à l'enfer de sa vie, et qu'elle te disait que pour elle, une seconde de liberté valait plus que toute une vie d'asservissement. J'y ai pensé chaque jour, chaque putain de journée, et puis j'ai commencé à t'observer et à regarder comment tu assumais le bordel que tu avais mis dans ta vie, et comment tu rejetais tout ce qui, d'après les autres, te sauverait, au profit de ce en quoi tu croyais, c'est-à-dire en ton pouvoir de prendre les décisions qui changeraient le cours de ton existence. Ce que j'ai appris de vous deux, c'était que la liberté vaut tous les sacrifices, et que j'étais responsable de ma vie et de ma manière de la vivre et que je pouvais décider de faire tout ce que je voulais faire. Je voulais m'enfuir, et être libre, libéré de mon travail, de ma situation, de mon rôle. Je voulais sortir de la prison que j'avais construite autour de moi. Je voulais m'en tirer, putain.

J'ai commencé à faire quelques démarches pour y arriver quand tu étais à Chicago. Je savais que le virus m'aurait tôt ou tard, et que le temps m'était compté. Mon plan, c'était d'essayer de légaliser une partie de mes affaires, afin de pouvoir gagner plus d'argent et de le dissimuler plus facilement. J'ai aussi compris que si je vivais mieux, faisais de l'exercice, mangeais sainement et évitais les abus autant que possible, cela pouvait atténuer les effets du virus. C'est pour ça que je faisais un régime, et du sport, et je ne sais pas si ça a servi à quelque chose ou non. Quand le virus a commencé à muter, j'étais sur le point de disparaître, ce que j'ai fait, afin qu'avant de mourir, je puisse vivre une partie de ma vie comme n'importe quel homosexuel, quoique étant un homosexuel qui se mourait du sida.

C'est ce que j'ai fait depuis la dernière fois que je t'ai vu. La première chose que j'ai faite, ça a été de me procurer un faux passeport et de quitter le pays. Je savais qu'une fois que je serais parti ils me rechercheraient, pas parce que j'étais homo, ils ne le savent probablement toujours pas, mais parce que je me suis tiré avec un gros paquet de pognon. Je savais que s'ils me trouvaient ils me tueraient. Être loin, là où personne ne me connaissait ou ne me reconnaîtrait, c'était important. Je suis allé à Londres, Paris, Rome, Athènes, Madrid, Moscou, et Saint-Pétersbourg. J'ai regardé de magnifiques œuvres d'art et vu ce qu'il fallait voir et je suis allé dans des bars homos la nuit et j'ai regardé des hommes magnifiques. Je suis allé en Inde et j'ai vu le Taj Mahal, en Chine et j'ai vu la Grande Muraille, au Japon et j'ai vu toutes sortes de choses étranges. Au bout de sept mois je suis rentré aux États-Unis et me suis installé ici. Je suis très prudent depuis que je suis ici. En général je ne sors pas pendant la journée. Quand je sors le soir, je vais dans les bars homos et dans les restaurants qui ont une clientèle principalement homo. Je suis sorti avec quelques types, je suis tombé amoureux brièvement, j'ai fait quelques-unes des choses que j'avais toujours rêvé de faire.

Le temps passant, ma maladie a empiré. Comme tu le vois, je ne suis pas très en forme. J'ai hésité à te contacter jusqu'à il y a peu parce que je ne voulais pas que tu sois suivi, et je suis sûr qu'à certains moments, pendant ces derniers dix-huit mois, tu as été surveillé avec beaucoup d'attention. Barracuda, qui est un homme merveilleux, mais qui est aussi un homme ayant un boulot ignoble dont il s'acquitte à la perfection, aurait su que tu pouvais le mener à moi, et depuis que je suis parti il a sûrement dû essayer de me retrouver et de me tuer. Je n'ai plus beaucoup de temps. Si tu pars quand j'aurai fini de parler, je comprendrai, et je te serai reconnaissant d'être venu. C'était taré de faire ce que j'ai fait, mais je l'ai fait pour parachever ma vie, pour pouvoir mourir heureux. Maintenant que je t'ai vu, il ne me reste plus qu'une dernière chose sur ma liste de choses à faire avant de mourir, et c'est de jouer au golf à l'endroit où mon père travaillait et où je lui ai promis que je jouerais. M'arrêter, garer ma voiture dans le parking, pénétrer par la porte d'entrée, et faire ce putain de parcours comme les autres membres. Je sais que ça ne se produira pas, mais si c'est la seule chose que je n'ai pas faite, ça me va.

Leonard arrête de parler, se laisse tomber en arrière sur sa chaise comme si cette conversation avait pompé toute son énergie. Je le regarde, brisé et mourant, dépérissant, couvert de plaies, enroulé dans sa couverture, il me regarde je parle.

Ça explique pas mal de choses.

Comme quoi ?

Pas de femme, pas de copine. Ta passion pour les vêtements et les voitures blanches. Pourquoi toutes mes copines, romantiques ou platoniques, voulaient être ta meilleure amie. La maison sur Laguna Beach, qui est une ville homo, et que je croyais que tu aimais à cause de la vue. Pourquoi tu as dit qu'Allison, que tout le monde regarde les yeux exorbités, n'était pas ton type. Le maillot de bain Speedo que tu portais quand tu allais te baigner.

Il rit.

Les indices étaient là. C'est dingue que personne n'ait jamais pigé. Et j'ai toujours ce maillot de bain.

Je comprends maintenant.

Il rit de nouveau, d'un rire faible.

Hétéro ou homo j'ai pas changé d'avis, c'est pour les nageurs, les Européens, et les enfoirés qu'ont la classe.

Je ris.

Je n'en fais pas partie.

Tant pis pour toi. Un jour tu le comprendras. Tant pis pour toi.

Est-ce que c'est ton copain, Freddie ?

Non, bien que dans d'autres circonstances j'aurais aimé qu'il le soit. Il s'occupe de moi, c'est une sorte d'infirmière. Il m'aide à affronter ce qui m'arrive.

Je suis désolé, Leonard.

Pour quoi ?

Je suis désolé que tu aies dû vivre comme ça pendant si longtemps, désolé que tu aies dû te cacher, et je suis désolé que tu sois en train de mourir.

J'ai choisi de vivre comme j'ai vécu, et j'ai choisi de mourir comme je vais mourir. Tu n'as pas à être désolé. S'il y a quelque chose que je regrette, c'est de t'avoir caché tout ça et d'avoir disparu.

Tu n'as pas à t'excuser.

Merci.

Est-ce que je peux faire quelque chose ?

Venir me voir. C'est tout ce que je désire. Passer du temps avec mon fils.

C'est pour ça que je suis ici.

Merci, James, merci.

FREDDIE COMMANDE À MANGER CHEZ UN ITALIEN. Il dresse la table sur la véranda. Il y a de la mozzarella et des tomates, des pappardelle avec du civet de sanglier, des côtelettes de veau, de la glace italienne. Je mange comme un porc, Leonard touche à peine à son assiette. Il donne la majeure partie de son repas à Bella, fait semblant de manger le reste en tripotant la nourriture dans son assiette. Je lui pose des questions sur ses voyages, il sourit, appelle Freddie, lui demande d'apporter ses livres.

Freddie ramène une pile de livres, les dispose sur la table. Il y a quelques livres d'art, deux albums photos, quatre ou cinq guides de voyages usagés. Freddie commence à partir, Leonard parle.

Tu ne veux pas les regarder avec nous ?

Freddie fait volte-face, sourit.

Tu me les as montrés environ soixante-quinze fois Leonard. Je devrais pouvoir m'en passer.

Ils rient tous les deux, Freddie rentre dans la maison. Leonard observe les livres un moment, sourit. Il attrape un des guides.

Approche un peu ta chaise, mon fils.

Je déplace ma chaise afin d'être près de lui.

Commençons par Londres.

Londres est une belle ville.

Une ville magnifique. Beaucoup, beaucoup mieux que ce à quoi je m'attendais. Tout le monde dit que la nourriture est affreuse et que les Anglais ont des dents immondes, mais j'ai mangé comme un roi et vu un tas de dentitions parfaites.

Je ris.

Et les accents. Il y en a partout. De merveilleux accents britanniques.

Je ris.

Il ouvre le livre, ouvre un des albums photos. Il y a une photo de lui dans un stade au milieu de supporters en T-shirt rouge et blanc, avec des drapeaux, des chapeaux, des cornes et de la bière.

J'ai été à Wembley, où j'ai vu la finale de la Coupe d'Angleterre, qui est en quelque sorte la version anglaise du Super Bowl.

Pour le soccer.

Oui, pour le soccer, bien qu'ils appellent ça du football.

Comment c'était ?

Génial. Ils sont dingues avec leur football. Ils doivent protéger les supporters des différentes équipes avec des énormes barrières sinon ils se battent entre eux. À côté, nos supporters, c'est de la gnognotte.

Il continue de tourner les pages des livres, ouvrant le livre à un passage qui correspond à une photo, il me· montre les meilleurs moments de son voyage à Londres. Il me montre son hôtel, le Covent Garden, dit qu'il est fabuleux. Il me lit un passage sur son restaurant favori, qui est le plus vieux *fish and chips* de la ville. Il parle du London Dungeon Museum, il y avait des putains de rats qui couraient dans tous les sens autour de la *Vierge de fer*, du British National Museum, la moitié d'une civilisation sous un putain de toit gigantesque, de la National Portrait Gallery et de la Tate, oh ! là ! là ! ça lui a coupé le souffle. Il parle du temps, ça faisait chier mais ce n'était pas grave, du caractère chaleureux de la ville, c'est comme New York en plus propre et plus sympa.

Il en a fini avec Londres on embraye sur la France. Il dit que la France est comme une belle femme qui sait qu'elle est belle, certaines personnes aiment sa beauté et son arrogance, certaines personnes la détestent. Leonard l'aime, il dit qu'il a passé deux semaines à errer dans les rues de Paris à boire du café, à faire du shopping, à observer les gens, à regarder les vieux magasins le long de la Seine, il a passé deux jours à visiter le Louvres et deux jours à visiter le musée d'Orsay, il lui en a fallu un autre pour le musée Rodin. Il a pris tous ses repas dans des restaurants différents, s'arrêtant au hasard de ses flâneries, choisissant les endroits au petit bonheur la chance, il n'a jamais été déçu.

On traverse le reste de l'Europe de l'Ouest il dit que tout était merveilleux, TOUT ÉTAIT MERVEILLEUX. On va en Europe de l'Est il dit mec, c'est magnifique, on n'aurait jamais dû être en conflit avec ces gens-là. On saute l'Italie il dit qu'il a un autre livre pour cette partie de son voyage. Je lui demande s'il y a quelque chose qu'il n'a pas aimé en Europe il dit les Grecs étaient méchants et que le temps en Russie faisait chier, à part ça, j'ai adoré, putain. Il ouvre les guides asiatiques, commence à me décrire son voyage en Inde. Il dit que l'Inde, c'est un autre monde, tous les Américains devraient être obligés d'y aller afin de comprendre combien nous avons de la chance et combien nous sommes stupides. Il dit que malgré la pauvreté écrasante les gens sont heureux et ont de l'espoir et sont optimistes, et que malgré nos richesses ridicules nous sommes déprimés et insatisfaits et pessimistes. Il parle des villes tu ne peux même pas t'imaginer le nombre de personnes qu'il y a putain, la nourriture m'a foutu la chiasse, l'art n'est que religieux, tout simple, pur, comme l'art du début de la Renaissance, qui n'a peut-être jamais été surpassé. Il dit que le Taj Mahal, le plus sublime et le plus magnifique monument dédié à l'amour que le monde ait jamais vu, est un symbole représentant tout le pays.

On ouvre le livre sur la Chine il me parle de Pékin c'est énorme et sale et ça pue et il y a des vélos partout, la muraille est tellement géniale que putain je n'arrive même pas à croire qu'un tel truc existe vraiment, en face de la Cité Interdite tous les palais du monde ont l'air de gros tas fumants de merde de chien. Il me parle du Japon c'est un pays étrange et majestueux, bizarrement à la fois rattaché au passé et à un avenir possible, on dirait que tout est grandiose.

On en termine avec les guides et les albums photos, la dernière image montre Leonard souriant assis à la table d'un restaurant avec un groupe de sumotori de deux cent cinquante kilos, il y a assez de nourriture pour nourrir cinquante personnes. Leonard est toujours Leonard où qu'il aille dans n'importe quel milieu, je ris en regardant la photo, ferme les albums.

Il attrape les livres d'art, parle.

T'es prêt ?

À quoi ?

Dieu, la beauté, l'amour. La perfection sous diverses formes.

Je désigne les livres.

Dans ces livres ?

Il hoche la tête.

Dans ces livres.

C'est beaucoup demander, Leonard.

Il sourit.

Demande Leonard.

Il ouvre le premier livre. Le texte est en italien, il n'y en a pas beaucoup. Leonard cesse de parler, tourne les pages lentement, les pages sont pleines de reproductions en couleurs de peintures, fresques, autels. Je ne connais ni ne reconnais la plupart des tableaux, bien que je reconnaisse pourtant les noms : Botticelli, Léonard de Vinci, Le Caravage, Le Corrège, Ghirlandaio, Raphaël, Tiepolo, Le Tintoret, Titien. On reste quelques minutes sur chaque page. Parfois Leonard me dit d'où viennent les œuvres, les Offices, la galerie Borghese, Santi Apostili, la chapelle Sixtine au Vatican, parfois il me fait remarquer un petit détail, le mouvement d'une mèche de cheveu, un reflet sur un verre, une nuance, une ombre, l'aspect d'un visage.

On ferme le premier livre. Leonard le pose avec précaution à côté des guides et des albums photos. Il ouvre le deuxième livre, sur l'art de Michel-Ange. Il tourne les pages encore plus lentement, certaines d'entre elles semblent tachetées. On regarde la *Pietà*, *David* sous vingt angles différents. On regarde des croquis du *Tombeau de Jules II*, les plans et les photographies de la Bibliothèque Laurentine. Il y a une page pour chaque pan de la chapelle Sixtine, le plafond entier est reproduit sur une double page. Il y a des pages consacrées aux détails du *Jugement dernier*, le mur entier est reproduit sur une double page. Comme on observe le *Jugement dernier*, des larmes se mettent à tomber sur les pages. Leonard ne se donne pas la peine de les essuyer.

Dieu, la beauté, l'amour. La perfection sous diverses formes.

On regarde les pages et des larmes tombent des joues de Leonard.

Dieu, la beauté, l'amour.

La perfection sous diverses formes.

JE SUIS LOGÉ CHEZ LEONARD. Bella et moi sommes dans la chambre d'amis au deuxième étage. Freddie est dans une autre chambre au deuxième étage. Leonard a improvisé une chambre dans ce qui était auparavant la salle à manger, au premier. Je porte Leonard jusqu'à son lit le soir, l'emmène de son lit à la véranda le matin. On prend le petit-déjeuner sous la véranda, il a des plaies dans la bouche et il se contente de pain et d'eau, il a du mal à avaler.

On joue aux cartes.

On regarde des matchs de base-ball, les meilleures émissions de sports. On loue des films Leonard a une liste de films qu'il veut voir avant de mourir *Le Lauréat, Le Pont de la rivière Kwaï, E.T., l'extraterrestre, Annie Hall, Blanche-Neige et les Sept Nains*.

On sort dans quelques bars homos. On y va le soir. On va dans les bars qui sont les plus calmes, où l'on peut s'asseoir. Leonard ne peut pas rester debout trop longtemps. Il boit de l'eau, danse sur sa chaise au son de la musique, parle à d'autres hommes, flirte avec eux, me donne des coups de pied sous la table quand je lui dis que je pense qu'il plaît à l'un d'entre eux.

On prend la décapotable pour faire des balades dans la baie tard le soir. On baisse la capote Leonard observe les collines les arbres les vignobles les étoiles la lune le ciel.

On fait des canulars téléphoniques, on prend le téléphone on compose un numéro au hasard on parle un charabia total à celui qui répond. On se fait toujours raccrocher au nez, on rit et on rit et on rit et on rit.

Je l'emmène au musée de San Francisco. Il est tôt on est les premiers à faire la queue. Il a du mal à marcher, je lui tiens la main tandis qu'on se promène dans les salles, il pleure quand nous partons.

Il me pose des questions sur mon travail je lui dis que je le déteste. Il dit tu as découvert le ventriloque qui se cache derrière la poupée d'Hollywood. Je lui dis que non, que je déteste ce que je fais parce que je suis venu à Los Angeles pour gagner de l'argent afin d'essayer d'écrire un livre et je me suis perdu sur le chemin. Il dit démissionne, écris un livre, je lui dis ce n'est pas facile j'ai des factures et des responsabilités il rit de nouveau et dit c'est aussi facile que ça, démissionne de ton putain de boulot et écris un putain de livre. Il me pose des questions sur Allison je lui dis qu'on s'aime toujours mais que c'est fini, il demande si j'ai quelqu'un d'autre je dis peut-être, il me demande qui je lui parle d'une de mes voisines qui s'appelle Maya on est amis mais rien de plus. Il dit qu'il aime ce nom, Maya, que c'est un nom magnifique et majestueux.

On va sur la plage au coucher du soleil. Il s'assied en tremblant enveloppé dans ses couvertures. Je lui propose de le ramener à la maison il dit non, il a envie de rester. On regarde les vagues déferler, on écoute le vent hurler, on regarde le soleil se coucher, on regarde le soleil se coucher.

Leonard me demande si j'ai besoin de savoir quelque chose avant qu'il meure, j'y réfléchis pendant une minute, me tourne vers lui, dis quel est le sens de la vie, Leonard ? Il rit, dit c'est une question fastoche, elle a le sens que tu veux bien lui donner.

ON TERMINE DE DÎNER ON A COMMANDÉ LE REPAS chez un chinois. Leonard a à peine mangé, il mange de moins en moins chaque jour. Leonard a l'air distant, distrait, je lui demande s'il va bien.

Je pensais à mon ami Andrew.

Qui c'est ?

C'était mon amant.

Ton amant ?

Ouais, mon amant.

Je ris.

La personne dont tu es tombé amoureux ?

Ouais.

Tu devrais l'appeler ton copain, pas ton amant.

Pourquoi ?

C'est ringard, amant.

Leonard rit.

Fais gaffe à ce que tu dis.

Pourquoi ?

T'as pas le droit de me traiter de ringard.

Je l'ai, si tu utilises le mot amant.

Ça fait combien d'années que je me coltine ta poésie bidon quand tu parles de tes différentes copines, oh je l'aime et je ne peux vivre sans elle, oh elle est tellement belle, oh ses yeux, ses yeux, ses yeux.

Je ris.

Un paquet d'années.

Non seulement je vais l'appeler mon amant, Guimauve, mais en plus tu n'as pas ton mot à dire là-dessus.

Je ris de nouveau.

D'accord, Leonard, appelle-le comme tu veux.

Mon amant.

Où est-il ?

De l'autre côté de la ville.

Vraiment ?

Ouais.

Pourquoi tu ne le vois pas ?

Je n'en ai pas envie.

Pourquoi ?

Ça me fait trop de peine.

Pourquoi ?

Parce que l'amour ça fait de la peine parfois, et ça fait encore plus de peine quand tu sais que ça ne va pas marcher.

Comment peux-tu savoir que ça ne va pas marcher ?

Regarde-moi. Ça ne va pas marcher.

Qui c'est ?

Rien qu'un type. Il est avocat. Il est un peu plus âgé que moi.

Avocat ?

Avocat. Un avocat d'affaires. Il travaille pour des entreprises technologiques.

Et plus âgé ?

J'aime les hommes plus âgés. Ils me font me sentir jeune.

Je ris.

Comment vous êtes-vous rencontrés ?

Freddie et moi étions allés dîner. Il était assis seul à une table. On lui a demandé de se joindre à nous.

Un coup de foudre ?

Leonard sourit.

Oui.

La première fois ?

Non, mais c'était la première fois que je faisais quelque chose.

Qu'est-ce qui s'est passé ?

On a mangé. Il m'a donné sa carte. Je l'ai appelé le lendemain et lui ai proposé une sortie. On est à nouveau allés au restaurant. On a parlé d'art, de livres, de nos vies, de notre enfance, il vient d'une famille bourgeoise de San Diego et a passé son enfance à surfer et à jouer au base-ball. Il est venu chez moi cette nuit-là et y a passé la nuit. On est allés au restaurant et il a passé chaque nuit avec moi pendant les deux semaines qui ont suivi.

Et ensuite ?

Je l'ai jeté dehors. Lui ai dit de ne pas appeler et de ne jamais revenir ici.

Pourquoi ?

Leonard a les larmes qui lui montent aux yeux.

Je souffre déjà assez comme ça. Je ne voulais plus souffrir comme ça.

Je suis désolé.

Leonard fixe le sol, se met à pleurer, se met à sangloter. Je m'assieds près de lui, le serre dans mes bras, le laisse sangloter dans mes bras.

C'EST LE MATIN JE SORS DU LIT DESCENDS. Durant la semaine que j'ai passée ici une routine s'est mise en place, je réveille Leonard, l'aide à se brosser les dents, à se laver le visage, à se raser, l'aide à aller sous la véranda, où je bois du café et il boit de l'eau. Leonard n'est pas dans sa chambre je sors sous la véranda il est assis dans son fauteuil. Il fume une cigarette, regarde de l'autre côté de la cour. Il parle.

Mon fils.

Qu'est-ce qui se passe, Leonard ?

Je reste là, je profite du matin, en fumant un bon cigare.

Une rude journée en perspective ?

On peut le dire comme ça.

T'as des projets ?

On peut le dire comme ça.

Où est Freddie ?

Il sera là sous peu. Je lui ai dit que j'avais besoin d'être un peu seul avec toi.

Qu'est-ce qu'il y a ?

Il se tourne vers moi.

Tu penses toujours à Lilly ?

Bien sûr. Tous les jours.

À quoi tu penses quand tu penses à elle ?

Je me rappelle le temps qu'on a passé ensemble. Quand je la caressais en la serrant contre moi, sa manière de m'embrasser, sa manière de sourire, sa façon de rire. Je me rappelle que je la serrais dans mes bras quand elle pleurait. Je me rappelle quand je lui parlais et quand je lui écrivais en prison. Je pense souvent à ce que notre vie aurait pu être, j'invente des histoires qu'on aurait pu vivre ensemble. Parfois je pense à ce qu'elle a pu éprouver quand elle est morte. Ce à quoi elle pensait et ce qu'elle ressentait, pourquoi elle l'a fait.

Pourquoi crois-tu qu'elle l'a fait ?

Elle souffrait trop. Elle n'arrivait simplement pas à s'en sortir.

Et que ressens-tu à propos de son geste ?

D'un côté, je continue un peu à la détester à cause de ça. Une partie de mon cœur est encore brisée. Mais dans l'ensemble j'accepte qu'elle ait fait ce qu'elle a fait parce qu'elle pensait que c'était bien, et je respecte sa décision.

Il hoche la tête, regarde de nouveau de l'autre côté de la cour. Il tire une bouffée sur son cigare, expire, écrase le cigare dans le cendrier.

C'était un excellent cigare.

Je souris.

C'est bien.

Mon dernier.

Tu veux que je t'en apporte un autre ?

Je veux dire le dernier que je fumerai.

Pourquoi ?

Il me regarde quelques instants.

Je vais te demander de respecter la décision que j'ai prise.

De quoi est-ce que tu parles, Leonard ?

Je souffre trop, mon fils. Je ne veux plus dépérir. Je veux finir ma vie, dans la dignité, avant de devenir plaintif, délirant, d'être un squelette sous perfusion.

Ne fais pas ça.

On a passé de bons moments tous les deux ici, et j'ai probablement passé la meilleure semaine de ma vie. Ça ne va faire qu'empirer, et je ne peux pas accepter ça.

Non.

Est-ce que tu respecteras ce que je vais faire ?

Je secoue la tête.

Non.

S'il te plaît comprends-le, et respecte-le, et accepte-le, comme tu l'as fait pour Lilly.

Pas question, merde, Leonard. Tu ne peux pas te suicider.

Il me regarde, dans les yeux, c'est tout ce qui en lui reste vivant, il me regarde, me regarde.

S'il te plaît, mon fils. Le moment est venu pour moi de partir.

Qu'est-ce que tu vas faire ?

Je vais te demander d'aller promener Bella. De passer quelques heures dehors. Quand tu reviendras, je serai parti.

Je secoue la tête.

Pas question, Leonard.

J'ai un tube de pilules. Ce sont des pilules contre la douleur qu'on m'a données pour supporter ce qui m'arrive. Je vais prendre le tube en entier. Je vais aller dormir, et je n'aurai plus mal.

Je t'en prie, Leonard. Non.

Je ne fais pas ça pour te faire de la peine. Tu es la personne qui compte le plus dans ma vie, la seule personne que j'aie au monde, la seule personne que j'aime. Tu es mon fils, mon enfoiré de fils, et je suis fier de toi, et de celui que tu es devenu et de ta façon de te conduire, et je sais que tu n'y crois pas, mais je continuerai de faire attention à toi, et de te protéger, et j'aurai hâte de te revoir.

Il me regarde, dans les yeux. Il ouvre les bras.

Viens dans mes bras, mon fils.

Je m'avance, le laisse me prendre dans ses bras, me mets à pleurer. Je ne veux pas que ça se passe et je ne veux pas le laisser faire, je ne veux pas perdre mon ami, mon meilleur ami, l'homme qui m'a sauvé, qui m'a aidé, qui m'a guidé et protégé qui a fait attention à moi a pris soin de moi je ne veux pas qu'il meure, je ne veux pas qu'il meure, je ne veux pas qu'il meure. Il me repousse, je ne veux pas le lâcher il me repousse.

Sois fier, sois fort. Vis dans l'honneur et la dignité. Tu peux faire tout ce que tu veux faire. Tu es mon enfoiré de fils. Ne l'oublie jamais. Ne l'oublie jamais.

Les larmes ruissellent sur mon visage j'ai du mal à respirer mes mains tremblent j'ai peur je suis sous le choc je n'arrive pas à croire ce qui se passe. Il me regarde, dans les yeux. J'ai peur je suis sous le choc je n'arrive pas à croire ce qui se passe.

Je parle.

Je ne veux pas que ça se passe.

Il glousse.

Je ne veux pas non plus que ça se passe, mais je suis dans...

Je l'interromps.

JE NE VEUX PAS QUE ÇA SE PASSE.

J'ai peur je suis sous le choc je me mets à pleurer je me mets à sangloter.

NON. NON. NON. NON.

Il me fixe des yeux. Je le regarde je sanglote j'ai peur je suis sous le choc je ne veux pas que ça se passe pitié pitié pitié. Dieu si tu existes sauve-le, sauve-le, sauve-le et je te vouerai ma vie, pitié quelqu'un n'importe qui arrêtez ça par pitié arrêtez ça c'est tout je sanglote pitié pitié pitié.

Leonard se penche, enroule ses bras autour de moi, me serre contre lui tandis que je sanglote, me serre contre lui tandis que je sanglote. Il attend que je cesse de sangloter il parle.

Si tu dois pleurer, pleure pour tous les bons moments qu'on a eus, et tous les rires, et toutes les conneries marrantes qu'on a faites, et pleure parce que ces souvenirs te rendent heureux.

Je lève les yeux vers lui. Il parle.

On a connu de bonnes années, mon fils. Des années merveilleuses. Les meilleures de ma vie.

Il se lève il me prend la main, je me lève et on se regarde pour la dernière fois, la dernière fois. Il parle.

À présent, c'est l'heure.

Je me remets à pleurer.

Tu dois me laisser. C'est l'heure.

JE PRENDS BELLA SORS DE LA MAISON comme je m'éloigne mes jambes me lâchent. Je tombe n'arrive pas à me relever je n'arrive pas à bouger je m'assieds dans l'herbe et je sanglote sans pouvoir m'arrêter sanglote sans pouvoir m'arrêter sanglote sans pouvoir m'arrêter je sanglote. Dès que je peux je me relève et je me dirige vers mon pick-up et je grimpe à l'intérieur et je ferme les vitres et je ferme les portes et je m'allonge sur le siège arrière et je serre mon chien contre moi mon chien mon petit chien Bella et je sanglote sans pouvoir m'arrêter je sanglote.

FREDDIE FRAPPE À LA VITRE je suis toujours sur le siège arrière je ne sais pas combien de temps a passé je suis fatigué, épuisé, je ne veux pas bouger, n'arrive pas à comprendre ce qui est arrivé n'arrive pas à comprendre ce qu'il y a dans cette maison n'arrive pas à comprendre que mon ami Leonard est parti, mon ami Leonard est parti.

JE N'ARRIVE PAS À SORTIR DE LA VOITURE. Je me sens bien ici, je me sens en sécurité. Je n'arrive pas à cesser de sangloter. Freddie appelle une ambulance elle arrive ils emportent le corps. Je n'arrive pas à l'apercevoir, n'arrive pas à voir quand ils l'emmènent. Je m'assieds sur le siège arrière et je sanglote sans pouvoir m'arrêter je sanglote.

FREDDIE M'APPORTE À MANGER je mange difficilement. Il sort Bella. Quand il fait noir, je sors de la voiture entre dans la maison. Dès que j'ai passé la porte je me remets à pleurer vais directement dans ma chambre je m'allonge sur le lit et je pleure.

C'EST LE MATIN JE SUIS RÉVEILLÉ je suis tellement crevé j'ai du mal à me mouvoir. Je descends. Freddie a du café et des cigarettes. On boit le café et on fume les cigarettes et on pleure ensemble.

On nettoie la maison, on emballe les affaires de Leonard il n'y a pas grand-chose, quelques fringues, quelques livres d'art, quelques paires de pantoufles, on jette les fournitures médicales.

On déjeune. Je raconte à Freddie des anecdotes à propos de Leonard on rit entre deux larmes.

On nettoie la maison.

On dîne on rit entre deux larmes.

Je m'endors en pleurant.

Je me lève. Café et cigarettes. Freddie me donne le numéro de téléphone d'un avocat qui s'est occupé de la succession de Leonard. Leonard a demandé à Freddie de me donner le numéro une fois qu'il serait parti. J'appelle l'avocat prends rendez-vous dans l'après-midi. Je vais voir l'avocat, il ne s'agit pas d'Andrew, l'avocat, mais d'un avocat pour les successions. Il a un bureau en chêne, des murs recouverts de chêne, porte un costume gris, a un assistant grisonnant qui m'appelle M. Frey. Il me dit que Leonard a fait deux testaments. L'un d'eux, qui est pour moi, me laisse une coquette somme d'argent. Je lui dis que je n'en veux pas, que je veux la donner à la clinique où on s'est connus. Il me dit qu'il y a assez d'argent pour que je n'aie plus jamais besoin de travailler, plus jamais à me soucier d'argent. Je lui dis que je n'en veux pas, que j'aimerais qu'il fasse tout ce qui est en son pouvoir pour que l'argent revienne à la clinique où on s'est connus. Il hoche la tête me dit que l'autre testament fait en sorte que deux tombes à Chicago soient toujours entretenues et qu'elles soient toujours décorées avec des roses fraîches. Je lui demande pendant combien de temps cela va durer. Il regarde quelques papiers, me regarde à nouveau dit les instructions stipulent qu'il y a une somme d'argent placée afin que les tombes soient entretenues tant que la ville de Chicago existera. Je me remets à pleurer. Je reste assis dans le bureau de l'avocat à pleurer.

JE TERMINE DE PRÉPARER MES BAGAGES, de nettoyer, la sonnette retentit. Je vais à la porte, l'ouvre. Barracuda se
tient devant moi. Je suis terrorisé, j'ai une putain de
trouille. Je pense à lui claquer la porte au nez, mais sais
que ça ne changera rien. S'il est là pour me faire du mal,
ce n'est pas la porte qui va l'arrêter. Il parle.

Salut, Fiston.

Quoi de neuf, Barracuda ?

Pas grand-chose. Et toi ?

T'es en retard de quelques jours.

Il secoue la tête.

Non, pas du tout.

Leonard est déjà mort.

Ça fait six mois que je sais où il est. Je ne lui aurais
jamais fait de mal. C'était un homme merveilleux, le plus
fabuleux que j'aie jamais connu. Je suis venu lui rendre
mes hommages.

Je recule.

Entre.

Barracuda entre, dit salut à Bella, lui caresse la tête. Il
demande s'il y a de l'alcool dans la maison. Il y a un
meuble à alcools, je regarde dedans, lui dis qu'il y en a
plein. Il demande un scotch avec de la glace et un verre
d'eau glacée. Je vais chercher deux verres, vais chercher
de la glace, verse le scotch, verse l'eau. Je lui donne le
verre il me dit de garder l'eau. Il demande à voir

427

l'endroit où Leonard a expiré. Je l'emmène dans la véranda. Il fouille dans sa poche, sort deux cigares, parle.

Avant d'arrêter l'alcool, il buvait du scotch, après qu'il avait arrêté l'alcool, il a bu de l'eau. Ce sont des cubains, c'étaient ses préférés. Fumons et buvons en l'honneur de notre ami.

Je souris, on trinque, on allume les cigares. Barracuda me questionne sur les derniers jours de Leonard je lui raconte, il dit qu'il aurait aimé avoir été là avec nous. Il demande où se trouve Leonard à présent. Je lui dis qu'il a été incinéré, que je vais récupérer ses cendres demain. Il me regarde, parle.

Il me semblait bien que c'était ce qu'il ferait. C'est bien.

Pourquoi ?

On a un truc à faire, toi et moi.

Quoi ?

Peux-tu envoyer Bella à Los Angeles, demander à quelqu'un là-bas de s'occuper d'elle ?

C'est possible. Pourquoi ?

Il m'explique pourquoi, m'explique ce qu'on va faire. On retrouve Freddie. Je le présente à Barracuda. Je lis de la peur sur son visage je lui dis que tout va bien, que Barracuda est venu pour rendre ses hommages. Je demande à Freddie s'il peut emmener Bella à Los Angeles. Il dit qu'il ne sait pas. Barracuda sort une liasse de billets de cent dollars de sa poche lui demande si cinq mille dollars suffiraient à le convaincre. Freddie demande pourquoi, on lui dit, il accepte de le faire gratuitement. On sort tous les trois pour aller dans un grill. On commande plus de nourriture qu'on ne peut en manger, Barracuda et Freddie boivent une bouteille de vin à cinq cents dollars, on laisse un pourboire énorme.

En l'honneur de notre ami.

fin

J'APPRENDS À FREDDIE À CONDUIRE LE PICK-UP. Je fais un gros câlin à Bella elle me lèche le visage ils s'en vont.

Barracuda et moi récupérons les cendres de Leonard. Elles sont dans une boîte. On pose la boîte à l'arrière de la décapotable blanche, on achète une carte, on va vers l'est.

On traverse la Californie jusqu'au Nevada. On traverse les montagnes de l'Utah pour redescendre sur le Wyoming. On garde la capote baissée, on conduit vite, on prend le volant à tour de rôle, changeant toutes les deux ou trois heures. La nuit tombe Barracuda dort je bois du café et fume des cigarettes et conduis, le matin arrive je dors Barracuda boit du café et fume des cigares et conduit. On traverse le Nebraska et l'Iowa et l'Illinois on traverse Chicago ça fait trente-cinq heures d'affilée que l'on conduit. On passe de l'arrière à l'avant l'un conduit l'autre dort on s'arrête pour manger et boire du café, acheter des cigarettes et de l'essence. On continue. La Mercedes est une voiture robuste on roule encore onze heures en passant par l'Indiana, l'Ohio, la Pennsylvanie, le New Jersey. On entre dans New York. On est fatigués, épuisés, c'est le matin il est tôt on est presque arrivés. On continue jusqu'au Connecticut. Barracuda sait où on va il a longé le portail avec Leonard tellement de fois sans aller plus loin cette fois-ci sera la bonne.

On approche d'une allée bordée d'arbres il y a une pancarte devant nous. On s'arrête devant l'allée Barracuda est au volant. Il se tourne vers moi, parle.

T'es prêt ?

Je souris.

Ouais, je suis prêt.

Demande à Leonard s'il est prêt.

Je me tourne, regarde la boîte, parle.

T'es prêt, Leonard ?

J'observe la boîte un petit moment, regarde de nouveau Barracuda.

Il dit que ça fait un bail qu'il attend ce moment.

Barracuda sourit. On avance dans l'allée, on passe à travers le bosquet d'arbres, on en ressort, il y a un parking à notre gauche plein de Mercedes et de BMW, de Jaguar et de Porsche, il y a une Roll's un peu à l'écart dans un coin. À notre droite il y a un pavillon, un beau bâtiment blanc, grand et informe, avec une entrée dotée de colonnes et une cabine de voiturier. Derrière le pavillon un terrain de golf s'étend à perte de vue, on voit de la rosée sur l'herbe.

On s'arrête devant le voiturier. Un employé en uniforme s'avance. Barracuda sort de voiture je sors de voiture. Je tends le bras vers le siège arrière et prends la boîte. L'employé regarde Barracuda, parle.

Puis-je vous aider ?

Barracuda prend un billet dans sa poche, le tend à l'employé.

Garez-la dans le parking. Prenez garde à la garer à une place correcte.

Vous jouez au golf ?

En effet.

Avez-vous des clubs ?

Ne vous en faites pas. Occupez-vous seulement de garer la voiture à une place correcte.

L'employé hoche la tête, monte dans la Mercedes, la dernière de toutes les Mercedes qu'a eues Leonard, et va au parking. On avance vers la porte d'entrée. Il y a un

autre employé en uniforme à la porte. Il nous regarde
nous avons passé les deux derniers jours à conduire
nous n'avons pas l'air d'être ici pour jouer au golf. Il
parle.

La porte de service se trouve de l'autre côté.

On avance. J'ai la boîte dans mes bras. Barracuda
parle.

C'est la porte d'entrée ?

Oui.

On va passer par là.

L'employé parle.

Excusez-moi, Monsieur...

Barracuda l'interrompt.

On n'est pas ici pour créer des problèmes, il faut
seulement qu'on entre par cette porte. Ça peut se passer
bien ou se passer mal, dans les deux cas on entrera par
cette porte. Je vous recommande fortement de faire en
sorte que ça se passe bien, parce que si ce n'est pas le
cas, je ferai en sorte de vous empoisonner sacrément la
vie. Une fois qu'on sera entrés, vous ne le signalerez pas
vous n'appellerez personne, et on sera repartis d'ici une
demi-heure. On s'est bien compris ?

L'employé a l'air effrayé. Il hoche la tête, parle.

Oui, Monsieur.

Barracuda fouille dans sa poche, lui tend un billet.

Merci.

L'homme prend le billet. Barracuda le regarde.

En général, vous ouvrez la porte ?

Oui, Monsieur.

Alors faites-le pour nous.

L'homme ouvre la porte.

Merci.

On passe la porte, on pénètre dans un vestibule. Il y a
un beau parquet ciré en bois sombre, un miroir, un
bureau en chêne pour l'accueil avec un énorme bouquet,
il y a un papier peint à fleurs discret. Un hall se trouve
devant nous on avance il y a une grande pièce avec des
divans, des tables, des chaises, une baie vitrée qui donne

sur le terrain de golf. On traverse la pièce il y a toute une série de portes-fenêtres on les ouvre on sort.

C'est une matinée magnifique, ensoleillée fraîche claire. Il va bientôt faire chaud mais ce n'est pas encore le cas. Il y a un magasin spécialisé et un parking pour voitures de golf à notre gauche, à une cinquantaine de mètres.

Sans se concerter, on va dans cette direction. Il y a un green juste devant nous, trois hommes se trouvent dessus et attendent de putter. Barracuda me regarde, parle.

Puisqu'on est là autant suivre les règles.

On fait le tour du green, on se dirige vers le parking à voitures de golf. Un jeune homme sort du parking, nous demande s'il peut nous aider. Barracuda s'approche d'une voiture de golf, se met au volant. Il regarde le jeune homme, parle.

On va prendre cette voiture. Tu pourras la récupérer sur le parking à voitures dans un petit moment. Si tu commences à me dire que je ne peux pas la prendre, je t'éclate la tronche. Et si t'appelles n'importe qui pour dire qu'on l'a prise, ça sera pire, bien pire.

Le jeune homme hoche la tête, parle.

Compris.

Barracuda lui tend un billet, parle.

Merci.

Il se tourne vers moi, parle.

T'es prêt ?

Je hoche la tête, parle.

Pour Leonard.

Barracuda sourit, parle.

Pour Leonard.

Il tourne la clef, appuie sur la pédale. On part. On fonce sur le parcours. On rejoint le centre de la pelouse entretenue. On ne fait pas attention aux golfeurs qui sont surpris de nous voir, qui crient sur notre passage, qui demandent ce qu'on fait. Comme on s'éloigne j'ouvre la boîte, et pendant qu'on roule on puise chacun à notre tour dans la boîte pour disperser les cendres. On met des cendres sur tous les tees sur toutes les pelouses sur tous les greens. On disperse notre ami Leonard sur l'herbe parfaite et magnifique et verte du golf sur lequel, toute sa vie, il a rêvé qu'il pourrait jouer, comme n'importe quel membre. Pour chaque poignée de cendres on dit pour toi, Leonard, et pendant tout ce temps les larmes coulent sur nos visages. On disperse les cendres de Leonard, les cendres de notre ami Leonard, les cendres de notre magnifique ami Leonard.

Quand on a fini on ramène la voiture de golf dans le parking à voitures. On sort, on se dirige vers l'allée qui nous a menés ici. On laisse la Mercedes de Leonard dans le parking, à l'endroit qui lui revient, à l'endroit où elle restera jusqu'à ce que quelqu'un l'enlève. On marche en silence, pour la première fois depuis longtemps on est seuls sans rien qui nous rattache à notre ami. On l'a laissé à l'endroit qui lui revient, où il restera. Quand on atteint le bout de l'allée, Barracuda sort un téléphone de sa poche, appelle une compagnie de taxis. Quand il raccroche, on s'assied par terre et on attend. Aucun de nous n'ouvre la bouche, on reste assis et on attend. Dix minutes plus tard, deux taxis arrivent. On se lève. Barracuda me regarde, parle.

Je crois que c'est fini, Fiston.

Je crois aussi.

Il plonge la main dans sa poche, en sort une carte, me la tend.

C'est la carte d'Olivia. J'ai inscrit mon nom au dos.

Qu'est-ce que je suis con. Je ne t'ai pas demandé de nouvelles d'Olivia. Comment elle va ?

Elle va bien. J'essaie de la convaincre de se marier avec moi.

Dis-lui bonjour de ma part, et que j'ai dit que tu n'étais pas aussi méchant que tu en avais l'air, et que je pense qu'elle devrait t'épouser.

Il rit.

Appelle-moi si t'as besoin de quoi que ce soit, ou si je peux te filer le moindre coup de main.

Je souris.

Ça m'étonnerait que je le fasse.

Il sourit.

Ça vaut sans doute mieux.

Merci, Barracuda.

Merci, Fiston.

On s'embrasse. On se sépare. Barracuda parle.

Tu rentres à Los Angeles ?

Je vais faire un saut à Chicago.

Rendre une visite à ta copine ?

Il faut que je lui dise que Leonard arrive.

Il est sûrement déjà avec elle.

Je l'espère.

Barracuda me regarde pendant quelques minutes, hoche la tête, ouvre la portière d'un des taxis, entre. Il s'éloigne alors que je monte dans l'autre taxi. Le chauffeur de taxi me regarde, parle.

Quelle adresse ?

L'aéroport.

Lequel ?

LaGuardia.

Vous allez où ?

Je vais voir une amie, puis je rentre chez moi.

Merci Maya, je t'aime Maya, merci pour notre magnifique bébé, je t'aime Maren. Merci Maman et Papa, Bob et Laura. Merci Sean McDonald. Merci Kassie Evashevski. Merci David Krintzman. Merci Tobin Babst. Merci Julie Grau, Cindy Spiegel, Roland Phillips. Merci Nan Talese et Coates Bateman. Merci Jenny Meyer. Merci Mike Craven, Warren Wibbelsman, Elizabeth Sosnow, Jeffrey Dawson, Kevin Chase, Dan Glasser, Matt Rice, Josh Kilmer-Purcell et Brent Ridge, Susan Kirshenbaum, Le Motley Crue of Hamilton, Nancy Booth, Eben Strousse, les Boys de cet enfoiré de GSL. Merci Nanci Ryder et Lisa Kussell. Merci Mih-Ho Cha, Noelle Murrain, Megan Millenky. Merci Dave Massey, Megan Lynch, Larissa Dooley, Justin Maggio, Alex Morris, Feroz Taj, Dave Bernad, Nicole Young. Merci Brooke. Merci Lyssa. Merci United Hudson Grocery et Mary's Marvelous. Merci Bella et Preacher mes petits amis, mes petits amis. Merci Miles, on est toujours debout. Merci Lilly. Merci Lilly. Merci Leonard. Merci, mon ami.

Merci Leonard.

Collection « Littérature étrangère »

Achevé d'imprimer sur les presses de

BUSSIÈRE

GROUPE CPI

à Saint-Amand-Montrond (Cher)
en septembre 2006

Photocomposé par Nord Compo
à Villeneuve-d'Ascq

N° d'édition : 4183. — N° d'impression : 062480/1.
Dépôt légal : septembre 2006.

Imprimé en France